Meg Cabot

Mag het een maatje meer zijn?

Vertaald door Ellis Post Uiterweer en Carla Hazewindus

ARENA

Oorspronkelijke titel: *Size 12 Is Not Fat*
© Oorspronkelijke uitgave: 2006 by Meg Cabot
© Nederlandse uitgave: Arena Amsterdam, 2007
© Vertaling uit het Engels: Ellis Post Uiterweer en Carla Hazewindus
Omslagontwerp: DPS, Amsterdam
Foto voorzijde omslag: Chika Azuma
Foto achterzijde omslag: Christopher J. Happel Studio 16
Typografie en zetwerk: CeevanWee, Amsterdam
ISBN 978-90-6974-801-6
NUR 302

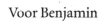

Voor Benjamin

1

> *Every time I see you*
> *I get a Sugar Rush*
> *You're like candy*
> *You give me a Sugar Rush*
> *Don't tell me to stay on my diet*
> *You have simply got to try it*
> *Sugar Rush*
>
> 'Sugar Rush'
> Zang: Heather Wells
> Tekst: Valdez/Caputo
> Van het album: *Sugar Rush*
> Cartwright Records

'Eh... Is daar iemand?' Het meisje in het pashokje naast me heeft een raar piepstemmetje. 'Hallo daar?'

Net een muisje.

Ik hoor dat de verkoper eraan komt, zijn sleutelbos rinkelt melodieus. 'Ja, mevrouw, kan ik u ergens mee van dienst zijn?'

'Ja.' Ik hoor het piepstemmetje van het meisje over de scheidingswand tussen onze pashokjes komen. 'Hebt u deze spijkerbroek misschien in een kleinere maat dan 32?'

Stokstijf blijf ik staan, met één been in de pijp van de spijkerbroek waarin ik me probeer te hijsen. Goh. Ligt het aan mij of hoorde ik dat echt? Want bestaat er dan een kleinere maat dan 32? Dat zijn dan toch kindermaatjes?

'Eigenlijk heb ik maat 34,' hoor ik het piepstemmetje uitleggen aan de verkoper. 'Maar deze maat 32 zit me veel te ruim, ik zwem erin. Raar hoor, ik weet zeker dat ik niet ben afgevallen sinds de vorige keer dat ik hier was.'

Piepstem heeft een punt, besef ik als het me is gelukt de spijkerbroek aan te trekken. Ik herinner me nauwelijks meer dat ik maat 38 nog paste. Goed, dat kan ik me wel herinneren. Maar aan die periode in mijn leven denk ik niet graag terug.

Wat is er aan de hand? Normaal gesproken heb ik maat 42... Maar deze spijkerbroek is maat 42 en ik zwem erin. En maat 40 valt ook al zo groot. Dat is echt raar, want ik heb nou niet bepaald een dieet gevolgd – tenzij ik daar de zoetjes toe moet rekenen die ik vanmorgen in de koffie heb gedaan.

Maar die zoetjes konden natuurlijk niet opboksen tegen de bagel met roomkaas en bacon die ik erbij at.

En ik ben de laatste tijd ook niet naar de fitness gegaan. Niet dat ik geen lichaamsbeweging neem, ik beweeg mijn lichaam gewoon niet in de fitness. Omdat je met lopen net zo veel calorieën verbrandt als met rennen. Waarom zou je dan rennen? Ik ben er allang achter gekomen dat het loopje naar Murray's Cheese Shop in Bleecker Street om te kijken wat voor sandwich er op het menu van de dag staat, tien minuten duurt.

En van Murray's naar Betsey Johnson aan Wooster Street om te kijken wat er in de uitverkoop is gegaan (hopelijk zo'n gevalletje van stretchfluweel!) duurt nog eens tien minuten.

En de wandeling van Betsey's naar Dean & Deluca op Broadway voor een cappuccino en om te kijken of ze die sinaasappelchocoladeschilletjes hebben: weer tien minuten.

En zo verder. Voordat je het weet heb je een uur lichaamsbeweging gehad. Wie zegt dat het moeilijk is om de voorgeschreven hoeveelheid lichaamsbeweging te krijgen? Als ík het kan, kan iedereen het.

Maar zou ik echt door al dat lopen twee maten zijn afgevallen? Ik krijg natuurlijk wel minder vet binnen sinds ik de bonbons in de snoeppot op mijn bureau heb vervangen door de gratis condooms uit het studentengezondheidscentrum. Maar toch...

'Maar mevrouw,' zegt de verkoper tegen Piepstem. 'Dit is een stretchspijkerbroek. Dat wil zeggen dat u een hele maat kleiner moet nemen dan u gewend bent.'

'Watte?' Piepstem klinkt alsof ze er niets van begrijpt.

Dat kan ik haar niet kwalijk nemen. Ik begrijp er ook niets van. Het lijkt wel wiskunde op school.

'Wat ik bedoel,' legt de verkoper geduldig uit, 'is dat als u normaal gesproken maat 34 hebt, u een stretchspijkerbroek in maat 32 moet hebben.'

'Waarom zetten jullie dat er dan niet op?' vraagt Piepstem. Een verstandige vraag, vind ik. 'Dus als maat 34 valt als maat 32, waarom zetten jullie dan geen maat 32 op maat 34?'

'Het zijn flatterende maten,' zegt de verkoper op fluistertoon.

'Wat voor maten?' vraagt Piepstem. Ze is ook gaan fluisteren. Voor zover je met een piepstem kunt fluisteren.

'U weet wel.' De verkoper fluistert nog zachter tegen Piepstem, maar ik kan hem toch verstaan. 'De wat gevuldere klanten vinden het prettig om in maat 38 te passen. Maar eigenlijk hebben ze maat 42, snapt u?'

Wacht eens... Wat is dat nou?

Zonder erbij na te denken zwaai ik de deur van mijn pashokje open.

'Ik heb maat 42,' hoor ik mezelf tegen de verkoper zeggen. Die kijkt ontzet. Terecht, vind ik. 'Wat is er mis met maat 42?'

'Niets!' roept de verkoper paniekerig uit. 'Helemaal niets! Ik wilde alleen maar zeggen...'

'Dat maat 42 voor dikkerdjes is?' vraag ik.

9

'Nee, nee,' zegt de verkoper gauw. 'U begrijpt me verkeerd. Ik bedoelde...'

'Want de doorsnee Amerikaanse vrouw draagt namelijk maat 42,' merk ik op. Dat weet ik omdat ik het net in *People* heb gelezen. 'Wilt u soms zeggen dat we niet doorsnee zijn, maar dik?'

'Nee,' zegt de verkoper. 'Nee, dat wilde ik helemaal niet zeggen. Ik...'

De deur van het pashokje naast het mijne gaat open, en voor de eerste keer zie ik wie er over dat piepstemmetje beschikt. Ze is net zo oud als de studenten met wie ik werk. En ze heeft niet alleen een muizenstemmetje, zie ik nu, ze ziet er ook als een muisje uit. Je weet wel, pittig en brutaal. En klein genoeg om in de broekzak van een meisje van normaal formaat te passen.

'En waarom wordt haar maat niet gemaakt?' vraag ik de verkoper terwijl ik naar Piepstem wijs. 'Ik bedoel, ik ben liever gemiddeld dan dat ik niet eens besta!'

Piepstem kijkt verschrikt, en zegt dan: 'Eh... ja!' tegen de verkoper.

De verkoper slikt zenuwachtig. En hoorbaar. Je kunt wel zien dat hij zijn dag niet heeft. Na het werk gaat hij waarschijnlijk naar de een of andere bar om zijn beklag te doen: 'En die wijven gingen maar tekeer over flatterende maten... Het was een verschrikking!'

Tegen ons zegt hij: 'Ik, eh... ik denk dat ik even ga kijken of we die spijkerbroek in het magazijn hebben.'

Daarna rept hij zich weg.

Ik kijk Piepstem eens aan. Zij kijkt mij eens aan. Ze is misschien tweeëntwintig, en heel erg blond. Ik ben ook blond – dankzij Lady Clairol – maar allang geen twintig meer.

Toch is het wel duidelijk dat Piepstem en ik iets gemeen hebben, als we even niet op leeftijd en omvang letten. Er is een band ontstaan die niet gauw verbroken kan worden: we werden allebei met die zogenaamd flatterende maten voor de gek gehouden.

'Ga jij die broek kopen?' vraagt Piepstem terwijl ze naar de broek wijst die ik aanheb.

'Och,' zeg ik. 'Ik heb nu eenmaal een nieuwe spijkerbroek nodig. Iemand heeft over mijn andere overgegeven, op mijn werk.'

'Jezus!' zegt piepstem, en ze trekt haar muizenneusje op. 'Waar werk je dan?'

'O,' zeg ik. 'In een studentenflat. Ik bedoel: een studentenhuis. Ik ben assistent-huismeester.'

'Echt?' Piepstem kijkt geïnteresseerd. 'Van het New York College?' Wanneer ik knik, roept ze uit: 'Ik dacht al dat ik je ergens van kende! Ik ben vorig jaar aan het New York College afgestudeerd. Welk studentenhuis?'

'Eh...' zeg ik niet op mijn gemak. 'Ik werk er nog maar sinds de zomer.'

'O ja?' Piepstem fronst. 'Wat raar, want ik heb toch echt het gevoel dat ik je ergens van ken...'

Voordat ik kan uitleggen waarom ze denkt dat ze me kent, laat mijn mobieltje de eerste tonen van het refrein van Go-Go's 'Vacation' horen (speciaal uitgekozen om me er pijnlijk aan te herinneren dat ik geen vakantie krijg totdat ik een proeftijd van een half jaar op mijn werk achter de rug heb, en ik ben nog maar op de helft). Ik zie op het schermpje dat het mijn baas is. Die me op zaterdag belt.

Dat moet betekenen dat het iets heel belangrijks is.

Maar waarschijnlijk is het totaal niet belangrijk. Ik bedoel, ik ben dol op mijn nieuwe baan – met studenten werken is echt heel erg leuk, omdat ze zo enthousiast zijn over dingen waar de meeste mensen niet eens bij stilstaan, zoals een vrij Tibet en zwangerschapsverlof voor arbeidsters in de derde wereld en zo.

Het nadeel van in Fischer Hall werken, is dat ik om de hoek woon. Daardoor ben ik veel makkelijker te bereiken dan ik zou willen. Ik bedoel, het is prima om thuis opgebeld te worden als je dokter bent en een van je patiënten je nodig heeft.

Maar het is heel iets anders als ze je thuis bellen omdat de fris-drankautomaat geen wisselgeld wil teruggeven en niemand de formulieren kan vinden waarmee je je geld kunt terugkrijgen. Dan willen ze dat je komt helpen zoeken.

Ik snap best dat sommige mensen het zouden beschouwen als een droom die uitkomt. Je weet wel, zo dicht bij je werk wonen dat je even kunt binnenwippen als er een crisis op wisselgeld-gebied is. Vooral in New York. Ik kan binnen twee minuten op mijn werk zijn, en dat is niets voor een forens. Bovendien kan ik gaan lopen (weer vier minuten lichaamsbeweging).

Toch zouden mensen beter moeten beseffen dat als het om dromen gaat die uitkomen, dit nu niet bepaald de tofste is, want ik krijg maar $23 500 per jaar (als alle belastingen en heffingen eraf zijn, blijft daar ongeveer $12 000 van over), en in New York kun je van $12 000 best eten en misschien een spijkerbroek kopen zoals die ik op het punt sta aan te schaffen, in een flatte-rende maat of niet. Maar met zo'n salaris zou ik echt niet in Manhattan kunnen wonen als ik geen tweede baan had, waar-van ik de huur betaal. Ik mag niet in het studentenhuis wonen omdat bij het New York College alleen de huismeester zo 'boft' om intern te mogen zijn, niet de assistent-huismeester.

Maar ik woon zo dicht bij Fischer Hall dat mijn baas er geen been in ziet me te bellen wanneer het haar uitkomt om me te vragen even binnen te wippen.

Zoals op een zonnige zaterdagmiddag in september wanneer ik op zoek ben naar een spijkerbroek, omdat de dag daarvoor een eerstejaars te veel met iets sterkers aangelengde limonade had genuttigd in de Stoned Cowe, en omviel en over me heen kotste terwijl ik naast hem knielde om zijn pols te voelen.

Ik overweeg de voors en tegens van wel of niet opnemen – voor: misschien belt Rachel om me opslag te geven (niet erg waarschijnlijk); tegen: misschien belt Rachel om me te vragen een halfbewusteloze, straalbezopen twintigjarige naar het zie-kenhuis te brengen (waarschijnlijker) – wanneer Piepstem plotseling gilt: 'Jezus! Ik weet waarom ik dacht dat ik je kende! Heeft iemand je wel eens verteld dat je sprekend op Heather Wells lijkt? Je weet wel, de zangeres.'

Ik besluit dat onder deze omstandigheden mijn baas maar een bericht op de voicemail moet inspreken. Ik bedoel, het gaat allemaal toch al niet al te best, eerst dat gedoe met maat 42 en zo, en nu weer dit. Ik had beter thuis kunnen blijven en op internet een spijkerbroek bestellen.

'Vind je?' vraag ik Piepstem niet erg enthousiast. Alleen valt dat gebrek aan enthousiasme haar helemaal niet op.

'Jezus!' gilt Piepstem weer. 'Je hebt zelfs net zo'n stem. Dit is echt raar, hoor. Maar,' voegt ze er lachend aan toe, 'waarom zou Heather Wells nou in een studentenflat werken, hè?'

'Studentenhuis,' verbeter ik haar werktuiglijk. Want zo noemen we dat omdat een studentenhuis meer warmte en eensgezindheid uitstraalt. De studenten mochten eens denken dat ze in een kille, onpersoonlijke instelling wonen.

Alsof het feit dat de koelkasten aan de vloer zitten vastgeschroefd niet genoeg zegt.

'O,' zegt Piepstem ineens. 'Niet dat er iets mis mee is, werken in een studentenflat. Assistent-huismeester zijn. Je vindt het toch niet erg dat ik zei dat je sprekend op Heather Wells lijkt? Ik bedoel, ik had al haar cd's. En een grote poster van haar op de muur. Toen ik elf was.'

'Nee hoor,' zeg ik. 'Ik vind het niet erg.'

Piepstem kijkt opgelucht. 'Gelukkig,' zegt ze. 'Nou, ik ga maar eens op zoek naar een winkel waar ze mijn maat wél hebben.'

'Ja,' zeg ik. Ik wil haar nog Gap Kids voorstellen, maar houd me in. Omdat zij er ook niets aan kan doen dat ze zo'n onderdeurtje is. Net zomin als ik er iets aan kan doen dat ik de maat heb van de gemiddelde Amerikaanse vrouw.

Pas wanneer ik bij de kassa sta, luister ik het bericht af dat Rachel, mijn baas, op de voicemail heeft ingesproken. Meestal is ze een en al zelfbeheersing, maar nu klinkt ze bijna hysterisch.

'Heather, ik bel om je te laten weten dat er in het studentenhuis iemand is gestorven. Neem contact met me op zodra je dit hebt gehoord.'

Ik laat de spijkerbroek in maat 38 op de toonbank liggen en neem weer een kwartier lichaamsbeweging door van de winkel naar Fischer Hall te rennen – ja, te rénnen.

2

I saw you two
Kissin' and huggin'
You told me
She's just your cousin
You wish
You wish
You wish
If you want me
You gotta be true
So what does that mean
About me and you?
You wish
You wish
You wish

'You Wish'
Zang: Heather Wells
Tekst: Valdez/Caputo
Van het album: *Sugar Rush*
Cartwright Records

Het eerste wat ik zie wanneer ik de hoek van Washington Square West om kom gerend, is een brandweerwagen op de stoep. De brandweerwagen staat op de stoep omdat de straat wordt geblokkeerd door een kraampje waar ze strings met tijgermotief voor maar vijf dollar verkopen – echt een koopje, want wanneer je goed kijkt, zie je dat de strings zijn afgezet met zwarte kant die nogal kriebelig lijkt wanneer die tussen je je-weet-wel komt.

Op Washington Square West, waar Fischer Hall staat, gaat het leven dag en nacht door. Maar voor deze zaterdag heeft het buurtcomité zeker geslijmd bij een gemeenteraadslid of zo, want ze hebben het voor elkaar gekregen dat deze kant van het park is afgesloten voor alle verkeer omdat ze er een braderie hebben. Je weet wel, met een markt waar je wierook en sokken kunt kopen, met portrettekenaars en zo'n straatartiest die ballonnen in elkaar knoopt.

De eerste keer dat ik in Manhattan naar zo'n braderie ging, was ik ongeveer zo oud als de studenten met wie ik nu werk. Toen was ik nog van: 'O, een braderie! Wat leuk!' Ik wist toen nog niet dat je bij Macy's veel goedkoper sokken kunt kopen dan bij zo'n kraampje.

Want weet je, al die braderieën in Manhattan zijn precies hetzelfde.

Dat kraampje met strings staat heel erg raar, zo vlak voor Fischer Hall. Fischer Hall is geen gebouw voor strings. Het is rond 1850 opgetrokken uit rode baksteen en torent boven Washington Square Park uit. Op mijn eerste dag op mijn werk hier lag er een dossier op mijn bureau waarin stond dat het stadsbestuur om de vijf jaar een bedrijf laat komen dat het oude cement tussen de stenen wegschraapt en door nieuw vervangt, om te voorkomen dat de bakstenen uit de muur vallen en op iemands kop terechtkomen.

Dat is waarschijnlijk ook wel verstandig. Maar ondanks de moeite die het stadsbestuur zich getroost, vallen er toch wel dingen uit Fischer Hall die op iemands kop terechtkomen. En dan heb ik het niet over bakstenen. Ik heb gehoord over flessen, blikjes, kleding, boeken, cd's, groenten, snoep en zelfs een hele gegrilde kip.

Echt, wanneer ik voorbij Fischer Hall loop, kijk ik voor de veiligheid altijd omhoog.

Maar vandaag niet. Vandaag kijk ik strak naar de voordeur. Ik probeer een manier te bedenken om daar doorheen te komen, omdat er een hele menigte – en een agent – voor staat. Het ziet eruit alsof afgezien van de toeristen op het buurtfeest ongeveer de helft van alle studenten op de stoep staat, en die willen allemaal naar binnen. Ze weten niet wat er aan de hand is. Dat maak ik op uit de vragen die ze naar elkaar schreeuwen om boven het geluid van de panfluiten uit te komen dat uit het andere kraampje voor het gebouw klinkt, een kraampje waar ze eh, cd's met panfluitmuziek verkopen.

'Wat is er aan de hand?'

'Geen idee. Is er soms brand?'

'Iemand heeft zeker een pannetje laten droogkoken.'

'Nee, het was Jeff. Hij heeft zijn joint weer eens laten vallen.'

'Jeff, klootzak!'

'Nee, deze keer had ik er niets mee te maken! Echt niet!'

Ze konden niet weten dat er iemand was overleden. Als ze dat wel hadden geweten, denk ik niet dat ze grapjes over joints hadden gemaakt.

Nu ja, dat hóóp ik in elk geval.

En dan zie ik een bekend gezicht. Het is van iemand die WEL weet wat er aan de hand is. Dat zie ik aan de uitdrukking op haar gezicht. Ze is niet van slag omdat de brandweer haar niet wil binnenlaten, ze is van slag omdat ze het WEET.

'Heather!' Zodra Magda me tussen al die mensen ziet, steekt ze haar keurig gemanicuurde hand naar me uit. 'O, Heather, het is zo vreselijk!'

Magda staat daar in haar roze schortjurk van de kantine en een legging met pantermotief. Ze schudt haar hoofd vol stijve krulletjes en neemt nerveus halen van de Virginia Slim die ze tussen haar centimeters lange nagels houdt. Op elke nagel staat een piepkleine Amerikaanse vlag. Want ook al gaat Magda wanneer ze maar kan terug naar de Dominicaanse Republiek, waar ze is geboren, toch heeft ze een heel vaderlandslievende houding tegenover het land waar ze nu woont, en van die liefde geeft ze blijk middels kunstuitingen op haar nagels.

Daardoor heb ik haar ook leren kennen. Bijna vier maanden geleden in de nagelstudio. Zo hoorde ik van het baantje in de studentenflat (ik bedoel: studentenhuis). Justine, het meisje dat vóór mij assistent-huismeester was, was net ontslagen omdat ze zevenduizend dollar had verduisterd, en dat had Magda, de caissière van de kantine van de studentenflat – ik bedoel: het studentenhuis – razend gemaakt.

'Het is toch niet te geloven!' foeterde Magda tegen iedereen die het maar horen wilde, en ik was daar één van omdat ik net mijn nagels Hot Tamala Red liet lakken – omdat ook al gaat alles mis in je leven, en dat ging het in het mijne, je in ieder geval nog leuk uitziende tenen kunt hebben.

Een paar tafels verderop had Magda piepkleine Vrijheidsbeeldjes op haar vingernagels laten airbrushen, ter ere van Memorial Day, en ze ging maar door over mijn voorgangster Justine.

'Ze bestelde zevenentwintig keramische kachels en gaf ze als huwelijkscadeau aan haar kennissen!'

Ik weet nog steeds niet wat keramische kachels zijn, of waarom iemand die als huwelijkscadeau zou willen hebben. Maar toen ik hoorde dat er bij Magda iemand was ontslagen, en dat er extraatjes aan die baan vastzaten, zoals twintig vrije dagen per jaar, volledig gedekte ziektekosten (ook behandelingen bij de tandarts) en gratis onderricht, ondernam ik meteen actie.

Ik sta echt bij Magda in het krijt. En niet alleen omdat ze me aan mijn baan heeft geholpen (of omdat ze me voor niks in de kantine laat eten – misschien is dat ook wel de reden dat ik geen maatje 38 meer heb, behalve in flatterende maten), maar omdat Magda een van mijn beste vriendinnen is geworden.

'Magda,' zeg ik terwijl ik naar haar toe loop. 'Wie is het? Wie is er dood?'

Want ik ben heel bang dat het iemand is die ik ken, zoals een van de kerels van de onderhoudsploeg die altijd zo lief zijn om kots en pies op te ruimen, ook al staat daar niets over in hun functieomschrijving. Of een van de student-assistenten die worden verondersteld onder mijn leiding te werken – verondersteld is hier het juiste woord, want in de drie maanden dat ik nu in Fischer Hall werk, heeft maar een handjevol studenten daadwerkelijk gedaan wat ik zei (de meesten zijn nog trouw aan Justine met de grijpgrage handjes).

Wanneer een van de student-assistenten doet wat ik zeg, is dat alleen maar omdat ik hun vraag bijvoorbeeld de kamers te inspecteren van studenten die zijn verhuisd, en op te ruimen wat die hebben achtergelaten; meestal halfvolle flessen Jägermeister.

Maar wanneer ik dan de volgende dag op mijn werk kom, vertikken ze het om met me mee naar beneden te gaan om de post te sorteren omdat ze allemaal een kater hebben.

Er zijn wel een paar studenten op wie ik erg gesteld ben geraakt, beursstudenten die geen creditcard van pa of ma op zak hebben en die blij zijn elke maand iets terug te kunnen doen, studenten die wel móéten werken om de leerboeken en het collegegeld te kunnen betalen, en die best zaterdag om vier uur 's nachts aan de nachtdienst willen beginnen zonder dat ik al te erg hoef te smeken.

'O Heather...' fluistert Magda met haar unieke uitspraak van mijn naam: Hiedar. Ze fluistert omdat ze niet wil dat de studenten weten wat er echt aan de hand is. Wat het ook moge zijn. 'Een van mijn filmsterretjes!'

'Een student?' Ik zie mensen in de menigte nieuwsgierig naar Magda kijken. Niet omdat ze er raar uitziet – nou ja, eigenlijk ziet ze er ook wel raar uit met zo veel make-up op dat Christina Aguilera daarbij vergeleken er volkomen natuurlijk uitziet, en dan heeft ze ook nog die lange nagels en zo.

Maar omdat dit de Village is, kun je Magda's kleding best ingetogen noemen.

Mensen snappen dat gedoe met die 'filmsterretjes' niet. Elke keer dat een student de kantine van Fischer Hall binnenkomt, neemt Magda zijn of haar kantinepas aan, haalt die door de scanner en kirt: 'Kijk toch eens naar al die prachtige filmsterren die hier komen eten! We boffen echt dat er zo veel prachtige filmsterren in Fischer Hall zijn.'

Eerst dacht ik dat Magda de studenten van de toneelopleiding een hart onder de riem probeerde te steken – en we hebben veel studenten van de toneelopleiding, veel meer dan studenten geneeskunde en economie.

Op de dag dat de studenten zelf hun ijsje mochten versieren, vertelde Magda me dat Fischer Hall eigenlijk heel beroemd is. Niet om voor de hand liggende redenen, zoals dat het aan Washington Square ligt, waar Henry James vroeger woonde, of omdat het tegenover de Hanging Tree staat, waar ze in de achttiende eeuw mensen aan ophingen. Zelfs niet omdat het park vroeger fungeerde als begraafplaats voor de armen. Ja, al die bankjes en hotdogkraampjes staan boven op dode mensen.

Nee. Volgens Magda is Fischer Hall beroemd omdat hier een scène uit de film *Teenage Mutant Ninja Turtles* is opgenomen. Donatello of Raphael of een van de andere *turtles* – ik weet niet meer welke – sprong aan een touw van het penthouse op Fischer Hall naar het gebouw ernaast, en alle studenten waren figurant. Ze keken omhoog en wezen naar de verbijsterende stunt van die *turtle*.

Echt hoor, Fischer Hall heeft een opwindende geschiedenis.

Alleen zijn al die figuranten allang afgestudeerd en wonen ze niet meer in Fischer Hall.

Daarom vinden ze het denk ik vreemd dat Magda het daar na al die jaren nog steeds over heeft.

Maar echt, het is niet moeilijk te begrijpen dat het feit dat er een scène uit een grote film werd gedraaid op de plek waar ze werkt, voor iemand als Magda weer een teken is dat Amerika geweldig is.

Maar het is ook niet moeilijk te begrijpen dat iemand die het verhaal achter de 'filmsterren' niet kent, het allemaal nogal raar vindt.

En dat verklaart waarschijnlijk waarom er zo veel mensen nieuwsgierig naar haar kijken.

Omdat ik niet wil dat iedereen nu al weet dat er echt iets ergs is gebeurd, neem ik Magda aan haar arm mee naar een van de boompjes in kuipen die voor het gebouw staan. De studenten gebruiken die dan wel als asbak, maar we hebben er ook een beetje privacy.

'Wat is er gebeurd?' vraag ik zacht. 'Rachel heeft een bericht ingesproken dat er iemand is gestorven, maar meer heeft ze er niet over verteld. Weet jij wie het is? En hoe het is gebeurd?'

'Ik weet het niet,' fluistert Magda hoofdschuddend. 'Ik zit achter de kassa en ik hoor gegil. Iemand zegt dat er een meisje dood onder in de liftschacht ligt.'

'Jezus!' Ik ben diep geschokt. Ik had verwacht dat er iemand aan een overdosis was gestorven of dat er iemand was vermoord – er is wel vierentwintig uur per dag beveiliging in het gebouw aanwezig, maar dat wil nog helemaal niet zeggen dat er niet af en toe een onguur persoon naar binnen weet te glippen. Per slot van rekening zijn we hier in New York City.

Maar doodvallen in een liftschacht?

Er staan tranen in Magda's ogen, al doet ze nog zo haar best niet in huilen uit te barsten – want dan zouden de studenten er al heel snel achter komen dat er echt iets heel ergs aan de hand is, zeker degenen die toch algauw overstuur raken (en het zou ook niet erg bevorderlijk voor Magda's dikke laag mascara zijn). Ze zegt: 'Ze zeggen dat ze... een ritje boven op de liftcabine maakte.'

'Surfen?' Nu ben ik nog dieper geschokt. 'Ze surfte op de liftcabine?'

'Ja.' Voorzichtig pinkt Magda een traan weg uit haar ooghoek. Ze moet oppassen met die lange nagels. 'Daarom mag er niemand naar binnen. De filmsterretjes hebben de lift nodig om naar hun kleedkamers te gaan, maar ze moeten eerst het...'

Magda's stem blijft steken in een snik. Ik sla een arm om haar heen en draai haar naar me toe, zowel om haar te troosten als om te voorkomen dat iemand ziet dat ze huilt. Nieuwsgierig kijken de studenten in onze richting. Ik wil niet dat ze doorkrijgen dat er iets vreselijks is gebeurd. Daar komen ze gauw genoeg achter.

Alleen zullen ze het vast ook niet willen geloven.

Eigenlijk zou het me niet moeten verbazen. Op de liftcabine surfen komt in alle studentenhuizen voor, niet alleen in New York, maar door het hele land. Tieners die niks beters te doen hebben dan dronken worden, dagen elkaar uit om op het dak van de liftcabine te springen terwijl die in de donkere, gevaarlijke liftschachten op en neer gaan. Je hoort vaak dat studenten worden onthoofd als ze met hun dronken kop gevaarlijke stunts uithalen.

Het is dus niet zo raar dat er in Fischer Hall ook eens een ongeluk gebeurt.

Alleen...

Alleen heeft Magda het over een meisje.

En dat is raar, want ik heb nog nooit gehoord van een meisje dat op liften surft. Tenminste niet in Fischer Hall.

Magda heft haar hoofd op en zegt: 'O, god...'

Ik kijk om om te zien wat er is en de adem stokt me in de keel. Want over de stoep komt mevrouw Allington aangelopen, de echtgenote van Phillip Allington, de man die in het voorjaar de zestiende president van ons College is geworden.

Ik weet veel over de Allingtons omdat in het dossier dat Justine bijhield – en dat ik later heb weggegooid – een artikel uit de *New York Times* zat waarin stond dat het vreemd was dat de nieuwe president in een studentenhuis ging wonen, in plaats van in een van de luxueuze huizen die het College in eigendom heeft.

In het artikel stond dat Phillip Allington een academicus was die contact met de studenten wilde houden. En dat hij wanneer hij thuiskwam na zijn werk, in dezelfde lift stapte als de studenten bij wie hij woonde.

Wat de *Times* vergat te vermelden is dat de president en zijn gezin in het penthouse van Fischer Hall wonen, en dat dat de hele twintigste verdieping beslaat, en dat ze zo vaak klaagden dat de liften op elke verdieping stopten om de studenten te laten in- en uitstappen dat Justine hun uiteindelijk maar een liftsleutel had gegeven waarmee ze rechtstreeks naar boven of beneden konden, zonder op elke verdieping te stoppen.

Behalve klagen over de lift schijnt Eleanor, de vrouw van de president, weinig om handen te hebben. Wanneer ik haar zie, komt ze altijd net terug van of is ze onderweg naar Saks Fifth Avenue. Ze shopt met grote toewijding – net als een olympisch atlete die fanatiek traint.

Alleen bestaat de sportieve inspanning van mevrouw Allington – behalve shoppen – uit het consumeren van grote hoeveelheden wodka. Wanneer doctor Allington en zij terugkomen van diners met het bestuur, schopt mevrouw Allington altijd stennis in de lobby, meestal over haar kaketoes – dat heb ik tenminste gehoord van Pete, de man van de beveiliging.

'Die vogels,' zei ze ooit tegen hem. 'Die vogels kunnen je bloed wel drinken, dikzak.'

Als je erover nadenkt, klinkt dat niet erg aardig. Bovendien klopt het niet, want Pete is niet dik. Hij is gewoon gemiddeld.

Bij de receptie in de lobby zijn mevrouw Allingtons dronken beledigingen een bron van vermaak. Dag en nacht zitten er studenten achter de balie – de studenten die verondersteld worden voor mij te werken. 's Avonds laat, wanneer meneer Allington niet thuis is, belt mevrouw Allington vaak naar beneden om allerlei verrassende zaken te rapporteren: dat iemand haar gevulde artisjokken heeft opgevreten; dat er coyotes op haar terras zitten; of dat er onzichtbare dwergen op het hoofdeind van haar bed kloppen.

Volgens Pete begrepen de studenten er eerst niets van en piepten ze de student-assistent-huismeesters op, de studenten die in ruil voor gratis kost en inwoning als een soort mentors werken, op elke verdieping eentje. Zij belden de huismeester, die dan met de lift naar de twintigste verdieping ging om poolshoogte te nemen.

Maar wanneer mevrouw Allington opendeed, met lodderige blik en gekleed in velours – ja, ik weet het, velours is bijna net zo goed als stretchfluweel – zei ze alleen maar: 'Waar heb je het over, dikzak?'

En achter haar (volgens degenen die erbij geweest zijn) krijsten de kaketoes als bezetenen.

Eng, hoor.

Maar kennelijk vindt mevrouw Allington het niet zo eng als wij, waarschijnlijk omdat ze er zich de volgende dag niets meer van kan herinneren en ze naar Saks gaat alsof ze de koningin is – de koningin van Fischer Hall.

Zoals nu, bijvoorbeeld. Beladen met tassen kijkt mevrouw Allington vernietigend naar de agent die voor de deur van Fischer Hall staat, en ze zegt: 'Pardon, ik woon hier.'

'Sorry, dame,' zegt de agent. 'Alleen toegang voor de hulpdiensten. Bewoners mogen nog niet naar binnen.'

'Ik ben geen bewoner.' Mevrouw Allington lijkt tussen haar tassen op te zwellen. 'Ik ben... ik ben...' Mevrouw Allington weet blijkbaar niet zo goed wat ze is. Maar dat kan de agent niet schelen.

'Sorry, dame,' zegt hij. 'Kijkt u maar eens een poosje rond op de braderie. In het park staan trouwens ook bankjes. Waarom gaat u niet lekker zitten totdat wij horen dat iedereen weer naar binnen mag?'

Mevrouw Allington ziet er niet best uit. Ik loop gauw naar

haar toe. Ik laat Magda in de steek omdat mevrouw Allington eruitziet alsof ze me meer nodig heeft dan zij. Ze staat daar maar in haar te strakke merkspijkerbroek, een zijden topje en behangen met gouden sieraden, en met al die wegglijdende tassen. In verwarring gebracht doet ze haar mond open en dicht. Ze ziet bijna groen.

'Hebt u me gehoord, dame?' vraagt de agent. 'Er mag niemand naar binnen. Ziet u al die studenten? Die staan ook allemaal te wachten. Dus óf u wacht bij hen, óf u loopt door.'

Maar mevrouw Allington lijkt niet te kunnen doorlopen. Als je het mij vraagt, is ze een beetje onvast ter been. Ik pak haar bij de arm. Ze reageert niet eens. Waarschijnlijk weet ze niet wie ik ben. Elke doordeweekse dag stapt ze uit de lift tegenover mijn kantoortje en knikt naar me voordat ze zich gaat uitleven met shoppen, en zegt: 'Goedemorgen, Justine.' (Ik heb haar al vaak verbeterd.) Maar zo in het weekend en zomaar op straat herkent ze me niet.

'Haar echtgenoot is de president van het College, agent,' zeg ik terwijl ik met mijn hoofd naar mevrouw Allington gebaar, die naar een student met paars haar en een wenkbrauwpiercing staat te staren. 'Phillip Allington. Hij woont in het penthouse. Volgens mij is ze niet helemaal in orde. Mag ik... mag ik haar misschien mee naar binnen nemen?'

De agent kijkt me kwaad aan.

'Ken ik jou niet ergens van?' vraagt hij. Dat is geen versiertruc. In mijn geval is het dat nooit.

'U hebt me hier waarschijnlijk in de buurt gezien,' zeg ik opgewekt. 'Ik werk hier namelijk.' Ik laat hem mijn pasje zien, met de foto waarop ik eruitzie of ik dronken ben, al was dat niet het geval. 'Ziet u wel? Ik ben de assistent-huismeester.'

Hij is niet erg onder de indruk en haalt zijn schouders op. 'Oké, breng haar dan maar naar binnen. Maar ik zou niet weten hoe je haar naar boven moet krijgen. De liften werken niet.'

Ik weet ook niet hoe ik mevrouw Allington naar boven moet

krijgen. Ze is zo onvast ter been dat ik haar waarschijnlijk moet
dragen. Even kijk ik achterom naar Magda, die ziet in wat voor
penibele situatie ik me heb gemanoeuvreerd en haar ogen ten
hemel slaat. Maar toch drukt ze haar peuk uit en komt er sportief bij, klaar om te helpen als dat nodig mocht zijn.

Voordat ze ons echter heeft bereikt, komen er twee jonge
vrouwen hijgend uit het gebouw gestormd. Ze zijn gekleed in de
New Yorkse klederdracht van spijkerbroeken die laag om de
heupen zitten en een navelpiercing.

'Jezus, Jeff,' vraagt het ene meisje aan de jongen die zijn joint
laat vallen. 'Wat is er met de liften? We moesten zeventien trap-
pen af!'

'Ik val zo meteen dood neer,' zegt de ander.

'Echt, hoor,' zegt het eerste meisje heel hard. 'We betalen toch
voor de huisvesting en ook nog collegegeld? Je zou toch zeggen
dat de president wel geld heeft voor liften die niet voortdurend
dienst weigeren.'

Het ontgaat me niet dat ze een vijandige blik werpen op
mevrouw Allington die zo stom was haar foto in de studentenkrant te laten afdrukken, waardoor iedereen in de studentenflat
nu weet wie ze is. In het studentenhuis, bedoel ik.

'Kom, mevrouw Allington,' zeg ik snel, en ik trek zachtjes aan
haar arm. 'Laten we naar binnen gaan.'

'Dat wordt tijd,' zegt mevrouw Allington. Ze wankelt een
beetje, en Magda pakt haar gauw bij de andere arm. Met zijn
tweeën loodsen we haar door de deur, terwijl de studenten roepen: 'Hé! Waarom mogen zij wel naar binnen en wij niet? Wij
wonen daar ook, hoor!' en: 'Oneerlijk!' en: 'Fascisten!'

Uit de voorzichtige manier waarop mevrouw Allington haar
ene gehakte schoentje voor het andere zet, maak ik op dat ze al
een beetje aangeschoten is, ook al is het nog geen middag. Mijn
vermoeden wordt bevestigd wanneer we binnen zijn en
mevrouw Allington zich ineens vooroverbuigt en haar ontbijt in
een van de plantenbakken in de lobby deponeert.

Volgens mij heeft mevrouw Allington vanochtend eieren en Bloody Mary's genuttigd.

'Santa Maria!' roept Magda ontzet uit. Dat kan ik haar niet kwalijk nemen.

Ik weet niet hoe het met anderen zit, maar wanneer ik moet overgeven (en helaas doe ik dat regelmatig op oudejaarsavond), stel ik een beetje medeleven erg op prijs, ook al heb ik dat overgeven aan mezelf te wijten.

Dus wrijf ik over mevrouw Allingtons schoudervulling en zeg: 'Zo, dat voelt zeker een stuk prettiger?'

Mevrouw Allington kijkt me aan of ze me nog nooit eerder heeft gezien.

'Wie ben jij, verdomme?' vraagt ze.

'Eh...' zeg ik. 'De assistent-huismeester. Heather Wells. Weet u nog? We hebben een paar maanden geleden kennisgemaakt.'

Mevrouw Allington kijkt alsof ze er niets van snapt. 'Waar is Justine dan gebleven?'

'Justine heeft ander werk gevonden,' leg ik uit, en dat is een leugen, want Justine is ontslagen. Maar om de waarheid te zeggen, ik ken Justines kant van het verhaal niet. Ik bedoel, misschien had ze dat geld hard nodig. Misschien heeft ze familie in Bosnië of ergens anders waar het erg koud is, en misschien hebben die geen verwarming en kwamen ze dankzij die keramische kachels de winter door. Je weet maar nooit.

Mevrouw Allington blijft me aanstaren.

'Heather Wells?' Ze knippert met haar ogen. 'Maar... maar ben jij dan dat meisje? Dat in al die winkelcentra heeft gezongen?'

En op dat moment besef ik dat mevrouw Allington me dan toch eindelijk heeft herkend.

Maar niet als de assistent-huismeester van het gebouw waarin ze woont.

Wauw. Ik had nooit gedacht dat mevrouw Allington fan zou zijn van popmuziek voor tieners. Ze lijkt me meer iemand voor

Barry Manilow – popmuziek voor ouderen.

'Dat was ik,' zeg ik tegen haar. Ik blijf vriendelijk, want ik heb medelijden met haar omdat ze net heeft moeten kotsen en zo. 'Ik treed tegenwoordig niet meer op.'

'Waarom niet?' vraagt mevrouw Allington.

Magda en ik kijken elkaar eens aan. Magda heeft kennelijk haar gevoel voor humor terug, want haar lippen met de lipliner krullen zich in de hoekjes.

'Nou,' zeg ik. 'Dat is een lang verhaal. Voornamelijk omdat mijn platencontract niet werd verlengd...'

'Omdat je zo dik bent geworden?' vraagt mevrouw Allington.

En op dat moment heb ik ineens geen medelijden meer met haar.

3

I tell you I can't
But you don't seem to care
I tell you I won't
It's like I'm not even there
I can't wait forever
I won't wait forever
Baby, it's now or never
Tell me you love me
Or baby, set me free

'I can't'
Zang: Heather Wells
Tekst: O'Brien/Henke
Van het album: *Sugar Rush*
Cartwright Records

Gelukkig wordt het me bespaard een reactie te geven op mevrouw Allingtons opmerking over mijn gewicht doordat mijn baas, Rachel Walcott, op ons af komt gerend. Haar lakleren sandaaltjes klikklakken op de marmeren vloer van de lobby.

'Heather,' zegt Rachel zodra ze me ziet. 'Dank je dat je bent gekomen.' Ze ziet er echt een beetje opgelucht uit, en dat geeft me een prettig gevoel. Omdat ze me toch nodig heeft, snap je, al is het hun maar $ 23 500 per jaar waard.

'Tuurlijk,' zeg ik. 'Ik vind het heel erg. Was het... Ik bedoel, is het iemand die we kennen?'

Maar Rachel kijkt me waarschuwend aan – met zo'n blik van: geen familiegeheimen onthullen waar vreemden bij zijn. Die vreemden zijn dan mevrouw Allington en Magda, want werkneemsters van de kantine horen niet bij het huispersoneel, en de echtgenotes van presidenten al helemaal niet. Dan wendt ze zich tot mevrouw Allington.

'Goedemorgen, mevrouw Allington.' Rachel schreeuwt bijna, alsof ze het tegen een bejaarde heeft, hoewel mevrouw Allington niet veel ouder dan zestig kan zijn. 'Het spijt me verschrikkelijk. Gaat het een beetje met u?'

Het gaat helemaal niet met mevrouw Allington, maar ook al ben ik nog overstuur van die opmerking over dik zijn, toch flap ik dat er maar niet uit. Per slot van rekening is ze de echtgenote van de president van het College.

Daarom zeg ik alleen maar: 'Mevrouw Allington voelt zich niet zo goed.'

Ik laat die opmerking vergezeld gaan van een veelbetekenende blik op de plantenbak waarin mevrouw A. net heeft gekotst, in de hoop dat Rachel het begrijpt. Zo lang werken we nog niet samen, Rachel en ik. Zij werd een week na mij aangenomen, om de huismeester te vervangen die vlak na Justines vertrek haar ontslag nam – maar niet uit solidariteit met Justine of zo. De huismeester nam ontslag omdat haar echtgenoot een baan als boswachter in Oregon had gekregen.

Ja, ik weet het. Een boswachter. Mmm. Ik had ook ontslag genomen om met hem mee te gaan.

Hoewel Rachel nooit eerder inwonend huismeester van Fischer Hall is geweest, heeft ze wel ervaring met hoger onderwijs (zo noemen ze dat als je je hebt beziggehouden met counselen zonder bij het onderricht betrokken te zijn geweest, dat las ik tenminste in een van de dossiers van Justine). Rachel, die aan Yale is afgestudeerd, is counselor geweest in een studentenflat – ik bedoel: studentenhuis – van het Earlcrest College in Richmond, Indiana.

Rachel zei dat het nogal een cultuurschok was geweest, de overgang van Richmond naar New York. In Richmond doen ze de deur 's nachts niet op slot. Maar voor zover ik kan nagaan, heeft Rachel niets overgehouden aan haar tijd in het land van de Hoosiers, oftewel de inwoners van Indiana. Ze heeft een garderobe waar ieder New Yorks meisje mee in haar nopjes zou zijn, met veel van Armani en Manolo, en dat is heel wat als je haar salaris in aanmerking neemt (ze verdient niet veel meer dan ik, omdat ze er gratis inwoning bij krijgt). Rachel bezoekt trouw de uitverkoop van de proefstukken van de grote designers, en daardoor loopt ze er altijd goed gekleed bij. En omdat ze ook trouw naar de fitness gaat en elke dag twee uur traint, blijft ze een keurig maatje 36 zodat ze in de kleren past die door modellen zijn geshowd.

Rachel zegt dat als ik minder koolhydraten ga eten en elke dag een half uurtje op de StairMaster train, ik best weer in maat 40 zou kunnen passen. En dat het me niets hoeft te kosten, omdat een van de extraatjes bij onze baan is dat je een gratis pasje voor de fitness krijgt.

Maar ik ben een keer naar de studentenfitnessruimte geweest, en dat was echt eng. Er zijn daar allemaal magere meisjes die bij aerobics en yoga en zo met hun stakerige armen staan te zwaaien. Echt, er steekt er nog eens eentje iemand de ogen uit.

In elk geval, Rachel zegt dat als ik maar genoeg afval, ik een leuke vriend kan krijgen. Ze is al voor me op zoek, maar het is moeilijk in de Village een kerel te vinden die geen homo is, die zijn haar nog heeft en op zijn minst honderdduizend dollar per maand verdient.

Maar hoe kan iemand nou koude noodles met sesam laten staan? Zelfs voor een kerel die een ton per jaar verdient?

Bovendien, zoals ik Rachel vaak in herinnering breng, is maat 42 echt niet buitenmodel. Het is de maat van de gemiddelde Amerikaanse vrouw. En er zijn genoeg vrouwen met maat 42 die een vriend hebben, hoor.

Niet dat ik een vriend heb, maar veel vrouwen met mijn maat wel, en soms nog wel vrouwen met een grotere maat.

Maar hoewel Rachel en ik andere prioriteiten hebben – zij wil een vriend; ik wil afstuderen, ooit – en het nooit eens kunnen worden over waaruit een maaltijd zou moeten bestaan – zij: sla zonder dressing; ik: falafel met extra tahini, met vooraf een pita-broodje en hummus en als toetje misschien ijs – kunnen we het samen prima vinden. Ik bedoel, Rachel begrijpt meteen wat mijn veelbetekenende blik op mevrouw Allington te betekenen heeft.

'Mevrouw Allington,' zegt ze. 'Zullen we u even naar huis brengen? Ik breng u wel naar boven. Is dat goed, mevrouw Allington?'

Mevrouw Allington knikt zwakjes, ze is haar interesse in mijn loopbaanverandering alweer vergeten. Rachel neemt de echtge-note van de president bij de arm, terwijl Pete de groep brand-weerlieden tegenhoudt zodat zij en mevrouw Allington bij de lift kunnen die ze speciaal voor haar hebben laten komen. Wan-neer de deuren openschuiven, kijk ik angstig in de lift. Stel dat er bloed ligt? Ik weet dat ze haar op de bodem van de liftschacht hebben gevonden, maar stel nou dat er nog stukjes op de lift lig-gen?

Maar er ligt geen bloed. De lift ziet er nog net zoals anders uit, met panelen van mahoniehout en koperen platen waarin hon-derden studenten met hun sleutel hun initialen of lelijke woor-den hebben gegrift.

Terwijl de liftdeuren achter mevrouw Allington dichtschui-ven, hoor ik haar nog zacht zeggen: 'De vogels.'

'Jezus,' zegt Magda terwijl we de cijfers boven de liftdeuren zien oplichten naarmate de lift hoger komt op zijn weg naar het penthouse. 'Ik hoop dat ze niet gaat overgeven in de lift.'

'Nee, zeg,' ben ik het met haar eens. Dat zou het ritje van twintig verdiepingen wel erg onaangenaam maken.

Magda huivert, alsof ze net aan iets naars heeft gedacht – waarschijnlijk mevrouw Allingtons braaksel – en kijkt om zich heen. 'Het is zo stil...' zegt ze, en ze slaat haar armen om zich heen. 'Zo stil is het hier niet meer geweest sinds mijn filmsterretjes na de vakantie zijn teruggekomen.'

Ze heeft gelijk. Voor een gebouw waarin zo veel jonge mensen wonen – zevenhonderd, en de meesten nog geen twintig jaar oud   is het vreemd stil in de lobby. Niemand moppert omdat de student-assistenten zo lang doen over het sorteren van de post (meestal zeven uur. Ik heb gehoord dat Justine het in twee uur deed. Soms vraag ik me af of Justine misschien een pakt met de duivel had gesloten); niemand klaagt over de kapotte geldwisselmachines in de ruimte met computerspelletjes; niemand skeelert over de marmeren vloer; niemand maakt ruzie met Pete over het inschrijven van bezoekers.

Niet dat het er verlaten is. Het is propvol in de lobby. Agenten, brandweerlieden, bestuursleden van het College, de beveiligingsbeambten in hun lichtblauwe uniformen, en een handjevol studenten – allemaal student-assistenten – lopen met ernstige gezichten door de lobby met de marmeren vloer en de mahoniehouten panelen.

Maar heel stil. Allemaal heel stil.

'Pete,' zeg ik terwijl ik naar de balie van de beveiliging loop. 'Weet jij wie het was?'

De beveiligingsbeambten weten altijd alles wat er gebeurt in de gebouwen waarin ze werken. Daar kunnen ze niets aan doen. Ze zien het op hun monitors, van de studenten die in het trappenhuis staan te roken tot de faculteitsmedewerkers die in de lift in hun neus staan te peuteren en de bibliothecaressen die in de studieruimten liggen te vrijen...

Ze weten echt álles.

'Natuurlijk.' Zoals gewoonlijk houdt Pete een oogje op zowel de lobby als op de monitors op de balie, waarop je elk gedeelte van de studentenflat kunt zien (pardon, studentenhuis), van de ingang tot het penthouse van de Allingtons, van de wasserij tot de kelder.

'Nou?' Magda kijkt gespannen. 'Wie was het?'

Pete kijkt even voorzichtig naar de balie van de receptie aan de overkant, om er zeker van te zijn dat de werkstudenten hem niet afluisteren. Dan zegt hij: 'Kellogg. Elizabeth Kellogg. Eerstejaars.'

Ik voel me ontzettend opgelucht. Ik heb nog nooit van dat meisje gehoord.

Daarna geef ik mezelf op mijn kop. Ze is nog steeds een dood meisje van achttien jaar, of ze nu bij mijn werkstudenten hoort of niet!

'Hoe is het gebeurd?' vraag ik.

Pete kijkt me spottend aan. 'Wat denk je?'

'Maar...' zeg ik. Ik kan er niets aan doen, ik snap het niet goed. 'Meisjes doen dat niet. Liftsurfen, bedoel ik.'

'Deze wel.' Pete haalt zijn schouders op.

'Waarom doet iemand zoiets?' vraagt Magda zich hardop af. 'Het is toch dom? Was ze aan de drugs?'

'Hoe moet ik dat nou weten?' Pete lijkt zich aan onze stortvloed van vragen te ergeren, maar ik weet dat hij het net zo verschrikkelijk vindt als wij. Eigenlijk is dat raar, want hij heeft al zoveel meegemaakt. Hij werkt hier al twintig jaar. Net als ik heeft hij de baan vanwege de extraatjes genomen; hij is weduwnaar met vier kinderen, die nu gratis kunnen doorleren. Met name daarom is hij voor een onderwijsinstituut gaan werken nadat hij zijn knie had geblesseerd en bij de NYPD alleen nog bureauwerk kon doen. Zijn oudste dochter Nancy wil kinderarts worden.

Maar desondanks loopt Pete elke keer rood aan wanneer een van de studenten kwaad is omdat die zijn of haar ultramoderne halogeenlampen niet in het gebouw mag meenemen (brandgevaarlijk) en Pete wordt uitgescholden voor 'nepagent'. En dat is absoluut niet terecht, want Pete is heel erg goed in zijn werk. Alleen wanneer Pete geen dienst heeft, lukt het de jongens van de buurtpizzeria om onder iedereens deur een menu door te schuiven.

En hij heeft ook een klein hartje. Wanneer studenten met een muizenval met lijm naar beneden komen, neemt Pete de vallen mee naar het park, druppelt olie over de lijm zodat de muizen-pootjes loslaten, en laat de beestjes vrij. Hij kan er niet tegen dat iets of iemand doodgaat terwijl hij dienst heeft.

'Bij de lijkschouwing zullen ze wel naar sporen van alcohol en drugs zoeken,' zegt hij. Hij probeert nonchalant te klinken, maar dat lukt niet erg. 'Als de lijkschouwer ooit komt.'

Ik schrik me rot.

'Bedoel je... bedoel je dat ze daar nog ligt? Ik bedoel... het lijk?'

Pete knikt. 'Beneden. Op de bodem van de liftschacht. Daar hebben ze haar gevonden.'

'Daar hebben wie haar gevonden?' vraag ik.

'De brandweer,' zegt Pete. 'Nadat iemand had gezegd dat ze daar lag.'

'Hadden ze haar zien vallen?'

'Nee. Ze hebben haar daar zien liggen. Iemand keek door de spleet – je weet wel, tussen de vloer en de liftcabine – en zag haar liggen.'

Ik ben helemaal van slag. 'Je bedoelt dat niemand er iets over heeft gezegd toen het gebeurde? Ook niet de mensen die bij haar waren?'

'Welke mensen?' vraagt Pete.

'Nou, de mensen met wie ze aan het liftsurfen was,' zeg ik. 'Er moet toch iemand bij zijn geweest? Niemand doet zo'n stom spelletje in zijn eentje. Maar die zijn het dus niet komen vertellen?'

'Niemand heeft mij iets verteld,' antwoordt Pete. 'Totdat er vanmorgen een student kwam die haar door de spleet had zien liggen.'

Ik ben verbijsterd.

'Je bedoelt dat ze daar misschien al uren heeft gelegen?' vraag ik, en mijn stem breekt.

'Ze leefde toen al niet meer,' zegt Pete, die meteen begrijpt waar ik op doel. 'Ze is op haar hoofd terechtgekomen.'

'Santa Maria,' zegt Magda, en ze slaat een kruisje.

Ik ben ietsje minder verbijsterd. 'Maar... hoe wisten ze dan wie ze was?'

'Ze had haar studentenkaart in haar zak,' legt Pete uit.

'Nou, in ieder geval dacht ze vooruit,' zegt Magda.

'Magda!' roep ik geschokt uit, maar Magda haalt slechts haar schouders op.

'Het is toch zo? Als je zo'n stom spelletje wilt spelen, zorg er dan voor dat je een legitimatiebewijs bij je hebt zodat ze je later kunnen identificeren.'

Voordat Pete of ik kunnen reageren, komt Gerald, de baas van de catering, uit de kantine, op zoek naar de voortvluchtige caissière.

'Magda,' zegt hij wanneer hij haar ziet. 'Wat doe jij nou? De politie zegt dat we zo meteen weer open kunnen gaan, en er zit niemand achter de kassa.'

'Ik kom zo, hoor, schat,' zegt Magda. Zodra hij weer weg is, zegt ze: 'Hufter.' Daarna zwaait ze verontschuldigend met haar lange nagels naar Pete en mij om vervolgens weer plaats te nemen achter de kassa van de cafetaria, om de hoek van de balie van de beveiliging.

'Heather?'

Ik kijk om en zie een van de werkstudenten achter de receptie wanhopig naar me zwaaien. De balie van de receptie is de ziel van het gebouw, daar wordt de post voor de bewoners gesorteerd, daar bellen bezoekers naar boven, en daar horen alle storingen te worden gemeld. Een van de eerste dingen die ik moest doen, was een lange lijst van telefoonnummers intikken, zodat de baliemedewerkers weten welk nummer ze moeten bellen als er iets gebeurt (kennelijk had Justine het te druk met geld verdonkeremanen om daar keramische kachels voor al haar kennissen van te kopen om dat klusje te klaren).

Brand? Daar staat het nummer van de brandweer.

Verkrachting? Daar staat het nummer van de verkrachtingshotline.

Diefstal? Het nummer van het politiebureau.

Mensen die van de liften vallen? Daar hebben we geen nummer voor.

'Heather.' Tina, de werkstudent, klinkt nog net zo jammerend als op de dag dat ik haar leerde kennen, toen ik haar zei dat ze mensen niet in de wacht mocht zetten om op haar Gameboy weer een level van Tetris uit te spelen (Justine vond dat niet erg, kreeg ik te horen). 'Wanneer halen ze het lijk weg? Ik kan er niet tegen dat ze daar nog ligt.'

'We hebben haar kamergenote gesproken.' Brad – de jongen die de pech heeft dit weekend dienstdoend student-assistent-huismeester te zijn, zodat hij aldoor binnen moet blijven voor het geval ze hem nodig hebben, bijvoorbeeld wanneer een student doodvalt – buigt zich samenzweerderig over de balie en zegt zacht: 'Ze zei dat ze niet eens wist dat Beth – Beth is het meisje dat dood is, weet je. Ze zei dat ze niet eens wist dat Beth wist wat liftsurfen was. Ze wist niet dat Beth met die lui omging. Ze zei dat Beth nogal een kakker was.'

'Nou,' zeg ik toonloos. Ik zie dat de studenten op een troostend woord van me wachten. Maar ik weet niet wat ik moet zeggen tegen studenten die net iemand hebben verloren. Ik ben net zo van slag als zij. 'Zo zie je maar dat je iemand vaak niet zo goed kent als je denkt.'

'Jawel, maar op de lift gaan surfen?' Tina schudt haar hoofd. 'Ze moet gek zijn geweest.'

'Rijp voor Prozac,' is Brad het met haar eens. Dat toont aan dat de sensitivitytraining werkt die ze hebben moeten volgen.

'Heather?'

Ik draai me om en zie Rachels assistente Sarah op me af komen. Ze heeft een dik dossier in haar hand. Zoals gewoonlijk draagt ze wat op dit moment onder de studenten erg in de mode is: een tuinbroek en Uggs. Ze pakt mijn arm en knijpt erin.

'O god...' zegt ze. Ze probeert helemaal niet haar stem te dempen om te voorkomen dat iedereen in de stampvolle lobby meeluistert. 'Het is toch niet te geloven. In het kantoor staat de telefoon roodgloeiend. Alle ouders bellen op, ze willen zeker weten dat het niet hun kind is. Maar Rachel zegt dat we de identiteit van de overledene pas mogen vrijgeven als de lijkschouwer is geweest. Ook al weten we allemaal wie het is. Ik bedoel, ik moest van Rachel haar dossier halen en aan doctor Flynn geven. En kijk eens naar dat dossier?'

Sarah zwaait met een dik dossier met een geelbruine omslag. De huismeester had dus een dossier over Elizabeth Kellogg, en dat houdt in dat ze gedurende dit semester in de problemen heeft gezeten of ziek is geweest.

En dat is raar, want Elizabeth was eerstejaars, en dit semester is nog maar net begonnen.

'Moet je horen.' Sarah wil graag alles wat ze weet aan mij, Brad en Tina kwijt. Brad en Tina luisteren met grote ogen. Bij de balie doet Pete of hij de monitors in de gaten houdt. Maar ik weet dat hij meeluistert. 'Haar moeder belde Rachel. Ze ging nogal tekeer omdat onze studenten zo veel bezoek mogen hebben als ze willen, maar Elizabeth' moeder wilde niet dat haar dochter jongens ontving. Blijkbaar verwacht mammie dat haar dochter als maagd het huwelijk in gaat. Ze wilde dat Rachel het voor elkaar kreeg dat Elizabeth uitsluitend meisjes op bezoek kreeg. Kennelijk is er thuis van alles aan de hand, maar...'

De assistent van de huismeester moet de huismeester bij de dagelijkse klusjes helpen. In ruil daarvoor krijgt de assistent van de huismeester gratis kost en inwoning, en werkervaring op hun vakgebied.

Sarah krijgt in Fischer Hall wel erg veel werkervaring, met dat dode meisje en zo.

'Kennelijk bestond er rivaliteit tussen moeder en dochter,' vertelt Sarah ons. 'Ik bedoel, het was wel duidelijk dat mevrouw Kellogg jaloers was omdat zij uiterlijk aftakelt terwijl haar dochter...'

Sarah studeert sociologie. Sarah denkt dat ik een laag zelfbeeld heb. Dat vertelde ze me op de dag dat ik haar leerde kennen, twee weken geleden, toen de studenten terugkwamen van vakantie. Ze schudde me de hand en riep toen uit: 'Allemachtig, je bent dé Heather Wells!'

Toen ik toegaf dat dat zo was, en haar vertelde dat ik hier ooit hoopte af te studeren – nadat ze had gevraagd waarom ik in godsnaam een baantje in een studentenhuis had aangenomen (Sarah gaat niet zoals ik steeds in de fout door het een studentenflat te noemen), zei ze: 'Jij hoeft helemaal niet te studeren. Jij moet juist werken aan je gevoelens van in de steek gelaten zijn, je gevoelens van tekortkoming omdat je platencontract niet is verlengd en je moeder je heeft uitgekleed.'

Dat is eigenlijk best grappig, want ik vind juist dat ik moet werken aan mijn gevoelens van afkeer voor Sarah.

Gelukkig komt meneer Flynn, de psycholoog, net op ons af gestormd. Hij heeft een aktetas bij zich waar paperassen uit steken.

'Is dat het dossier van de overledene?' vraagt hij bij wijze van begroeting. 'Dat wil ik graag inzien voordat ik met haar kamergenote praat en haar ouders bel.'

Sarah overhandigt hem het dossier. Terwijl meneer Flynn het doorbladert, fronst hij ineens en vraagt: 'Wat ruik ik toch?'

'Eh...' zeg ik. 'Mevrouw Allington heeft, eh...'

'Ze moest kotsen,' zegt Brad. 'In die plantenbak daar.'

Meneer Flynn zucht. 'Toch niet weer, hè?' Dan piept zijn mobieltje en hij zegt: 'Excuseer,' en haalt het uit zijn zak.

Tegelijkertijd gaat de telefoon van de receptie. Iedereen kijkt ernaar. Wanneer niemand opneemt, doe ik dat maar.

'Fischer Hall,' zeg ik.

De stem aan de andere kant van de lijn herken ik niet. 'Ja, is dit de studentenflat aan Washington Square West?'

'Dit is het studentenhuis, ja,' antwoord ik, en deze keer herinner ik me voor de verandering eens een keer wat ik tijdens mijn opleiding heb geleerd.

'Ik vroeg me af of ik met iemand over de tragische gebeurtenis van eerder op de dag kon spreken,' hoor ik de stem zeggen die ik niet herken.

Tragische gebeurtenis? Ik word meteen achterdochtig.

'Bent u van de krant?' vraag ik. Verslaggevers ruik ik van kilometers afstand.

'Eh... ja, van de *Post...*'

'Dan moet u de persvoorlichting bellen. Hier hebben we geen commentaar. Goedendag.' Ik gooi de hoorn op de haak.

Brad en Tina staren me aan.

'Wauw,' zegt Brad. 'Dat doe je goed.'

Sarah duwt haar bril hoger op haar neus, want die was afgezakt.

'Dat moet ook wel,' zegt ze. 'Ze heeft heel wat met de pers te stellen gehad. De paparazzi waren niet al te aardig voor je, hè Heather? Vooral niet toen je Jordan Cartwright had betrapt terwijl hij werd gepijpt door... Wie was het ook weer? O ja, Tania Trace.'

'Wauw,' zeg ik terwijl ik Sarah oprecht verbaasd aankijk. 'Je gebruikt dat fotografische geheugen van je echt nuttig, hè Sarah?'

Sarah glimlacht bescheiden en Tina's mond valt open.

'Heather, heb jij iets met *Jordan Cartwright* gehad?' vraagt ze.

'Heb je hem betrapt terwijl hij zich door *Tania Trace* liet pijpen?' Brad kijkt opgetogen, net of iemand hem een biljet van honderd dollar in de schoot heeft geworpen.

'Mm,' zeg ik. Ik heb geen keus, ze kunnen het op Google toch allemaal opzoeken. 'Ja, maar dat is al heel lang geleden.'

Daarna verontschuldig ik me en ga op zoek naar een blikje fris, in de hoop dat de cafeïne en de kunstmatige zoetstof me iets minder het gevoel zullen geven dat ik er straks de oorzaak van zal zijn dat er hier nóg een dode valt.

4

De dichtstbijzijnde frisdrankautomaat staat in de tv-ruimte, waar het crisisteam bij elkaar is gekomen. Ik durf Magda geen gratis blikje te vragen omdat ze toch al problemen met haar baas heeft.

Ik herken een paar van de bestuursleden, maar alleen van het sollicitatiegesprek. Een van hen, doctor Jessup, hoofd huishoudelijke dienst, staat op wanneer hij me ziet en komt op me toe gelopen. Hij ziet er in zijn vrijetijdskleding van een shirt van Izers en die Dockers heel anders uit dan in zijn normale antracietkleurige pak.

'Heather,' zegt meneer Jessup. Zijn zware stem klinkt kortelig. 'Hoe gaat het?'

'Gaat wel,' zeg ik. Ik heb al een dollar in de automaat gestopt, het is dus te laat om hard weg te rennen – hoewel ik dat graag had gedaan omdat iedereen me aankijkt, zo van: wie is dat meisje? Ken ik haar niet ergens van? En wat doet ze hier eigenlijk?

In plaats van hard weg te rennen, maak ik mijn keuze. Het geluid van een blikje dat in de la onder in de automaat valt, schalt door de ruimte, waar iedereen zachtjes praat uit respect voor zowel de dode als de rouwenden, en waar de tv, die anders altijd keihard op MTV staat, nu is uitgeschakeld.

Ik haal mijn blikje uit de automaat en houd dat vast. Ik durf het niet open te trekken en door nog meer lawaai extra de aandacht te trekken.

'Wat vind jij van de studenten?' vraagt meneer Jessup. 'Over het algemeen?'

'Ik ben hier nog maar net,' zeg ik. 'Maar iedereen lijkt nogal van de kaart te zijn. En dat is natuurlijk ook wel begrijpelijk, als je bedenkt dat er een dood meisje op de bodem van de liftschacht ligt.'

Meneer Jessup spert zijn ogen wijd open en gebaart dat ik zachtjes moet praten, hoewel ik zowat fluisterde. Ik kijk om en besef dat er hooggeplaatste bestuursleden in de ruimte zijn. Meneer Jessup is doodsbang dat zijn afdeling niet als voldoende zorgzaam voor de studenten wordt beschouwd. Hij is er trots op dat hij zo goed met de jongere generatie kan omgaan. Dat besefte ik al tijdens het eerste sollicitatiegesprek, toen hij me met tot spleetjes geknepen ogen aankeek en de onvermijdelijke vraag

43

stelde, de vraag waardoor ik met dingen wil gaan gooien, maar die ik nooit kan ontlopen: 'Ken ik je ergens van?'

Iedereen denkt altijd dat ze me ergens van kennen. Ze weten alleen niet waar ze me dan eerder hebben gezien. Ze vragen vaak: 'Ben je niet met mijn broer naar het examenfeest geweest?' En ook: 'Hebben we niet hetzelfde college gevolgd?'

En dat is raar, want ik ben nog nooit op een examenfeest geweest en ik heb ook nooit gestudeerd.

'Vroeger was ik zangeres,' zei ik op de dag van het sollicitatie- gesprek tegen meneer Jessup. 'Ik was eh... popzangeres. Vroeger, als tiener.'

'Ach ja,' had meneer Jessup gezegd. '"Sugar Rush". Dat dacht ik al, maar ik wist het niet zeker. Mag ik je iets vragen?'

Ik verschoof ongemakkelijk in mijn stoel, omdat ik wist wat er zou komen. 'Ja, hoor.'

'Waarom wil je een baan in een studentenhuis?'

Ik schraapte mijn keel.

Ik zou willen dat ze op tv een documentaire over me uitzon- den. Want dan hoefde ik niet steeds alles uit te leggen.

Maar ik ben niet beroemd genoeg voor een documentaire. Ik ben nooit een Britney of een Christina geweest, zelfs nauwelijks een Avril. Ik was een tiener met een goed stel longen die op de juiste tijd op de juiste plek was.

Meneer Jessup leek dat te begrijpen. Tenminste, hij liet het onderwerp tactvol rusten nadat ik hem had verteld dat mijn moeder met mijn manager het land uit was gevlucht – o ja, en met al mijn spaargeld – en dat mijn platencontract niet werd verlengd en mijn vriend me de bons had gegeven. Toen ik een baan als administratieve kracht in Fischer Hall kreeg aangebo- den, met een jaarsalaris dat ongeveer gelijk was aan wat ik vroe- ger in een week met optredens verdiende, hapte ik meteen toe. Ik zag niet veel in een levenslange carrière als serveerster – want dat is nogal moordend voor een meisje dat er al tegenop ziet om staand haar haar te wassen – en het idee van een opleiding trok me wel aan. Ik moet wachten tot mijn proeftijd van een half jaar om is – over drie maanden al – en dan kan ik me overal voor inschrijven.

Ik ga eerst psychologie voor beginners doen, dan kan ik zelf zien of ik net zo neurotisch ben als Rachel en Sarah denken.

Nu wil meneer Jessup weten hoe het met Rachels geestelijke toestand is gesteld.

'Kan ze het een beetje aan?' vraagt hij.

'Ik geloof van wel,' antwoord ik.

'Koop maar bloemen voor haar of zoiets,' zegt dr. Jessup. 'Iets om haar op te vrolijken. Misschien bonbons.'

Ik zeg: 'Goed idee.' Al heb ik geen flauw benul waar hij het over heeft. Waarom zou ik bloemen of bonbons voor Rachel kopen? Is de dood van Elizabeth Kellogg voor Rachel soms aangrijpender dan voor Julio, het hoofd van de onderhoudsploeg, die waarschijnlijk straks Elizabeth' bloed in de liftschacht moet opdweilen? Koopt iemand bonbons voor Julio?

Misschien moet ik voor hen allebei bloemen kopen.

'Rachel is nog niet aan de grote stad gewend,' zegt meneer Jessup, zeker bij wijze van verklaring. 'Ze is er vast overstuur van. Ze is nog geen door de wol geverfde New Yorker zoals sommigen van ons. Toch, Wells?' Hij knipoogt

'Eh... ja,' zeg ik, al snap ik niet waar hij het over heeft. Zou een Whitman Sampler voldoende zijn, of wil hij dat ik helemaal naar Dean & Deluca's ga en van die enorme petitfours koop? Dat zou ik wel prima vinden, want dat kon ik meteen voor mezelf van die chocolade-sinaasappelschilletjes kopen.

Alleen... Rachel snoept niet. Dat hoort niet bij haar fitnessprogramma. Zal ik anders noten voor haar kopen?

Maar ons gesprek wordt abrupt afgebroken doordat meneer Allington het vertrek binnen komt.

Ik zal je de waarheid vertellen. Ik herken meneer Allington nooit meteen, ook al zie ik hem elke doordeweekse dag 's ochtends uit de lift stappen, al vanaf juni, toen ik hier kwam werken.

Ik herken meneer Allington nooit omdat hij zich niet kleedt als president van een College. Hij draagt het liefst een witte broek – ook al hoort dat niet na de zomer – een goudkleurig T-shirt van het New York College (op echt warme dagen zonder mouwen), sportschoenen van Adidas, en als het kil is een goud met wit jasje van het New York College. Volgens een ander artikel in Justines archief denkt hij dat als hij zich als student kleedt, de studenten hem beter benaderbaar vinden.

Maar ik heb nog nooit een student van het New York College in kleding van het College gezien. Ze dragen allemaal zwart, om niet op te vallen tussen alle andere inwoners van New York.

Vandaag heeft meneer Allington voor een T-shirt met mouwen gekozen, ook al is het buiten boven de twintig graden. Nou ja, misschien had hij een vergadering met het bestuur en wilde hij indruk maken.

Pas wanneer alle andere beheerders op hem af komen om hem duidelijk te maken dat hij de spil van alles is en dat hij een uiterst belangrijke rol speelt bij wat maandag in de studentenkrant ongetwijfeld de 'Tragedie' zal heten, denk ik: gunst, ja, dat is de president.

Meneer Allington negeert iedereen en kijkt uitsluitend naar meneer Jessup. Hij zegt: 'Hier moet je iets aan doen, Stan. Dit is niet best. Helemaal niet best.'

Meneer Jessup kijkt alsof hij wilde dat híj daar op de bodem van de liftschacht lag. Ik kan het hem niet kwalijk nemen.

'Phil,' zegt hij tegen de president. 'Zulke dingen gebeuren. Met zo veel studenten kunnen er ongelukken gebeuren. Vorig jaar waren er drie sterfgevallen, en het jaar daarvoor twee...'

'Niet in míjn gebouw,' zegt meneer Allington. Het lijkt alsof hij zijn best doet als Harrison Ford in *Air Force One* te klinken ('Uit mijn vliegtuig!').

Maar hij klinkt eerder belachelijk.

Dit lijkt me een goed moment om terug te gaan naar mijn kantoortje. Daar tref ik Sarah aan. Ze zit op mijn stoel druk te telefoneren. Er is verder niemand, en toch is de spanning om te snijden. Kennelijk straalt Sarah die uit, want ze gooit de hoorn op de haak en kijkt me kwaad aan.

'Rachel zegt dat we het feest van vanavond moeten afgelasten.' Ze is echt laaiend.

'Nou en?' Het lijkt me een heel redelijk voorstel. 'Zeg maar dat het niet doorgaat.'

'Je begrijpt het niet. We hebben een echte band ingehuurd. Dit gaat ons vijftienhonderd dollar kosten.'

Ik staar Sarah aan.

'Sarah,' zeg ik. 'Er is een meisje dood. Dóód.'

'En omdat we door haar zelfzuchtige daad van de normale gang van zaken moeten afwijken, zullen de studenten haar dood in een romantisch licht gaan zien,' reageert Sarah. Daarna vergeet ze even dat ze bijna afgestudeerd is en zegt: 'We kunnen het weggegooide geld goedmaken met de verkoop van t-shirts. Maar toch snap ik niet dat we het feest moeten afgelasten, alleen maar omdat de een of andere idioot van de lift is gestort.'

En dan zeggen ze dat het er in de showbusiness hard aan toe gaat. Die mensen hebben zeker nog nooit in een studentenflat gewerkt.

Sorry, ik bedoel: studentenhuis.

5

Omdat dit New York City is, waar elke dag veel sterfgevallen met onnatuurlijke oorzaak voorkomen, duurt het vier uur voordat de lijkschouwer hier is om naar Elizabeth te kijken.

De lijkschouwer komt om half vier, en om vijf over half vier wordt Elizabeth Kellogg doodverklaard. Als voorlopige doodsoorzaak wordt een acuut trauma vastgesteld, met een gebroken nek, rug en bekken, en verder zijn er nog breuken in de schedel en de ledematen.

Noem me maar een dromer, maar ik denk dat niemand van de studenten haar dood nog als romantisch zal beschouwen nadat ze dit hebben gehoord.

Het ergste is nog dat de lijkschouwer zegt dat Elizabeth al twaalf uur dood is. Dat houdt in dat ze de hele nacht in de liftschacht heeft gelegen.

Goed, hij zegt dat ze op slag dood was na de klap op de betonnen vloer. Ze heeft er dus niet levend de hele nacht gelegen.

Maar toch...

Het feit dat het busje van de lijkschouwer voor de deur staat, kan niet verborgen worden gehouden, en ook niet dat er een lijk uit het gebouw wordt gedragen en in het busje geschoven. Tegen vieren weten alle studenten van Fischer Hall dat er een sterfgeval is geweest. Zodra de liften weer in gebruik zijn genomen en de studenten eindelijk naar hun kamer mogen, weten ze ook hoe ze aan haar eind is gekomen. Ik bedoel, we hebben hier met studenten te maken. Die zijn niet achterlijk.

Maar ik maak me niet zo druk over hoe de zevenhonderd bewoners van Fischer Hall de dood van Elizabeth verwerken. Ik maak me druk over hoe de ouders van Elizabeth het nieuws van haar dood gaan verwerken.

Want meneer Jessup heeft besloten – daarin gesteund door doctor Flynn – dat omdat Rachel contact met mevrouw Kellogg heeft gehad vanwege Elizabeth' bezoek, zíj degene moet zijn die de ouders belt om hun te vertellen dat hun dochter is overleden.

'Het komt minder hard aan als de Kelloggs het horen van iemand die ze kennen,' verzekert meneer Flynn iedereen.

Zodra het besluit is genomen, wordt Sarah het kantoortje uit gezet, maar meneer Jessup vraagt of ik erbij wil blijven.

'Als steun voor Rachel,' zegt hij.

Kennelijk heeft hij Rachel nog nooit in de kantine in actie gezien, als ze de mensen achter de saladbar de wind van voren geeft omdat ze per ongeluk volvette dressing in de bak voor vetvrije dressing hebben gedaan, zoals mij dat ooit is overkomen. Rachel is geen type dat veel steun nodig heeft.

Maar wie ben ik om me ertegenaan te bemoeien?

Het is allemaal heel verdrietig, en tegen de tijd dat Rachel ophangt, heb ik een opkomende migraine en voel ik me misselijk.

Natuurlijk kan dat ook liggen aan de elf zakjes Jolly Ranchers en de zak Fritos die ik in plaats van een normale lunch heb gegeten. Maar je kunt nooit weten.

De symptomen worden verergerd door meneer Jessup. In zijn wiek geschoten door de opmerkingen van meneer Allington, slaat de assistent vice-president alle waarschuwingen en verboden van New York City in de wind en kettingrookt hij erop los terwijl hij op Rachels bureau zit. Niemand stelt voor het raam open te zetten. Dat komt omdat ons kantoor op de begane grond is en wanneer je het raam openzet, komt er altijd wel de een of andere grapjas die naar binnen roept: 'Mag ik er een grote friet bij?'

Ineens dringt het tot me door dat Rachel klaar is met telefoneren, en dat ik haar niet langer tot steun hoef te zijn. Ik kan hier niets meer doen.

Dus sta ik op en zeg: 'Ik ga naar huis.'

Iedereen kijkt me aan. Gelukkig is meneer Allington allang weg, want zijn vrouw en hij hebben een huis in de Hamptons en daar gaan ze zo vaak mogelijk naartoe.

Alleen kan mevrouw Allington vandaag niet door de voordeur vertrekken – niet met het busje van de lijkschouwer op de stoep, achter de brandweerwagen. Ik moest het alarm afzetten zodat ze door de nooddeur naast de kantine konden, de deur waardoor de beveiliging de belangrijkere gasten van de Allingtons laat komen – zoals de Schwarzeneggers – wanneer ze etentjes geven. Dan hebben die gasten geen last van de studenten.

Christopher, het enige kind van de Allingtons – een knappe jongen van achter in de twintig, die meestal Brooks Brothers draagt en rechten studeert – zat achter het stuur van hun groene Mercedes toen ze eindelijk vertrokken. Meneer Allington installeerde zijn vrouw zorgzaam op de achterbank en hun bagage in de kofferbak, voordat hij voorin naast zijn zoon plaatsnam.

Christopher Allington reed zo snel weg dat de bezoekers van de braderie – o ja, de braderie gaat gewoon door, ook al staan daar die brandweerwagen en het busje van de lijkschouwer – op de stoep moesten springen. Ze dachten vast dat iemand hen probeerde overhoop te rijden.

Ik zal je iets zeggen: als de Allingtons míjn ouders waren, zou ik ook proberen mensen overhoop te rijden.

Meneer Flynn heeft zich een beetje hersteld van mijn opmerking dat ik als eerste naar huis ga. Hij zegt: 'Natuurlijk, Heather, ga jij maar naar huis. We hebben Heather niet meer nodig, hè Stan?'

Meneer Jessup blaast een wolk blauwige rook uit.

'Ga maar,' zegt hij tegen me. 'En schenk jezelf een borrel in. Een groot glas.'

'O, Heather!' roept Rachel uit. Ze springt op van haar bureaustoel en tot mijn verrassing slaat ze haar armen om me heen. Zo openlijk heeft ze nog nooit van haar genegenheid jegens mij blijk gegeven. 'Heel erg bedankt dat je meteen bent gekomen. Ik zou niet weten wat ik zonder jou had gemoeten. Jij houdt altijd het hoofd koel.'

Ik heb geen flauw benul waar ze het over heeft. Ik heb helemaal niets gedaan. Ik heb in elk geval geen bloemen voor haar gekocht zoals meneer Jessup me had gevraagd. Misschien heb ik de werkstudenten gekalmeerd, en Sarah overreed het feest af te gelasten, maar meer heb ik toch echt niet gedaan. Niets om over naar huis te schrijven.

Ik probeer niemand aan te kijken wanneer Rachel me omhelst. Rachel omhelzen is een beetje als een eh... stok omhelzen. Omdat ze zo dun is. Ik heb wel een beetje medelijden met haar. Want wie wil er nou een stok omhelzen? Ik weet dat er kerels zijn die achter van die fotomodellen aan zitten. Maar ik bedoel, welk normaal mens wil er nou een stel puntige botten omhelzen, of door puntige botten omhelsd worden? Het zou iets anders zijn als ze van nature puntig was. Maar ik weet toevallig dat Rachel zich expres uithongert om maar puntig te zijn.

Er klopt niets van.

Tot mijn opluchting laat Rachel me snel weer los, en zodra ze dat doet, loop ik gauw het kantoortje uit zonder nog iets te zeggen, voornamelijk omdat ik bang ben anders in tranen uit te barsten. Niet omdat ze zo knokig is, maar omdat het allemaal zo sneu is. Ik bedoel, er is een meisje dood en haar ouders zijn kapot van verdriet. En waarom? Allemaal vanwege een spannend ritje op een lift.

Ik kan er met mijn verstand niet bij.

Omdat het alarm van de nooduitgang nog is uitgeschakeld, neem ik die deur, opgelucht dat ik niet langs de receptie hoef. Want ik denk echt dat ik ga huilen als iemand ook maar iets tegen me zegt. Ik moet helemaal over Sixth Avenue een blokje om lopen om te voorkomen dat ik een bekende tegenkom – ik loop langs Banana Republic, waar ze kleren in maat 42 verkopen, maar die hebben ze maar zelden in voorraad. Omdat het nu eenmaal de gemiddelde maat is, vliegen ze de winkel uit. Maar ik heb nu toch geen zin om te kijken.

Helaas merk ik wanneer ik bij mijn voordeur kom, dat ik toch met iemand zal moeten praten. Want op de stoep staat mijn ex, Jordan Cartwright.

En ik dacht nog wel dat er niks ergs meer kon gebeuren.

Hij gaat rechtop staan wanneer hij me ziet, en klikt het mobieltje dicht waarin hij heeft staan wauwelen. De late namiddagzon tovert gouden highlights in zijn blonde haar, en ondanks mezelf valt het me op dat, ook al is het nog zo warm, zijn witte overhemd en – het spijt me het te moeten zeggen – zijn bijpassende witte broek keurig in de vouw zitten.

Met al dat wit en dan ook nog de gouden ketting om zijn hals ziet hij eruit of hij uit een vreselijke boyband is gedeserteerd.

En helaas is dat ook zo.

'Heather,' zegt hij zodra hij me ziet.

Ik kan zijn fletsblauwe ogen niet zien omdat die schuilgaan achter zijn donkere Armani-zonnebril. Maar ik neem aan dat ze zoals gewoonlijk vol tedere zorg staan. Jordan kan mensen goed laten denken dat hij echt om hen geeft. Dat is een van de redenen waarom zijn eerste solonummer, 'Baby, Be Mine', dubbel platina heeft gehaald. De videoclip heeft wekenlang op 1 gestaan als meest gevraagde verzoeknummer.

'Daar ben je eindelijk,' zegt hij. 'Ik heb je aldoor geprobeerd te pakken te krijgen. Coop is zeker niet thuis? Gaat het een beetje met je? Ik ben gekomen zodra ik het hoorde.'

Ik knipper met mijn ogen. Wat doet hij hier? Is hij soms vergeten dat het uit is?

Misschien is dat wel zo. Hij heeft duidelijk flink getraind. Je kunt zijn spieren zien.

Misschien heeft hij een *dumbbell* op zijn kop gekregen.

'Ze woonde toch in dat gebouw van jou?' vraagt hij. 'Dat meisje over wie ik op de radio heb gehoord? Dat is verongelukt?'

Het is hoogst oneerlijk dat iemand die er zo knap uitziet zo... Nou ja, zonder enig menselijk gevoel is.

Ik haal mijn sleutels uit de zak van mijn spijkerbroek.

'Je had hier niet moeten komen, Jordan,' zeg ik. Iedereen kijkt naar ons. Voornamelijk dealers. In mijn buurt zijn veel dealers omdat het College druk uitoefent op de politie om Washington Square Park schoon te houden. Dat vinden ze beter voor de studenten (en vooral voor de ouders). Daarom worden alle dealers en daklozen uit het park verjaagd en bevolken ze nu de omliggende straten, waaronder míjn straat.

Toen ik inging op het aanbod van Jordans broer om bij hem in te trekken, wist ik natuurlijk niet dat het zo'n rotbuurt was. Ik bedoel, het is wel eventjes Greenwich Village, maar dat is allang niet meer een paradijs voor uitgemergelde kunstenaars, omdat er yuppies neerstreken en de huren omhoogschoten. Ik dacht dat het zoiets was als Park Avenue, waar ik met Jordan woonde, en waar 'dat tuig', zoals Jordan hen noemt, domweg niet te vinden is.

En dat is maar goed ook, want 'dat tuig' kan kennelijk hun ogen niet van Jordan afhouden – en niet alleen vanwege die zo in het oog springende gouden ketting.

'Hé!' roept er eentje. 'Ben jij die gozer? Hé, ben jij die gozer?'

Jordan is eraan gewend door paparazzi te worden lastiggevallen en knippert niet eens met zijn ogen.

'Heather,' zegt hij met dezelfde geruststellende stem die hij gebruikte voor het duet met Jessica Simpson tijdens hun Get Funky-tournee van afgelopen zomer. 'Kom, wees nou redelijk. Dat het tussen ons op het romantische vlak niet werkte, wil nog niet zeggen dat we geen vrienden kunnen blijven. We hebben samen zoveel meegemaakt. We zijn samen opgegroeid!'

Dat laatste is waar. Ik leerde Jordan kennen toen ik onder contract kwam bij de platenmaatschappij van zijn vader, Cartwright Records. Ik was toen vijftien en Jordan achttien. Ik geloofde toen echt dat Jordan een getormenteerd kunstenaar was. Ik geloofde hem toen hij zei dat hij net als ik een hekel had aan de nummers die hij van de platenmaatschappij moest zingen. Ik geloofde hem toen hij zei dat hij die net als ik niet meer wilde zingen en dat hij voortaan zijn eigen nummers zou uitbrengen. Ik geloofde hem tot op het moment waarop ik de platenmaatschappij voor het blok zette: mijn eigen nummers of geen nummers, en de platenmaatschappij voor geen nummers koos... En Jordan, die de platenmaatschappij (ook bekend als zijn vader) ook voor het blok had gezet, zei toen ineens: 'Heather, misschien moeten we er nog eens over nadenken.'

Ik kijk om me heen om me ervan te vergewissen dat hij geen voorstelling voor een verborgen camera aan het geven is. Ik zie hem er best voor aan om mee te doen met een soort realityprogramma. Hij is zo iemand die het niet erg vindt om zijn hele hebben en houwen op tv uit de doeken te doen.

En dan zie ik de zilverkleurige BMW-cabriolet bij de brandkraan voor mijn huis staan.

'Die is nieuw,' zeg ik. 'Van je vader gekregen? Als beloning omdat het aan is met Tania Trace?'

'Heather,' zegt Jordan. 'Ik heb je toch gezegd dat het met Tania niet is wat je denkt?'

'Ja, hoor,' zeg ik met een lach. 'Ze viel zeker zo onhandig dat ze met haar gezicht in je kruis terechtkwam.'

Ineens doet Jordans iets wat me verrast. Hij zet zijn zonnebril af en kijkt me doordringend aan. Ik moet denken aan toen ik hem leerde kennen, in de Mall of America. De platenmaatschappij – Jordans vader – had een tournee voor mij en Jordans band Easy Street geregeld om zoveel mogelijk jonge tieners – en hun ouders, en de portemonnee van hun ouders – te bereiken.

Toen had Jordan me ook zo doordringend aangekeken. Toen had het nog niet zo goedkoop geklonken toen hij zei: 'Meisje, wat heb jij een prachtige blauwe ogen.'

Wat wist ik er toen helemaal van? Ik was van school geplukt en sindsdien voortdurend zwaar gechaperonneerd op tournee geweest. Ik kwam alleen in contact met jongens van mijn leeftijd wanneer die om mijn handtekening vroegen. Hoe kon ik nou weten dat: 'Meisje, wat heb je een prachtige blauwe ogen' een versiertruc was?

Daar kwam ik pas jaren later achter, toen het iets uit een van de nummers op zijn eerste soloalbum bleek te zijn. Hij had er goed op kunnen oefenen.

In elk geval werkte het bij mij.

'Heather,' zegt Jordan terwijl het door de bomen en huizen gefilterde zonlicht over zijn knappe, nog steeds jongensachtige gezicht speelt. 'We hadden samen iets. Weet je zeker dat je dat allemaal achter je wilt laten? Ik bedoel, ik weet dat ik niet helemaal vrijuit ga. Dat akkefietje met Tania... Ik snap best hoe dat er voor jou moet hebben uitgezien.'

Ongelovig kijk ik hem aan.

'Je bedoelt dat het eruitzag of ze je pijpte? Want zo zag het er voor mij uit.'

Jordan vertrekt zijn gezicht alsof ik hem een klap heb gegeven.

'Zie je nou?' Hij slaat zijn armen over elkaar. 'Dat is precies wat ik bedoel. Heather, toen we elkaar leerden kennen was je nooit zo grof in de mond. Je bent veranderd. Zie je dat zelf dan niet? Dat is nou net het probleem. Je bent niet meer het meisje van toen.'

Ik besluit dat als hij naar mijn taille kijkt, waar ik het meest ben veranderd sinds tien jaar geleden, ik hem in elkaar ga slaan.

Maar dat doet hij niet.

'Je bent... Ik weet niet, harder geworden,' gaat hij verder. 'Maar wie kan je dat kwalijk nemen na wat je moeder en je manager je hebben aangedaan? Luister, Heather. Niet iedereen is op je geld uit, niet iedereen wil zoals zij met je geld naar Argentinië vluchten. Geloof me als ik zeg dat het nooit mijn bedoeling is geweest je te kwetsen. We groeiden alleen maar uit elkaar. We zijn op verschillende dingen uit. Jij wilt je eigen nummers zingen, ook al ruïneer je daarmee je carrière – tenminste, wat daar nog van over is. Terwijl ik... Nou ja, ik wil...'

'Hé!' schreeuwt de dealer. 'Jij bent toch JORDAN CARTWRIGHT?'

Onvoorstelbaar wat er allemaal gebeurt. Eerst dat met Elizabeth, en nu weer dit.

Wat wil Jordan trouwens van me? Daar kom ik nou nooit eens achter. Hij is eenendertig, een meter zevenentachtig lang, en waanzinnig rijk – hij verdient aanzienlijk meer dan de ton per jaar die Rachel ideaal voor een man vindt. Ik bedoel, ik weet dat zijn ouders niet bepaald in hun nopjes waren toen we gingen samenwonen. Dat was niet best, twee van hun populairste tienersterren die gingen hokken...

Maar was onze relatie sowieso niet een ingewikkelde manier voor hun jongste zoon om zijn gram te halen op meneer en mevrouw Cartwright, omdat ze hem toen hij negen was toestemming gaven om auditie voor de Mickey Mouse Club te doen? Daar schaamt hij zich nog steeds voor. Want echt serieuze rockers staan niet om de week in *Teen People* met van die grote Mickey Mouse-oren op hun kop...

'Jordan,' val ik hem in de rede terwijl hij opsomt wat hij allemaal van het leven wil, voornamelijk een zonnestraaltje voor anderen zijn, geloof ik. Hij vraagt waarom dat zo erg is. Ik heb toch nooit gezegd dat dat niet mag? 'Wil je alsjeblieft weggaan?'

Ik dring me langs hem heen, met de sleutels in mijn hand. Ik denk dat ik van plan was de deur open te doen en naar binnen te glippen voordat hij me kon tegenhouden.

Maar met drie sloten op de deur is dat nogal lastig.

'Ik weet dat je me als artiest niet voor vol aanziet, Heather,' gaat Jordan verder. Hij gaat maar door. 'Maar ik kan je verzekeren dat ik net zo creatief ben als jij, al schrijf ik geen eigen nummers. Tegenwoordig doe ik bijna de hele choreografie. Die move in de videoclip van "Just Me and You?" Weet je wel, deze?' Hij doet op de stoep voor mijn huis een quickstep ball change, vergezeld van een heupbeweging. 'Die heb ik zelf bedacht. Ik weet dat je dat maar magertjes vindt, maar is het geen goed idee je eigen leven eens onder de loep te nemen? Ik bedoel, wat doe jij nou wat artistiek bevredigend is? Dat stomme baantje in een studentenflat...'

Twee sloten. Nog eentje.

'En hier wonen met junks voor je deur... En met Cooper! Met Cooper nog wel! Je weet wat ze bij mij thuis van Cooper vinden, Heather.'

Ik weet inderdaad wat ze bij hem thuis van Cooper vinden.

Hetzelfde wat ze van Coopers grootvader vinden, die op de leeftijd van vijfenzestig uit de kast kwam, een felroze optrekje in de Village kocht en dat naliet aan zijn ontaarde kleinzoon, die meteen op de begane grond ging wonen, op de middelste verdieping een detectivebureau vestigde en de bovenste aan mij aanbood, vrij van huur (in ruil voor het doen van zijn administratie) zodra hij erachter kwam dat ik bij Jordan en Tania was weggelopen.

'Ik bedoel, ik weet dat jullie samen niets hebben,' zegt Jordan. 'Daar maak ik me geen zorgen over. Je bent Coopers type niet.'

Dat kun je wel zeggen. Jammer genoeg.

'Maar ik vraag me af of je wel weet dat Cooper een strafblad heeft. Vandalisme. Ja, hij was toen nog minderjarig, maar toch... Jezus, Heather, hij heeft geen respect voor andermans bezittingen. Hij heeft een luifel van Easy Street beklad. Ik weet dat hij jaloers op me is omdat ik talent heb, maar daar kan ik niets aan doen, daarmee ben ik geboren...'

Het derde slot is open. De vrijheid lacht me toe!

'Dag, Jordan,' zeg ik, en ik glip naar binnen en doe de deur zachtjes achter me dicht. Want die wil ik niet in zijn gezicht dichtsmijten of zo. Ik wil hem geen pijn doen. Niet omdat ik nog om hem geef, maar omdat dat onbeschoft zou zijn.

Bovendien zou zijn vader me een proces aan de broek kunnen smeren. Je weet maar nooit.

6

Secret admirer
I'm your
Secret admirer
I know how
Much you love
And desire her

And I think
What would you do
If you knew that
I loved you?
If you knew it was true
That I'm your
Secret admirer?

'Secret Admirer'
Zang: Heather Wells
Tekst: Valdez/Caputo
Van het album: *Sugar Rush*
Cartwright Records

Jordan bonst op de deur, maar dat negeer ik.

Het is binnen koel en het ruikt een beetje naar de toner van het fotokopieerapparaat in Coops kantoor. Ik loop de trap op naar mijn appartement en denk dat Lucy – heb ik het al over haar gehad? Lucy is mijn hond – wel uit zal willen. Maar dan kijk ik in de gang en zie dat de openslaande deuren naar het terras openstaan.

In plaats van verder naar boven te gaan, loop ik terug de gang in. Grootvader heeft die met zwart-wit gestreept behang behangen, dat was in de jarig zeventig kennelijk bij homo's je van het. Op het terras tref ik de huisbaas aan. Hij zit in een tuinstoel met een flesje bier in zijn hand, en mijn hond ligt aan zijn voeten naast een rode koelbox.

Zoals gebruikelijk wanneer hij thuis is, luistert hij naar jazz op de radio. Cooper is de enige van zijn familie die liever naar de zoete klanken van Coleman-Hawkins en Sarah Vaughn luistert dan naar het gekrijs van Easy Street of Tania Trace.

'Is hij al weg?' vraagt Cooper wanneer hij me in de deuropening ziet staan.

'Het zal niet lang meer duren,' zeg ik. Dan pas dringt het tot me door. 'Verstop jij je hier soms?'

'Precies,' zegt Cooper. Hij maakt de koelbox open en haalt er een biertje uit. 'Hier.' Hij biedt me het flesje aan. 'Ik dacht dat je dit wel zou kunnen gebruiken.'

Dankbaar neem ik het koude flesje aan en laat me in de groene kussens zakken van de gietijzeren stoel die vlakbij staat. Meteen springt Lucy naar me toe en stopt haar kop tussen mijn dijen. Ze besnuffelt me blij. Ik kriebel haar oren.

Dat is het fijne van een hond hebben. Een hond is altijd blij je te zien. Bovendien zitten er gezonde kantjes aan. Je bloeddruk daalt wanneer je een hond hebt. Of een kat. Daar is onderzoek naar gedaan. Ik heb het zelf in *People* gelezen.

Natuurlijk zijn huisdieren niet het enige waarvan je bloeddruk naar beneden gaat. Op een heerlijk rustig plekje zitten werkt ook goed. Bijvoorbeeld het terras van Coopers grootvader en in de tuin beneden. Die horen bij de best bewaarde geheimen van Manhattan. Groen en beschut door met klimop begroeide muren, is dit een kleine oase. Vroeger, in de achttiende eeuw, stond hier een stal. Er is zelfs een fonteintje in de tuin dat Cooper heeft aangezet. In de stilte van de namiddag hoor ik het klateren. Terwijl ik Lucy's koppie aai, voel ik mijn hart in een normaal tempo gaan kloppen.

Als ik over een half jaar de baan definitief krijg en ik me eindelijk aan het College kan inschrijven, ga ik misschien medicijnen studeren. Ja, dat zal moeilijk worden met een voltijdsbaan, en ook nog voor Cooper werken. Maar ik vind er wel iets op.

Later krijg ik misschien een beurs waarop ik kan afstuderen. En wanneer ik ben afgestudeerd, kan ik Lucy meenemen wanneer ik mijn patiënten bezoek, dan kan zij hen kalmeren. Dankzij mij worden hartkwalen verleden tijd omdat mijn patiënten Lucy mogen aaien. Ik word beroemd! Net als Marie Curie.

Maar ik ga geen uranium om mijn hals dragen en sterven aan een stralingsziekte, zoals Marie Curie.

Ik vertel mijn nieuwe plannetje niet aan Cooper. Ik denk dat hij niet alle aspecten ervan zal begrijpen. Hoewel hij voor veel openstaat. Arthur Cartwright, Coopers grootvader, was kwaad op hoe de familie reageerde toen hij had verteld dat hij homo was en liet het grootste deel van zijn omvangrijke vermogen na aan aidsonderzoek. Hij liet zijn hele kunstverzameling van wereldklasse bij Sotheby's veilen op voorwaarde dat de opbrengst naar God's Love We Deliver zou gaan, en hij liet zijn onroerend goed na aan het New York College, waar hij destijds had gestudeerd.

Alles, behalve zijn geliefde huis in de Village; dat liet hij aan Cooper na – samen met een miljoen dollar. Omdat Cooper de enige van de familie Cartwright was die had gezegd: 'Je moet doen wat je hart je ingeeft, opa,' toen hij hoorde dat opa een vriend had, Jorge.

Niet dat Jordan en de rest van de familie berooid waren omdat Arthur hen uit zijn testament had geschrapt. Er was nog geld genoeg over in de bankkluis voor alle anderen.

Toch maakte het Cooper niet het populairste lid van de familie Cartwright, en hij was toch al het zwarte schaap omdat hij van een paar middelbare scholen was getrapt en liever ging studeren dan toetreden tot Easy Street. En dan gaat hij ook nog graag uit met aantrekkelijke hartchirurgen of galeriehouders die Sandra of Yokiko heten.

Maar het schijnt hem allemaal niet te deren. Ik heb nog nooit iemand ontmoet die zo tevreden met zijn eigen bedrijfje is als Cooper Cartwright.

Hij lijkt ook niet eens op de rest van de familie. Hij heeft donker haar, terwijl alle anderen blond zijn. Maar Cooper heeft het knappe uiterlijk van de Cartwrights wel geërfd, evenals de felblauwe ogen.

Afgezien van die ogen lijkt Cooper totaal niet op zijn broer Jordan. Ze zijn allebei lang en atletisch gebouwd.

Maar Jordan is gespierd omdat hij dagelijks een paar uur in zijn eigen fitnessruimte met zijn privétrainer traint. Coop is gespierd omdat hij dagelijks op het basketbalveldje op Sixth en West Third speelt, en – hoewel hij dit niet wil toegeven – in opdracht van zijn cliënten door Central Park rent om iemand te achtervolgen. Dat weet ik omdat ik zijn administratie doe. Ik zie de nota's. Niemand kan uit een taxi stappen – voor zes dollar, uitgestapt om 17:01 – en aan de kassa van Metro North een kaartje kopen – retourtje Stanford, vertrektijd 17:07 – zonder dat er een sprintje moet worden getrokken.

Door dit alles – aardig, die ogen, de weekenduitspattingen, en niet te vergeten de jazz – ben ik natuurlijk hopeloos verliefd op Cooper geworden.

Ik weet heel goed dat het echt hopeloos is. Hij behandelt me op die nonchalante manier waarmee je normaal gesproken met het vriendinnetje van je kleine broertje omgaat. Ik zal voor hem wel altijd het vriendinnetje van zijn kleine broertje blijven, want vergeleken met de vrouwen met wie hij omgaat – allemaal tengere, schitterend uitziende professors in renaissanceliteratuur of microfysica – zie ik eruit als een vanillepudding of zoiets.

Wie wil er nou vanillepudding als hij ook crème brûlée kan krijgen?

Zodra dat kan, word ik op iemand anders verliefd. Echt. Maar ondertussen is het toch niet zo erg dat ik van zijn gezelschap geniet?

Cooper neemt een slok bier en kijkt naar de daken van de omringende gebouwen. Een daarvan is Fischer Hall. Je kunt het zien van de twaalfde tot de twintigste verdieping, met het penthouse van de president van het College incluis. Dat kun je allemaal vanuit Arthur Cartwrights achtertuin zien.

Je kunt ook het ventilatiekanaal van de liftschacht zien.

'En?' zegt Cooper. 'Was het heel erg?'

Hij heeft het niet over mijn ontmoeting met Jordan. Dat weet ik omdat hij in de richting van het studentenhuis knikt.

Het verbaast me niet dat hij weet dat er een meisje is gestorven. Hij heeft de sirenes gehoord, hij heeft al die mensen op de stoep gezien. Weet ik veel, misschien heeft hij wel ergens een politiescanner.

'Het was niet aangenaam,' zeg ik, en ik neem een slokje van mijn bier terwijl ik met mijn andere hand Lucy's oren masseer. Lucy is een vuilnisbakje dat ik uit het asiel heb gehaald niet lang nadat mijn moeder ervandoor was gegaan. Ik weet zeker dat Sarah zou zeggen dat ik Lucy heb geadopteerd als een soort vervanging van mijn echte familie, want die hebben me allemaal in de steek gelaten.

Maar omdat ik voortdurend op tournee was, kon ik nooit een huisdier hebben. Ik vond het tijd worden dat ik er eentje kreeg. Lucy is half collie en misschien foxterriër, en het lijkt net of ze altijd lacht. Daarom kon ik haar niet weerstaan, ook al wilde Jordan eigenlijk een rashond, het liefst een cockerspaniël. Hij was niet blij toen ik in plaats van Lady, Vagebond mee naar huis nam.

Maar het kwam allemaal goed, want Lucy mocht Jordan niet en dat liet ze blijken door meteen een suède broek van hem op te vreten.

Vreemd genoeg heeft ze geen probleem met Cooper, iets wat ik toeschrijf aan het feit dat Cooper nog nooit de *Us Weekly* naar haar heeft gegooid omdat ze op zijn cd's van de Dave Matthews Band heeft geknauwd. Cooper heeft niet eens cd's van de Dave Matthews Band. Hij is fan van Wynton Marsalis.

'Weten ze al wat er is gebeurd?' vraagt Cooper.

'Nee,' zeg ik. 'En als iemand het wel weet, dan is die dat niet komen vertellen.'

'Ach,' zegt hij voordat hij nog een slok neemt. 'Het zijn maar kinderen. Waarschijnlijk zijn ze bang om in de problemen te komen.'

'Weet ik,' zeg ik. 'Alleen... Hoe konden ze haar daar nou zomaar laten liggen? Ik bedoel, ze heeft daar uren gelegen. Ze zijn gewoon weggegaan.'

'Wie zijn gewoon weggegaan?'

'Degenen die bij haar waren.'

'Hoe weet je dat er iemand bij haar was?'

'Niemand gaat in zijn eentje liftsurfen. Een stelletje klimt altijd door het onderhoudsluik in het plafond op de liftcabine, en dan dagen ze elkaar uit om op het dak van een voorbijkomende lift te springen. Als er niemand is om je uit te dagen, heeft het geen zin.'

Je kunt Cooper gemakkelijk dingen uitleggen omdat hij goed luistert. Hij valt je nooit in de rede en is altijd geïnteresseerd in wat je te zeggen hebt. Dat is ook iets wat hem anders maakt dan de rest van zijn familie.

Het is ook iets wat nuttig is voor zijn werk. Je kunt veel opsteken als je mensen gewoon laat praten, als je goed luistert naar wat ze zeggen.

Tenminste, dat heb ik ooit in een tijdschrift gelezen.

'Het gaat erom dat ze elkaar uitdagen grotere en gevaarlijkere sprongen te maken,' zeg ik. 'In je eentje ga je niet liftsurfen. Dus er moet iemand bij zijn geweest. Tenzij...'

Cooper kijkt me aan. 'Tenzij wat?'

'Nou, tenzij ze helemaal niet aan het liftsurfen was,' zeg ik. Dat zit me al de hele tijd dwars. 'Ik bedoel, meisjes doen dat eigenlijk nooit. Liftsurfen. Ik heb er tenminste nog nooit van gehoord, niet op het New York College. Het is echt iets voor aangeschoten jongens.'

'Goed.' Cooper buigt zich naar voren. 'Als ze niet aan het liftsurfen was, hoe kwam het dan dat ze in de liftschacht viel? Denk je dat de liftdeur openging zonder dat de lift er stond, en dat ze zonder te kijken in de liftschacht is gestapt?'

'Ik weet het niet. Dat gebeurt toch eigenlijk nooit? De liftdeuren gaan alleen open als de liftcabine er is. En ook als de deuren wel opengaan, dan stap je toch niet zonder te kijken in? Dat zou stom zijn.'

En dan zegt Cooper: 'Misschien is ze geduwd.'

Ik knipper met mijn ogen. Het is stil in de tuin – je kunt het verkeer van Sixth Avenue niet horen, en ook niet het gerinkel van flessen vanuit Waverly Place, waar de daklozen het vuilnis doorzoeken. Toch denk ik dat ik hem niet goed heb verstaan.

'Geduwd?' vraag ik.

'Dat is toch wat je denkt?' Cooper kijkt me met zijn blauwe ogen uitdrukkingsloos aan. Daardoor is hij zo'n goede detective. En daardoor denk ik dat er op het romantische vlak nog hoop is – omdat ik in zijn ogen nog nooit iets heb gezien wat het tegendeel bewijst. 'Misschien is ze niet uitgegleden en gevallen. Misschien is ze geduwd.'

En dat is nou PRECIES wat ik ook zat te denken.

Maar ik dacht ook dat het iets was wat je maar beter niet hardop kon zeggen, zo waanzinnig klinkt het.

'Ontken het maar niet,' zegt Cooper. 'Ik weet dat je dat denkt. Ik zie het aan je gezicht.'

Het is een hele opluchting om het er allemaal uit te gooien. 'Meisjes doen niet aan liftsurfen, Coop. Dat doen ze gewoon niet. Ik bedoel, in andere steden misschien wel, maar niet hier, op het New York College. En dit meisje – Elizabeth – was een kakker!'

Nu is het Coopers beurt om met zijn ogen te knipperen. 'Pardon?'

'Een kakker,' zeg ik. 'Je weet wel, keurig netjes. Kakkermeisjes liftsurfen niet. En stel dat ze dat wel deed... Ik bedoel, ze lieten haar daar gewoon liggen. Dat doe je toch niet met een vriendin?'

'Kinderen,' reageert Cooper schouderophalend.

'Het zijn geen kinderen meer,' werp ik tegen. 'Ze zijn allemaal minstens achttien.'

Cooper haalt zijn schouders op. 'Voor mij is iemand van achttien nog een kind,' zegt hij. 'Maar laten we even aannemen dat je gelijk hebt, dat ze een kakker was die nooit zou liftsurfen. Kun je iemand bedenken met een reden om haar in de liftschacht te duwen? Als die al wist hoe dat moet?'

'Er staat alleen in haar dossier dat haar moeder had gebeld met het verzoek erop toe te zien dat ze alleen meisjes op bezoek kreeg,' zeg ik.

'Waarom?' vraagt Cooper. 'Heeft ze soms een gewelddadig ex-vriendje en wil haar moeder dat die op de lijst van persona non grata komt?'

Een student – of de ouders, of een personeelslid – kan iemand op de lijst van persona non grata laten zetten, en dan laat de beveiliging die persoon niet binnen. Omdat je je studentenkaart of personeelspasje, je rijbewijs of je legitimatiebewijs moet tonen wanneer je de lobby in wilt, kan de beveiliging gemakkelijk checken of iemand op de lijst staat. In mijn eerste week daar zette een van de werkstudenten me voor de grap op die lijst.

Dat zouden ze bij Justine vast niet hebben gedaan.

Ik kan bijna niet geloven dat Cooper zo goed naar mijn warrige verhalen over mijn malle baantje op Fischer Hall heeft geluisterd dat hij nog van die lijst weet.

'Nee,' zeg ik blozend. 'Er stond niks over een vriendje in.'

'Dat wil nog niet zeggen dat er geen vriendje is. De bezoekers moeten zich toch inschrijven?' vraagt Cooper. 'Hebben ze al gekeken of er gisternacht een vriendje bij Elizabeth is blijven slapen – misschien een vriendje van wiens bestaan mams niet op de hoogte was?'

Ik schud mijn hoofd zonder mijn blik af te wenden van de achtergevel van Fischer Hall, die nu rood opgloeit in de stralen van de ondergaande zon.

'Ze had een kamergenote,' leg ik uit. 'Ze laat heus niet haar vriendje blijven slapen als haar kamergenote een eindje verderop in bed ligt.'

'Want kakkers doen zoiets niet?'

Ik verschuif ongemakkelijk op mijn stoel. 'Nee... Dat doen ze niet.'

Cooper haalt zijn schouders op. 'Die kamergenote kan ergens anders hebben geslapen.'

Daar had ik nog niet aan gedacht. 'Ik zal het register controleren,' zeg ik. 'Dat kan geen kwaad.'

'Je bedoelt dat je de politie gaat vertellen dat ze het register moeten controleren,' zegt Cooper.

'De politie?' Dat verbaast me. 'Denk je dat er politie bij komt?'

'Waarschijnlijk wel,' antwoordt Cooper. 'Als ze net zo denken als jij, dat kakkers zoiets niet doen.'

Ik trek een gezicht als de bel gaat en we Jordan horen schreeuwen: 'Heather! Toe nou, Heather, doe open!'

Cooper draait zijn hoofd niet eens in de richting van de voordeur.

'Roerend, dat hij zo aan je hangt,' zegt hij.

'Het heeft niets met mij te maken,' leg ik uit. 'Hij wil jou pesten. Hij wil dat je me eruit gooit, snap je. Hij is pas tevreden als ik in een kartonnen doos in Houston Street woon.'

'Dat klinkt of het echt uit is tussen jullie,' reageert Cooper droog.

'O, dat is het probleem niet. Hij mag me gewoon niet. Hij wil me pakken omdat ik bij hem ben weggegaan.'

'Of,' zegt Cooper, 'omdat je dapper genoeg bent om je eigen weg te gaan. Want hij is dat niet.'

'Daar zeg je wat.'

Cooper zegt niet veel, maar wat hij zegt, is altijd raak. Toen hij hoorde dat ik Jordan en Tania had betrapt, belde hij me op mijn mobieltje en zei dat als ik woonruimte zocht, de bovenste verdieping van zijn huis leegstond. Daar woonde vroeger de huisbediende van zijn grootvader. Toen ik uitlegde dat ik geen cent te makken had – dankzij mijn moeder – zei Cooper dat ik mijn inwoning kon verdienen door zijn administratie te doen. Hij zei dat hij stapels rekeningen had die allemaal moesten worden ingevoerd in het boekhoudprogramma. Dan hoefde hij daar zijn accountant niet honderdvijfenzeventig dollar per uur voor te betalen.

En zo verliet ik het penthouse op Park Avenue waar Jordan en ik woonden en trok bij Cooper in. Na één nacht was het al alsof Lucy en ik er altijd hadden gewoond.

Natuurlijk is het geen makkelijk werk. Coop had het over misschien tien uur per week, maar het zijn er eerder twintig. Meestal ben ik er de hele zondag mee bezig, plus een paar avonden per week, alleen maar om de stapels rekeningen, aantekeningen op lucifersdoosjes en verkreukelde bonnetjes op orde te krijgen.

Maar twintig uur per week dingen invoeren is niets als het op huur aankomt. We hebben het hier over een verdieping in de West Village. Daar kun je gemakkelijk drieduizend dollar per maand voor vragen.

En ja, ik weet waarom hij het aanbood. Niet omdat hij zich zo aangetrokken voelt tot gewezen popsterren met maat 42. Net als Jordans gebonk op de deur heeft het niets met mij te maken.

Coopers reden om mij onderdak aan te bieden is dat hij daarmee de hele familie op de kast jaagt – vooral zijn kleine broertje. Coop vindt het heerlijk om Jordan te stangen, en op zijn beurt heeft Jordan een gruwelijke hekel aan Cooper. Hij zegt dat dat is omdat Cooper onverantwoordelijk en onvolwassen is.

Maar ik denk dat het in werkelijkheid is omdat Jordan jaloers is op Cooper, want toen zijn ouders Cooper onder druk zetten om tot Easy Street toe te treden en dreigden zijn toelage stop te zetten, vond Cooper dat helemaal niet erg en maakte hij carrière zonder de hulp van Cartwright Records. Ik heb altijd vermoed dat Jordan – ook al is hij dol op optreden – graag zijn ouders had verteld dat ze de pot op konden, net zoals Cooper had gedaan, en ik uiteindelijk ook.

Cooper vermoedt blijkbaar hetzelfde.

Terwijl we op de achtergrond Jordan horen schreeuwen: 'Ik weet dat jullie binnen zijn!', zegt hij: 'Nou, hoewel ik het best leuk vind om Jordan op de stoep over de rooie te horen gaan, moet ik toch eens aan het werk.'

Ik kijk hem aan terwijl hij zijn flesje bier neerzet en opstaat. Cooper is echt een kanjer. Bij het licht van de ondergaande zon ziet hij er erg gebruind uit. Maar dat is geen bruin uit een potje, zoals bij zijn broer. Coop is bruin omdat hij urenlang in de struiken zit, met een telelens op de ingang van een motel gericht.

Niet dat Cooper me ooit heeft verteld wat hij nou precies de hele dag dóét.

'Ga je werken?' vraag ik terwijl ik naar hem opkijk. 'Zaterdagavond? Wat moet je dan doen?'

Hij grinnikt. Het is een soort spelletje tussen ons. Ik probeer hem te laten vertellen met wat voor zaak hij bezig is, en hij weigert iets los te laten. Cooper vindt dat zijn cliënten recht op privacy hebben.

Hij vindt ook dat die zaken niet geschikt zijn voor de oren van het ex-vriendinnetje van zijn kleine broertje. Voor Cooper blijf ik altijd een vijftienjarig meisje met een haltertopje en een paardenstaart dat vanaf een toneel verzucht dat ze een *sugar rush* heeft.

'Leuk geprobeerd,' zegt Cooper. 'En wat ga jij doen?'

Daar moet ik even over nadenken. Magda draait een dubbele dienst achter de kassa en zal daarna meteen naar huis willen om de geur van friet uit haar haar te wassen. Ik zou mijn vriendin Patty kunnen bellen. Vroeger was ze danseres bij de Sugar Rush-tournee, en ze is een van de weinige vriendinnen die ik aan mijn tijd in de showbusiness heb overgehouden.

Maar nu is ze getrouwd en heeft ze een baby, dus heeft ze nog maar weinig tijd voor alleenstaande vriendinnen.

Het dringt tot me door dat ik me vanavond alleen zal moeten zien te vermaken, net als meestal. Dan voer ik Coopers dingen in, of ik speel een beetje op mijn gitaar en probeer een nummer te componeren waarvan ik niet de neiging krijg te gaan kotsen, zoals elke keer wanneer ik 'Sugar Rush' hoor.

'O,' zeg ik nonchalant. 'Niks.'

'Nou, blijf niet te laat op met al dat niksdoen,' zegt Cooper. 'Als Jordan er nog is wanneer ik wegga, bel ik de politie en laat ik zijn auto wegslepen.'

Ik lach ontroerd naar hem. Zodra ik als arts ben afgestudeerd, vraag ik Cooper mee uit. Hij vindt ontwikkelde vrouwen blijkbaar onweerstaanbaar, dus wie weet? Misschien zegt hij wel ja.

'Dank je,' zeg ik.

'Graag gedaan.'

Cooper gaat naar binnen en neemt de radio mee. Lucy en ik blijven achter in de langzaam verder kruipende schaduw. Ik blijf nog een tijdje zitten en drink mijn biertje terwijl ik naar Fischer Hall kijk. Het gebouw ziet er zo huiselijk en vredig uit. Bijna niet te geloven dat het daarnet nog het toneel van zo veel ellende was.

Pas wanneer het zo donker is dat er lichtjes achter de ramen van Fischer Hall verschijnen, ga ik eindelijk naar binnen.

En dan dringt het opeens tot me door dat Coopers waarschuwing toen ik zei dat ik niks ging doen, misschien een beetje spottend was bedoeld. Wist hij soms dat ik dat niet meende? Weet hij misschien wat ik elke avond doe? En dat dat bepaald niet niks is? Kan hij beneden mijn gitaar horen?

Nee, onmogelijk.

Maar waarom zei hij dan 'niks' op die toon? Zo... weet ik het, zo veelbetekenend.

Ik snap het niet.

Maar laten we wel wezen, ik snap sowieso weinig van mannen.

En toch speel ik extra zacht wanneer ik die avond mijn gitaar pak, voor het geval Cooper onverwacht thuiskomt. Ik wil niet dat iemand mijn nieuwste nummers hoort, vooral Cooper niet. Niet nadat zijn vader me uitlachte toen ik die voor hem speelde, niet lang voordat het uitraakte tussen Jordan en mij.

Opstandige troep voor vrouwelijke rockers, zo had Grant Cartwright mijn nummers genoemd. Waarom laat je het schrijven van nummers niet over aan professionals, had hij gezegd, en: blijf toch doen wat je het beste kunt, en dat is top 40 materiaal zingen. Trouwens, ben je soms aangekomen?

Ooit laat ik Grant Cartwright zien hoe een opstandige vrouwelijke rocker er écht uitziet.

Later, wanneer ik mijn gezicht was voordat ik naar bed ga, kijk ik uit het raam naar Fischer Hall, helder afgetekend tegen de nachtelijke hemel. Ik zie de studenten rondlopen in hun kamers, en ik hoor heel zacht de muziek die uit sommige van die kamers komt.

Goed, er is iemand in dat gebouw gestorven. Maar voor de anderen gaat het leven gewoon door.

Het gaat door terwijl meisjes in de badkamer zich voor de spiegel staan mooi te maken omdat ze nog uitgaan, en jongens Rolling Rocks drinken terwijl ze op de meisjes wachten.

Ondertussen zie ik af en toe licht door de ventilatiekanalen komen wanneer de liften geluidloos op en neer door de liftschacht gaan.

En ik vraag me af wat er is gebeurd. Waarom ging ze in vredesnaam liftsurfen?

Of...

Maar wie dan?

7

Rocket pop
Like honey straight/From the hive
Rocket pop
Only thing keeping/Me alive
Rocket pop
Don't knock it/Till you've tried it
Rocket pop
You know you want it/Don't deny it
Rocket pop
When he's around/I can't stop
Rocket pop
My eye-candy/My Rocket pop

'Rocket Pop'
Zang: Heather Wells
Tekst: Dietz/Ryder
Van het album: *Rocket Pop*
Cartwright Records

Maandag gaan Sarah en ik Elizabeth' kamer in om haar spullen in te pakken.

Dit omdat haar ouders te overstuur zijn om het zelf te doen

en ze de huismeester hebben gebeld of zij het wil doen.

Daar kan ik inkomen. Ik bedoel, je verwacht nu eenmaal niet dat als je je kind naar een College stuurt, je drie weken later wordt gebeld omdat je dochter is overleden en of je alsjeblieft haar spullen wilt komen ophalen.

Vooral niet als je zo'n keurige dochter hebt als Elizabeth schijnt te zijn geweest... Tenminste, als ik op haar spullen moet afgaan. Sarah heeft daar een inventarisatie van gemaakt (zodat als de Kelloggs later merken dat er iets ontbreekt, ze ons er niet van kunnen beschuldigen het gejat te hebben. Meneer Jessup zei dat dat helaas vaak gebeurt wanneer een student plotseling overlijdt) terwijl ik alles inpakte. Ik bedoel, het meisje had zeven Izods. Zeven! En ze had niet één zwarte beha. Haar onderbroekjes waren allemaal witte Hanes Her Way.

Het spijt me, maar meisjes die Hanes Her Way dragen, doen niet aan liftsurfen.

Maar kennelijk ben ik wat mijn gevoelens wat dit betreft in de minderheid. Terwijl Sarah alles opschrijft wat ik uit Elizabeth' kast haal, hangt ze de expert op het gebied van schizofrenie uit, want daar hebben ze het tijdens haar colleges psychologie over. De symptomen van schizofrenie manifesteren zich meestal pas op Elizabeth' leeftijd, zegt Sarah. Ze zegt ook dat Elizabeth daarom iets deed wat niet bij haar karakter lijkt te passen. Ze bedoelt dat de stemmen in haar hoofd haar uitdaagden te gaan liftsurfen.

Misschien heeft Sarah wel gelijk. Het was in elk geval niet Elizabeth' ex-vriendje, zoals Cooper opperde. Dat weet ik omdat ik maandagmorgen meteen het register van vrijdagavond heb gecontroleerd, nog voordat ik een bagel en koffie in de kantine ging halen.

Maar daar stond nergens dat er iemand voor Elizabeth was gekomen.

Terwijl Sarah en ik de hele dag bezig zijn met Elizabeth' spullen in te pakken – taal noch teken van haar kamergenote, die kennelijk aldoor college loopt wanneer ze niet slaapt – is Rachel druk bezig een herdenkingsdienst voor Elizabeth te regelen, en ze regelt ook dat Elizabeth' collegegeld en de woonkosten worden teruggestort.

Niet dat de Kelloggs dat nu zo op prijs stellen. Tijdens de herdenkingsdienst in de kapel van het College later die week (ik kan er niet bij zijn omdat als Rachel er zelf niet is, ze een volwassene in het kantoor wil hebben, voor het geval een student geestelijke bijstand nodig heeft of zoiets – ze zijn erg bang voor het effect dat de dood van Elizabeth op de rest van de studenten kan hebben, hoewel er tot nog toe geen tekenen zijn dat ze er een trauma aan hebben overgehouden) verzekert mevrouw Kellogg de president van het College er nogal heftig van dat ze het er niet bij zullen laten zitten. Ze zegt dat het College verantwoordelijk is voor de dood van haar dochter en dat ze niet zal rusten totdat de schuldigen zijn gestraft (dit allemaal volgens Pete, die een dubbele dienst draaide en de deur naar de kapel bewaakte).

Mevrouw Kellogg kan niet geloven dat haar dochter zich door haar onverantwoordelijke gedrag misschien zelf de dood in heeft gejaagd, en ze zegt dat wanneer over twee weken de uitslag van Elizabeth' bloedonderzoek komt, we zullen zien dat ze gelijk heeft: Elizabeth dronk niet en gebruikte zeker geen drugs, en ze is op de avond dat ze stierf niet gaan liftsurfen met een stelletje studenten die stoned waren.

Nee, volgens mevrouw Kellogg is Elizabeth in die liftschacht gedúwd – en niemand kan haar op andere gedachten brengen.

Maar meneer en mevrouw Kellogg waren niet de enigen die het moeilijk hadden met de dood van hun dochter. Nadat ik heb gezien wat Rachel allemaal moest doormaken, snap ik wat meneer Jessup bedoelde. Over die bloemen, bedoel ik. Die heeft Rachel absoluut verdiend.

Maar wat ze echt verdient, is natuurlijk opslag.

Ik weet echter hoe zuinig het College is – al vanaf de jaren negentig wordt er niemand meer in dienst genomen, behalve in noodgevallen, zoals toen ik Justine mocht vervangen – dus van opslag zal wel geen sprake zijn.

Donderdag, de dag na de herdenkingsdienst, ga ik even naar de deli om de hoek en in plaats van zoals gebruikelijk voor mezelf een pakje Starburst, een caffè latte bij wijze van opkikkertje in de middag, en een kraslot te kopen, koop ik de mooiste bos rozen die ze hebben, die ik later in een vaas doe en op Rachels bureau zet.

Het is eigenlijk wel een beetje eng, zo opgewonden is ze als ze terugkomt van de een of andere vergadering en die rozen op haar bureau ziet staan.

'Voor mij?' vraagt ze terwijl de tranen – ja, echt – in haar ogen springen.

'Ja...' zeg ik. 'Ik vind het rot voor je dat je zoveel moet meemaken...'

De tranen zijn meteen opgedroogd.

'O, komen ze van jou?' zegt ze, en haar stem klinkt heel anders.

'Eh...' zeg ik. 'Ja.'

Misschien dacht Rachel dat een man die bloemen had gestuurd. Misschien heeft ze in de fitness iemand leren kennen of zo. Maar in dat geval zouden Sarah en ik dat heus wel hebben gehoord. Rachel neemt het allemaal heel ernstig op – het zoeken naar een geschikte partner, bedoel ik. Elke week gaat ze trouw naar de nagelstudio waar ze haar nagels laat doen, ook haar teennagels, en twee keer per maand laat ze haar uitgroei wegwerken bij de kapper (omdat ze brunette is, zie je dat grijs meer, zegt ze). En natuurlijk traint ze als een bezetene, in de fitnessruimte hier of door rondjes in Washington Park te rennen. Ik denk dat vier keer om het park heen ongeveer anderhalve kilometer is. Rachel rent wel twaalf rondjes in een half uur.

Ik heb haar er wel eens op gewezen dat het net zo gezond is om het park rond te wandelen als om te rennen, en bovendien voorkomt ze in haar latere leven daar problemen mee met haar knieën. Maar elke keer dat ik dat zeg, kijkt ze me alleen maar aan.

'Het is voor ons allemaal moeilijk, Heather,' zegt Rachel en ze slaat haar arm om mijn schouders. 'Voor jou is het ook niet makkelijk. Ontken het maar niet.'

Ze heeft gelijk, maar niet om de redenen die zij denkt. Zij denkt dat het moeilijk voor me is omdat ik het zware werk moest doen – je weet wel, bij onderhoud om dozen bedelen om Elizabeth' spullen in te stoppen, dan die dozen inpakken en ze naar de postkamer brengen om ze te laten versturen, en alle afspraken van Rachel met de werkstudenten verzetten (die klagen omdat ze vinden dat ze voor de rouwverwerking een paar dagen vrij van het sorteren van de post zouden moeten krijgen, ook al kenden ze Elizabeth niet eens – ze zeggen dat Justine hun wel vrij zou hebben gegeven).

Om de waarheid te zeggen was dat allemaal lang niet zo zwaar als voor mezelf toe te geven dat Fischer Hall, dat ik sinds ik hier ben komen werken als een veilige plek ben gaan beschouwen, dat eigenlijk niet is.

O, niet dat ik bewijs heb dat Elizabeth is geduwd, zoals mevrouw Kellogg denkt. Maar het feit dat ze is gestorven, laat me maar niet los. Studenten die naar het New York College gaan, zijn over het algemeen nogal verwend. Ze weten niet hoe goed ze het hebben... Ze hebben ouders die van hen houden, een vast inkomen en niets anders om zich zorgen over te maken dan tentamens en een ritje naar huis zien te ritselen voor Thanksgiving.

Zelf ben ik niet meer zo zorgeloos geweest sinds... sinds ik in de brugklas zat.

En het feit dat iemand zo ongelooflijk stom was om op een lift te springen en daar een ritje op te maken – of erger nog, om op een andere lift te springen – en dat iemand in het gebouw erbij was en alles heeft gezien – dat die Elizabeth zag uitglijden en

77

haar dood tegemoet vallen, en zich nog steeds niet heeft gemeld...

Dat zit me pas echt dwars.

Natuurlijk heeft Cooper waarschijnlijk gelijk. Waarschijnlijk; want degene die toen bij Elizabeth was, meldt zich waarschijnlijk niet omdat hij bang is in de problemen te komen.

Het kan ook zijn dat Sarah gelijk heeft, en dat Elizabeth aan schizofrenie leed, of misschien aan een depressie doordat haar hormonen uit balans waren of zoiets, en dat ze het daarom heeft gedaan.

Daar zullen we nooit achter komen. En dat is het hem nou net: we komen er nooit achter.

En dat klopt niet.

Maar niemand schijnt daar last van te hebben, afgezien van mevrouw Kellogg.

En ik.

Die vrijdag – bijna een week na Elizabeth' dood – zitten Sarah en ik in het kantoor van de huismeester dingen te bestellen. Geen keramische kachels om uit te delen in onze kennissenkring, maar spullen die we nodig hebben, zoals pennen, en papier voor het fotokopieerapparaat en zo.

Nou ja, ik ben aan het bestellen en Sarah steekt een preek af over dat ik zo ben aangekomen uit de onbewuste wens mezelf onaantrekkelijk voor de andere sekse te maken, zodat ze me niet meer net als Jordan kunnen kwetsen.

Ik zeg Sarah maar niet dat ik niet dik ben. Ik heb haar al een paar keer gezegd dat maat 42 de maat van de gemiddelde Amerikaanse vrouw is, en dat zou Sarah toch moeten weten omdat zij ook maat 42 heeft.

Maar het is me nu wel duidelijk dat Sarah zichzelf graag hoort praten, daarom laat ik haar maar rebbelen omdat ze niemand anders heeft om tegen te praten. Rachel is in de kantine voor de ontbijtbijeenkomst van de Pansies, het basketbalteam van het New York College.

Ja, zo heten ze: de Pansies. Vroeger heetten ze de Cougars of zoiets, maar een jaar of twintig geleden kwam uit dat ze de boel belazerden, daarom werden ze van de eerste divisie naar de derde divisie teruggezet en moesten ze hun naam veranderen.

Alsof het al niet vernederend genoeg is om de Pansies te heten, wil meneer Allington ook nog per se kampioen van de derde divisie worden, daarom heeft hij de langste spelers gerekruteerd die hij maar kon vinden. Maar omdat de goede spelers allemaal naar Colleges gaan waar in de eerste of tweede divisie wordt gespeeld, kreeg hij de kneusjes, spelers met uitzonderlijk slechte leercapaciteiten. Echt hoor. Soms krijg ik briefjes van die spelers dat er iets mis is met hun kamers, en die zijn in een beroerd handschrift geschreven en staan vol spelfouten. Hier is een voorbeeldje:

Liefe Heather. Er is iets mis met me wc. Ik ken niet doortrekke en het maakt steets geluid. Help asteblief!

En nog eentje:

Mijne heren mijn bet is niet lang genoeg mag ik een ander bet dank u.

Echt, ik verzin dit niet!

Sarah en ik merken niets van het gegil, hoewel we later horen dat ze tot helemaal beneden bleef gillen.

Wat we wel horen, zijn rennende voetstappen in de lobby, en dan stormt een van de werkstudenten, Jessica Brandtlinger, het kantoortje in.

'Heather!' roept ze. Haar normaal toch al bleke gezicht is spierwit en ze hijgt. 'Het is alweer gebeurd. De liftschacht. We hoorden gegil. Je kunt haar benen zien door de spleet tussen de grond en de liftcabine...'

Ik spring op nog voordat ze is uitgesproken.

'Bel het alarmnummer,' schreeuw ik naar Sarah terwijl ik uit het kantoortje ren. 'En ga Rachel halen!'

Ik ren achter Jessica aan naar de balie van de beveiliging en dan de trap af naar de kelder. Ik zie dat Pete niet op zijn post is. We treffen hem aan in de kelder, waar hij bij de liften in zijn walkietalkie staat te schreeuwen. Ondertussen probeert Carl, een van de conciërges, de liftdeuren met een koevoet open te krijgen.

'Ja, nog eentje,' schreeuwt Pete in zijn walkietalkie. 'Nee, het is geen geintje. Stuur meteen een ambulance!' Wanneer hij me ziet, laat hij zijn walkietalkie zakken, wijst op Jessica en tiert: 'Jij, terug naar boven en haal deze lift' – hij slaat op de deur van de linkerlift – 'naar de lobby en zorg dat die daar blijft. Er mag niemand in of uit, en wat je ook doet, zorg dat de deuren openblijven totdat de brandweer hier is en alles uitschakelt. Heather, ga de sleutel halen.'

Ik vervloek mezelf omdat ik die niet onderweg naar beneden heb meegegrist. Achter de balie van de receptie hebben we de liftsleutel; net zo eentje als die de Allingtons kregen toen ze hier kwamen wonen. Daarmee kunnen ze rechtstreeks naar hun penthouse zonder overal te moeten stoppen. Er hangt ook een sleutel van de motorruimte voor wanneer er reparaties moeten worden uitgevoerd, en ook een sleutel om de deuren van buitenaf te kunnen openen.

'Ik ga al!' roep ik, en ik storm de trap weer op, achter Jessica aan, die naar boven rent om de lift naar de begane grond te halen en daar te houden.

Wanneer ik bij de balie van de receptie kom, ruk ik de deur open en ren linea recta naar het sleutelkastje. Dat moet te allen tijde zijn afgesloten; alleen degene die achter de balie staat mag de sleutel ervan hebben.

Maar omdat de onderhoudsploeg en de werkstudenten voortdurend sleutels komen halen om reparaties uit te voeren, schoon te maken of buitengesloten studenten in hun kamer te laten, zit het sleutelkastje maar zeer zelden op slot, als dat al ooit het geval is. Ook nu staat het deurtje wagenwijd open. Ik storm langs Tina heen, het meisje dat achter de balie zit.

'Wat is er aan de hand?' vraagt Tina nerveus. 'Is het waar dat het weer is gebeurd? Dat er weer iemand in de liftschacht ligt?'

Ik geef geen antwoord omdat ik me moet concentreren. Ik moet me concentreren omdat ik de liftsleutel moet vinden, en de sleutel voor de motorruimte.

Maar de sleutel van de liftdeuren hangt er niet.

Wanneer ik op het papier aan het deurtje van het sleutelkastje kijk, waarop iedereen moet opschrijven welke sleutel ze hebben meegenomen, vind ik geen enkele aanwijzing dat iemand die heeft geleend.

'Waar is de sleutel?' vraag ik terwijl ik me met een ruk omdraai naar Tina. 'Wie heeft de sleutel voor de liftdeuren?'

'Ik... ik w-weet het niet,' stamelt Tina. 'Die hing er niet toen ik hier kwam. Kijk maar in mijn verslag.'

Zodra ik Justines baantje kreeg, heb ik een paar veranderingen doorgevoerd. Niet alleen dat iedereen moet aangeven welke sleutel ze meenemen, maar ook dat de baliemedewerkers een logboek moeten bijhouden over wat er tijdens hun dienst is voorgevallen. Als iemand een sleutel heeft geleend – ook als ze dat hebben opgeschreven – moet de baliemedewerker dat toch in het logboek zetten. En het eerste wat een baliemedewerker moet doen voordat die aan het werk gaat, is opschrijven welke sleutels er wel hangen en welke niet.

'Wie heeft die dan?' vraag ik. Ik pak het logboek en blader naar wat de vorige baliemedewerker heeft genoteerd.

Er staat precies wie welke sleutel heeft meegenomen en teruggebracht, maar niets over de sleutel van de liftdeuren.

'Ik weet het niet!' Tina's stem klinkt al bijna hysterisch. 'Ik heb die echt aan niemand meegegeven!'

Ik geloof haar. Maar daar hebben we nu niets aan.

Ik draai me om en wil terug naar beneden rennen om Carl te

zeggen dat hij de deuren maar moet inrammen, als dat nodig is. Maar de weg wordt versperd door meneer Allington, die samen met een paar andere bestuurstypes uit de kantine is gekomen om te kijken wat er aan de hand is.

'We hebben hier een vergadering, hoor,' snauwt hij tegen me.

'O ja?' snauw ik terug. 'Nou, wij proberen iemands leven te redden, hoor.'

Ik blijf niet wachten om te horen wat hij daarop te zeggen heeft. Ik pak de eerste de beste verbanddoos van de balie en storm de trap af. Maar daar loop ik Pete tegen het lijf die doodsbleek naar boven komt.

'Ik kon de liftsleutel niet vinden,' zeg ik. 'Iemand moet die hebben. Carl moet de deuren forceren...'

Pete schudt zijn hoofd.

'Dat heeft hij al gedaan,' zegt hij terwijl hij me bij de arm pakt. 'Kom mee naar boven.'

'Maar ik heb de verbanddoos,' zeg ik, terwijl ik de rode, plastic doos omhooghoud. 'Is...'

'Ze is dood,' zegt Pete. Hij trekt me mee naar boven. 'Kom mee. Niet kijken, dat wil je niet zien.'

Dat wil ik inderdaad niet zien.

Ik laat hem me de trap op trekken. Wanneer we in de lobby komen, zie ik dat meneer Allington daar nog staat, met een paar basketballers, en de bestuursleden in hun grijze pakken. Achter hen staat Magda, die van achter de kassa vandaan is gekomen om te kijken wat er gaande is. Ze ziet er in haar roze schortjurk en knalroze legging kleurig uit tussen al dat grijs.

Magda ziet de uitdrukking op mijn gezicht en kijkt ontzet. 'O, nee! Niet weer een van mijn filmsterretjes!'

Pete let niet op haar. Hij loopt naar de telefoon op de balie van de beveiliging en houdt een sleutelbos op waaraan een studentenpas zit bevestigd – en een rubberen figuurtje van Ziggy, van de cartoons – en leest wat er op het pasje staat voor aan zijn meerdere aan de andere kant van de lijn.

'Roberta Pace,' zegt hij toonloos. 'Bewoner van Fischer Hall. Eerstejaars. ID-nummer: vijf, vijf, zeven, drie, negen...'

Ik sta een eindje van beide balies af en merk dat ik begin te trillen. Die naam heb ik niet eerder gehoord. Ik vraag niet of ik de foto op het pasje mag zien. Ik wil niet weten of ik haar van gezicht ken.

Op dat moment komt Rachel de hoek naar de damestoiletten om.

'Wat is er?' vraagt ze. Ze kijkt van mij naar Pete naar meneer Allington.

Achter de balie zegt Tina: 'Er is weer iemand in de liftschacht gevallen.' Ze praat heel zacht, met een piepstem. 'Ze is dood.'

Rachel verbleekt onder de laag zorgvuldig aangebrachte make-up van MAC.

Wanneer ze even later iets zegt, beeft haar stem niet. 'Ik neem aan dat de hulpdiensten zijn ingelicht? Mooi. Weten we wie het is? O, dank je, Pete. Tina, piep onderhoud op en laat hen de liften stilzetten. Heather, kun jij naar het kantoor van meneer Jessup bellen om hun daar te laten weten wat er is gebeurd? Meneer Allington, het spijt me verschrikkelijk. Wilt u alstublieft de vergadering voortzetten?'

Trillend en met kloppend hart glip ik het kantoortje in en begin te telefoneren.

Alleen bel ik niet eerst het kantoor van meneer Jessup, maar Cooper.

'Cartwright Investigations,' zegt hij omdat ik zijn nummer op kantoor heb ingetoetst in de hoop dat hij daar zou zijn.

'Met mij,' zeg ik. Ik praat zachtjes omdat Sarah in Rachels kantoor hiernaast is. Ze belt de student-assistent-huismeesters op hun mobieltjes om hen op de hoogte te brengen, daarna vraagt ze of ze naar hun verdieping willen gaan. 'Het is weer gebeurd.'

'Wat is weer gebeurd?' vraagt Cooper. 'En waarom fluister je?'

'Er is weer iemand in de liftschacht gevallen,' fluister ik.

'Dat meen je niet...'

'Ja,' zeg ik.

'Dood?'

Ik denk aan Pete's gezicht.

'Ja,' zeg ik.

'Jezus, Heather, wat erg.'

'Ja,' zeg ik voor de derde en laatste keer. 'Luister... Kun je hier komen?'

'Daar komen? Waarom?'

De brandweerlieden van ladderwagen nummer 9 verschijnen in de deuropening, met hun helmen op en hun jassen aan. Een van hen houdt een bijl vast. Kennelijk heeft niemand de dapperste mannen van New York verteld wat er aan de hand is.

'Beneden,' zeg ik tegen hen, en ik wijs naar de trap naar de kelder. 'Weer een eh, ongeluk met de lift.'

De commandant kijkt verbaasd, maar knikt dan en gaat zijn mannen voor langs de receptie en de trap af. Het is ineens een grimmige processie geworden.

Tegen Cooper fluister ik: 'Ik wil weten wat hier allemaal gaande is en daar kan ik de hulp van een echte detective wel bij gebruiken, Cooper.'

'Ho eens,' zegt Cooper. 'Niet zo snel van stapel lopen, hoor. Is de politie er al? Zijn die niet goed genoeg?'

'De politie gaat weer precies hetzelfde zeggen als de vorige keer,' zeg ik. 'Dat ze aan het liftsurfen was en is gevallen.'

'Waarschijnlijk omdat dat zo is, Heather.'

'Nee,' zeg ik. 'Nee, deze keer niet. Geen sprake van.'

'Hoezo? Is dit ook weer een kakker?'

'Dat weet ik niet,' zeg ik. 'Maar het is niet grappig.'

'Ik wilde niet grappig zijn, ik wilde alleen maar...'

'Ze vond Ziggy leuk, Coop.' Mijn stem breekt, maar dat kan me niet schelen.

'Wie vond ze leuk?'

'Ziggy. Van de cartoons.'

'Nooit van gehoord.'

'Omdat het een heel idioot mannetje is. Iemand die Ziggy leuk vindt, doet niet aan liftsurfen, Coop. Echt niet.'

'Heather...'

'En dat is nog niet alles,' fluister ik.

Uit Rachels kantoor komt Sarahs stem, ze klinkt of ze zich erg belangrijk vindt. 'Je moet zo gauw mogelijk hier komen. Er is weer een sterfgeval. Ik kan je nu nog geen details geven, maar je moet nu echt...'

'Iemand heeft de sleutel gepakt,' fluister ik in de telefoon.

'Welke sleutel?' vraagt hij.

'De sleutel waarmee je de liftdeuren kunt openen.' Ik ben helemaal van slag, ik zit bijna te janken. Toch probeer ik mijn stem niet te laten trillen. 'Niemand heeft ervoor getekend, Coop. Je moet ervoor tekenen als je een sleutel meeneemt. Maar dat hebben ze niet gedaan. En dat houdt in dat degene die de sleutel heeft gepakt, niet wilde dat iemand dat wist. En het houdt ook in dat diegene wanneer die maar wil de liftdeuren open kan zetten... ook als de liftcabine er niet staat.'

'Heather,' zegt Cooper. Zelfs in mijn geagiteerde toestand hoor ik hoe geruststellend zijn stem klinkt. En hoe sexy. 'Dat moet je de politie vertellen. Nu meteen.'

'Oké,' zeg ik met een piepstem.

In Rachels kantoortje hoor ik Sarah: 'Het maakt me niet uit dat je grootmoeder vandaag jarig is, Alex. Er is hier iemand gestorven. Wat vind je belangrijker: dat je oma jarig is of je baan?'

'Vertel de politie wat je mij hebt verteld,' hoor ik Coopers geruststellende, sexy stem. 'En ga dan een grote kop koffie met veel melk en suiker halen, en drink die op terwijl het nog warm is.'

Dat laatste komt als een verrassing. 'Waarom?' vraag ik.

'Omdat ik tijdens mijn werk heb gemerkt dat warme dranken

met veel melk goed zijn tegen de schok als er geen whisky voorhanden is. Oké?'

'Oké. Dag.'

Ik hang op en bel meteen daarna naar meneer Jessup. Ik leg zijn assistente uit – zelf is hij naar een vergadering – wat er is gebeurd. Zodra Jill weet wat er aan de hand is, zegt ze gepast paniekerig: 'O, god... Ik laat het hem meteen weten.'

Ik bedank haar en hang op. Vervolgens staar ik naar de telefoon.

Cooper heeft gelijk. Ik moet de politie van de sleutel vertellen.

Ik zeg tegen Sarah dat ik zo terug ben en loop het kantoortje uit. Ik ga naar de lobby en merk dat het daar een grote chaos is. Basketballers lopen tussen de brandweerlieden door. Bestuursleden hangen aan de telefoon, ook aan die van Pete en aan die op de balie van de receptie. Ze proberen de situatie te beheersen. Rachel knikt terwijl ze naar de brandweercommandant luistert.

Ik kijk naar de ingang. Daar staat dezelfde agent als toen Elizabeth was gestorven, en hij laat de studenten alweer niet binnen.

'Jullie mogen naar binnen als ík dat zeg,' snauwt de agent tegen een skinhead met een lippiercing die klaagt: 'Maar ik moet op mijn kamer aan mijn werkstuk werken. Als ik dat niet op tijd inlever, zak ik!'

'Pardon,' zeg ik tegen de agent. 'Kunt u me vertellen wie hier de leiding heeft?'

De agent kijkt me aan en wijst dan met zijn duim in Rachels richting.

'Volgens mij is dat die daar,' zegt hij.

'Nee,' zeg ik. 'Ik bedoel, is er geen inspecteur of ...'

'O, jawel.' De agent knikt in de richting van een lange man met grijs haar met een bruin corduroy jasje aan en een geruite das om. Hij leunt tegen de muur, en waarschijnlijk weet hij dat niet, maar hij krijgt allemaal glitter op zijn rug omdat hij tegen de poster aan staat waarop studenten worden opgeroepen deel te nemen aan de auditie voor *Pippin*. Op die poster zit extreem veel glitter geplakt. De man doet helemaal niets behalve op de sigaar in zijn mondhoek knauwen.

'Inspecteur Canavan,' zegt de agent.

'Bedankt,' zeg ik tegen de agent, die nu tegen een andere student zegt: 'Het kan me niet schelen, al ga je op je kop staan. Jullie mogen pas naar binnen als ik het zeg.'

Ik loop met bonzend hart op de inspecteur af. Ik heb nog nooit met een inspecteur gepraat. Nou ja, afgezien van die keer dat ik aangifte tegen mijn moeder deed omdat ze er met mijn vermogen vandoor was gegaan.

'Inspecteur Canavan?' zeg ik.

Ik besef meteen dat mijn eerste indruk – dat hij helemaal niets deed – niet klopt. Inspecteur Canavan staat niet te niksen. Hij staart naar de benen van mijn baas, die er best mooi uitzien in dat strakke rokje.

Hij rukt zijn blik los van Rachels benen en richt die op mij. Hij heeft een borstelige grijze snor en die staat hem best goed. Meestal is gezichtsbeharing niet echt flatterend.

'Wat?' vraagt hij met zijn doorgerookte stem.

'Hallo,' zeg ik. 'Ik ben Heather Wells, de assistent-huismeester. En ik eh, ik wilde u iets vertellen – de sleutel van de lift is zoek. Dat hoeft niets te betekenen, hoor, er zijn hier voortdurend sleutels zoek. Maar ik vond dat jullie dat moesten weten. Omdat ik het nogal raar vind dat er meisjes doodgaan bij het liftsurfen. Omdat meisjes dat over het algemeen niet doen. Liftsurfen. Voor zover ik weet.'

Inspecteur Canavan, die aandachtig naar het hele verhaal heeft geluisterd, wacht totdat ik uitgepraat ben en haalt dan de sigaar uit zijn mond en wijst ermee naar mij.

'"Sugar Rush", toch?' zegt hij.

Ik ben zo verbaasd dat mijn mond openvalt. Uiteindelijk breng ik stamelend uit: 'Eh... j-ja.'

'Dacht ik al.' De sigaar belandt weer tussen zijn tanden. 'Mijn dochter had een poster van jou op haar deur. Elke keer dat ik haar moest vertellen die verdomde muziek zachter te zetten, moest ik naar je kijken met die verdomde minirok aan.'

Omdat ik hier niets op weet te zeggen, doe ik er het zwijgen maar toe.

'Waarom werk je in godsnaam híér?' vraagt inspecteur Canavan.

'Dat is een lang verhaal,' zeg ik, in de hoop dat ik het niet allemaal uit de doeken hoef te doen.

Dat hoeft gelukkig niet.

'Zoals mijn dochter zou zeggen,' zegt inspecteur Canavan, 'toen ze nog je grootste fan was: laat maar. En wat is dat allemaal over een sleutel die zoek is?'

Ik leg het nog eens uit, en ik zeg meteen maar even dat Elizabeth een kakker was en Roberta fan van Ziggy, en dat het hoogst merkwaardig is dat zulke meisjes gaan liftsurfen. Maar ik heb het voornamelijk over de sleutel die zoek is.

'Wacht even, hoor,' zegt inspecteur Canavan wanneer ik klaar ben. 'Je denkt dus niet dat deze meisjes – die naar wat ik ervan begrijp allebei eerstejaars waren, pas in de stad woonden en vol zaten van wat mijn dochter, die Frans studeert, *joie de vivre* zou noemen – op het dak van de lift ritjes zouden maken. Je denkt dat er iemand is die de liftdeuren openzet wanneer de lift er niet staat en die meisjes in de liftschacht duwt zodat ze doodvallen. Heb ik dat goed begrepen?'

Nu ik het zo hoor, klinkt mijn theorie nogal maf. Zelfs een beetje belachelijk.

Maar... maar die Ziggy...

'Laten we er even van uitgaan dat je gelijk hebt,' gaat inspecteur Canavan verder. 'Hoe komt diegene dan aan de sleutel van de liftdeuren? Je zei zelf dat jullie die in een afgesloten kastje bewaren, daar achter... achter die balie?'

'Ja,' zeg ik.

'En wie kan daarbij? Iedereen?'

'Nee,' zeg ik. 'Alleen de werkstudenten en het personeel.'

'Dus je denkt dat iemand die hier werkt stiekem meisjes om zeep helpt? Wie dan?' Hij wijst op Pete, die achter zijn balie met een brandweerman staat te praten. 'Hij? Of die kerel daar?' Hij gebaart naar Carl, die nog erg bleek ziet maar toch aan een geüniformeerde rechercheur beschrijft wat hij op de bodem van de liftschacht heeft aangetroffen.

'Oké,' zeg ik. Ik kan wel door de grond zakken. Want ik besef ineens hoe stom ik ben geweest. Deze inspecteur heeft in vijf tellen zo veel gaten in mijn theorie geschoten dat die wel gatenkaas lijkt.

Maar toch...

'Oké, misschien hebt u wel gelijk. Maar misschien...'

'Misschien moet je me maar eens laten zien waar die verdwenen sleutel hoort te hangen,' zegt inspecteur Canavan. Hij maakt zich los van de muur. Opgetogen loop ik achter hem aan naar de receptie, en ik zie dat ik gelijk had: zijn rug zit vol glitter, alsof elfjes hem ermee hebben bestrooid.

Wanneer we bij de balie komen, valt het me op dat Tina is verdwenen. Vragend kijk ik naar Pete.

Pete onderbreekt zijn gesprek met de brandweerman en zegt tegen mij: 'Pakjes.' Dat wil zeggen dat Tina met de postbode mee is naar de gang waar we de pakjes bewaren totdat de studenten bericht hebben gekregen dat ze die bij de balie kunnen komen afhalen.

Ik knik. Wat er ook gebeurt, de postbode komt door weer en wind... Ook als er een meisje dood in de liftschacht ligt.

Ik glip achter de balie zonder acht te slaan op de telefoons die staan te rinkelen, en loop rechtstreeks naar het sleutelkastje.

'Hier bewaren we de sleutels,' leg ik uit aan inspecteur Canavan, die me is gevolgd en nu naast me achter de balie staat. Het sleutelkastje is best groot en van metaal, en hangt aan de muur. Erin hangen rijen sleutels. Driehonderd sleutels, een reservesleutel voor elke kamer in het gebouw en een paar sleutels die alleen het personeel mag gebruiken. Ze zien er allemaal min of meer hetzelfde uit, behalve de sleutel van de liftdeuren. Die lijkt een beetje uit op een inbussleutel, niet als een echte sleutel.

'Dus om de sleutel te pakken, moet je helemaal hiernaartoe,' zegt inspecteur Canavan. Ik zie best dat hij zijn grijze wenkbrauwen optrekt bij het zien van al die postzakken die aan onze voeten liggen. De balie is nou niet bepaald de best beveiligde plek in het gebouw. 'En eerst moet je langs de beveiliging, en die balie is dag en nacht bemand.'

'Precies,' zeg ik. 'En de beveiliging weet wie er wel en niet achter de balie mogen komen. Ze laten er niemand langs tenzij die persoon hier werkt. Trouwens, meestal staat er wel iemand achter de balie, en die laat heus niet iemand aan de sleutels komen tenzij het een personeelslid is. En dan nog moeten ze ervoor tekenen. Voor de sleutels, bedoel ik. Maar niemand heeft voor de sleutel van de liftdeuren getekend. Die is zomaar verdwenen.'

'Ja,' zegt inspecteur Canavan. 'Dat zei je al. Luister, ik moet nog een paar echte misdaden oplossen, zoals een drievoudige moord boven een winkel aan Broadway. Maar laat me eerst maar eens zien waar die mysterieuze sleutel, die het bewijs vormt dat de jongedame in kwestie niet door een ongeval om het leven is gekomen, normaal gesproken hoort te hangen.'

Terwijl ik de sleutelrekken omsla, kan ik Cooper wel vermoorden. Ik bedoel, hij heeft me hiertoe aangezet. Deze inspecteur gelooft me niet. Het is al erg genoeg dat hij me op die poster van 'Sugar Rush' heeft gezien. Als er iets is wat je geloofwaardigheid ondermijnt, is het wel een levensgrote poster waarop je in een pastelkleurig rokje met tijgermotief in een microfoon staat te krijsen.

Goed, misschien is mijn overtuiging dat meisjes die kakker zijn of die Ziggy leuk vinden niet liftsurfen, geen hard bewijs. Maar die ontbrekende sleutel dan? Nou?

Maar als ik bij het rek kom waar de sleutel van de liftdeuren gewoonlijk aan hangt, zie ik iets waardoor het bloed in mijn aderen stolt.

Want precies waar die hoort – en waar die daarnet niet was – hangt de sleutel van de liftdeuren.

8

> *Gonna get 'im*
> *Gonna get 'im*
> *Gonna get that boy*
>
> *Wait and see me*
> *You'll wanna be me*
> *When I get him*
>
> *Gonna get 'im*
> *Gonna get 'im*
> *Gonna get that boy*
>
> 'That Boy'
> Zang: Heather Wells
> Tekst: Valdez/Caputo
> Van het album: *Rocket Pop*
> Cartwright Records

Hij zegt dat hij er over vijf minuten zal zijn, maar binnen drie minuten staat hij al in de lobby.

Hij is nog nooit in het gebouw geweest, en hij ziet er hier vreemd uit, alsof hij hier niet hoort. Misschien komt dat omdat hij geen tatoeages of piercings heeft, zoals alle anderen die voorbij de balie komen.

Of misschien komt het doordat hij zoveel knapper is dan alle anderen, zoals hij daar staat met zijn warrige haar, net of hij net uit bed komt (maar ik weet dat hij al uren op is – 's ochtends gaat hij altijd joggen) en met dat verweerde leren jasje en die oude spijkerbroek.

'Hoi,' zegt hij zodra hij me ziet.

'Hoi.' Ik probeer te lachen, maar dat lukt niet erg, daarom zeg ik maar: 'Bedankt dat je bent gekomen.'

'Geen probleem,' zegt hij. Hij kijkt naar de ruimte met de tv, naast de deur van de kantine, waar Rachel met een asgrauwe meneer Jessup staat en nog een handjevol paniekerige werkstudenten. Die lopen een beetje rond en zien er gespannen en geschrokken uit.

'Waar is de politie gebleven?' vraagt hij.

'Die zijn allemaal weg,' zeg ik, en ik probeer niet verbitterd te klinken. 'Er was een driedubbele moord boven een winkel aan Broadway. Er is er nog maar eentje, die bewaakt de liftschacht totdat de lijkschouwer komt om haar weg te halen. Omdat ze ervan uitgaan dat het een noodlottig ongeval is, vonden ze het niet nodig om te blijven.'

Ik vind dat een diplomatiek antwoord, ik had graag heel andere dingen over inspecteur Canavan en zijn maten gezegd.

'Maar jij denkt dat ze het bij het verkeerde eind hebben,' zegt Cooper. Het is een constatering, geen vraag.

'Iemand heeft de sleutel weggenomen, Coop,' zeg ik. 'En die weer teruggehangen toen er niemand keek. Ik verzin dit niet. Ik ben niet gek.'

Maar mijn stem klinkt zo schril wanneer ik 'gek' zeg, dat de waarheid van mijn opmerking nog valt te betwisten.

Maar daar komt Cooper niet voor.

'Ik geloof je,' zegt hij zacht. 'Ik ben toch gekomen?'

'Ja...' zeg ik. Ik heb spijt dat ik zo tekeerging. 'Bedankt. Nou, laten we dan maar gaan.'

Cooper kijkt verbaasd. 'Gaan? Waarnaartoe?'

'Naar Roberta's kamer,' zeg ik. Ik houd de loper omhoog, die heb ik uit het sleutelkastje gejat. 'Ik vind dat we eerst in haar kamer moeten gaan kijken.'

'Waar moeten we dan naar zoeken?'

'Weet ik niet,' zeg ik. 'Maar we moeten toch ergens beginnen?'

Cooper kijkt van de sleutel naar mij.

'Ik vind dit geen goed idee,' zegt hij.

'Weet ik,' zeg ik.

'Waarom doen we dit dan?'

Ik sta op het punt in tranen uit te barsten. Dat is al zo sinds Jessica me kwam vertellen dat er weer een ongeluk was gebeurd, en mijn vernedering waar inspecteur Canavan bij was, heeft me ook geen goed gedaan.

Maar ik doe mijn best niet hysterisch te klinken.

'Omdat het in míjn gebouw gebeurt. Omdat het met míjn meisjes gebeurt. En ik wil zeker weten dat het gebeurt op de manier waarop de politie en alle anderen zeggen dat het gebeurt, en dat het niet... Nou ja, je weet wel. Dat het niet is wat ik denk.'

'Heather,' zegt hij. 'Weet je nog dat toen "Sugar Rush" werd uitgebracht en je via Cartwright Records allemaal fanmail kreeg, dat je al die brieven wilde lezen en persoonlijk beantwoorden?'

Ik zet mijn stekels op. Daar kan ik niets aan doen.

'Ja, hoor eens,' zeg ik. 'Toen was ik vijftien.'

'Dat maakt niet uit,' zegt Cooper. 'Want in de vijftien jaar daarna ben je niet veranderd. Je voelt je nog steeds verantwoordelijk voor de mensen met wie je in contact komt – zelfs voor mensen die je helemaal niet kent. Het is alsof je denkt dat je hier op aarde bent om iedereen onder je vleugels te nemen.'

'Niet waar,' zeg ik. 'En het is nog maar dertien jaar geleden.'

'Heather,' zegt hij zonder acht te slaan op wat ik heb gezegd. 'Soms doen kinderen domme dingen. En andere kinderen doen ze na omdat het nou eenmaal kinderen zijn. En dan gaan ze dood. Zulke dingen gebeuren. Dat wil niet zeggen dat er een misdaad is gepleegd.'

'O nee?' Mijn stekels staan nu rechtovereind. 'En die sleutel dan, hè?'

Hij ziet er nog steeds niet overtuigd uit.

'Ik doe dit alleen maar omdat ik niet wil dat je het allemaal nog erger maakt dan het al is,' zegt hij. 'Want daar ben je goed in.'

'Weet je, Coop,' zeg ik. 'Ik ben echt blij dat je zo veel vertrouwen in me hebt.'

'Ik wil niet dat je je baantje kwijtraakt,' zegt hij. 'Ik kan je alleen kost en inwoning aanbieden, niet ook nog een ziektekostenverzekering.'

'Dank je,' zeg ik uit de hoogte. 'Echt heel erg bedankt.'

Maar hij komt toch met me mee, dus doet het er allemaal niet toe.

Het is een hele klim naar Roberta's kamer op de zestiende verdieping. Uiteraard kunnen we niet met de lift omdat die buiten werking is gesteld. Het enige wat ik hoor wanneer we eindelijk in de lange en verlaten gang staan, is gehijg. Vooral ik hijg nogal.

Verder is het er doodstil. Maar het is dan ook nog geen middag. De meeste studenten – degenen die niet wakker zijn geworden van de sirenes van de ambulance en de brandweerwagens – slapen hun roes nog uit nadat ze de vorige avond te veel bier hebben gedronken.

Ik wijs met mijn sleutels welke kant we op moeten en ga op weg naar kamer 1622. Cooper komt achter me aan, hij kijkt naar de posters op de muur die de studenten oproepen naar het gezondheidscentrum te komen als ze bang zijn een seksueel overdraagbare aandoening te hebben opgelopen, of die hen mededelen dat er in het studentenhonk een gratis film wordt vertoond.

De student-assistent-huismeester op de zestiende verdieping heeft iets met Snoopy. Overal zie je uitgeknipte Snoopy's. Op het mededelingenbord zit zelfs een Snoopy geplakt die een kartonnen schaaltje vasthoudt waarop staat: Gratis condooms van het gezondsheidscentrum van het New York College. Voor $ 40 000 per jaar mogen studenten ook wel eens iets gratis krijgen!

Natuurlijk is het schaaltje leeg.

Op de deur van kamer 1622 hangt een geel mededelingenbord, zo'n afwisbare. Er staat niks op, maar er zit wel een sticker van Ziggy op geplakt.

Iemand heeft een piercing in Ziggy's neus getekend en een ander heeft in een ballonnetje boven Ziggy's hoofd geschreven: Waar is mijn broek?

Ik klop met de sleutelbos hard op de deur.

'Administratie,' zeg ik. 'Is daar iemand?'

Geen antwoord. Ik roep nog een keer, daarna steek ik de sleutel in het slot en doe de deur open.

Binnen staat een ventilator op een ladekast luidruchtig te zoemen, ook al beschikken alle kamers in Fischer Hall over airconditioning. Afgezien van de ventilator beweegt er niets. Geen spoor van Roberta's kamergenote. Die zal wel schrikken als ze terugkomt van waar ze ook is en hoort dat ze de rest van het jaar een kamer helemaal voor zichzelf heeft.

Er is maar één raam, van bijna twee meter breed en anderhalve meter hoog, met twee handgrepen om het open te zetten. In de verte, voorbij de daktuinen en watertorens, zie ik de Hudson kalm stromen. De zon wordt in het spiegelende water weerkaatst.

Cooper bestudeert de familiefoto's op een van de nachtkastjes. Hij zegt: 'Het meisje dat dood is, hoe heette die?'

'Roberta,' antwoord ik.

'Dan is dit haar bed.' Ze heeft een straatartiest haar naam in alle kleuren van de regenboog op een stuk papier laten maken. Dat hangt boven het bed bij het raam. Allebei de bedden zijn beslapen, en de twee meisjes die deze kamer bewonen, lijken allebei niet erg huishoudelijk aangelegd te zijn. De lakens zijn gekreukt en de dekbedden – die niet bij de lakens passen, zoals vaak het geval is bij studenten – liggen scheef. Aan Roberta's kant van de kamer komt Ziggy veel terug. Overal liggen memo-blaadjes met Ziggy, aan de muur hangt een kalender van Ziggy, en op een van de bureaus ligt briefpapier met Ziggy.

Het valt me op dat beide meisjes fan van Jordan Cartwright zijn. Ze hebben alle cd's van Easy Street, en ook *Baby, Be Mine*.

Ze hebben geen cd's van mij. Dat komt niet echt als een verrassing. Ik was eerder populair bij jonge tieners.

Cooper knielt en kijkt onder Roberta's bed. Dat leidt me nogal af. Ik probeer een aanwijzing te vinden, maar ik moet steeds naar Coopers kont kijken. Die oude Levi's staat helemaal strak als hij zo zit, en dan is het moeilijk om je aandacht op iets anders te richten, ook al weet je dat het allemaal heel ernstig is.

'Kijk eens,' zegt hij. Zijn hoofd en schouders komen terug van onder Roberta's bed. Zijn donkere haar zit nog erger in de war. Snel richt ik mijn blik op iets anders, zodat hij niet doorheeft dat ik naar zijn billen stond te kijken. Ik hoop dat het hem niet is opgevallen.

'Wat heb je daar?' vraag ik.

'Kijk.'

Aan het eind van het Ziggy-potlood dat Cooper uit de beker met potloden en pennen op Roberta's bureau heeft gehaald, hangt een bleek, vormeloos ding. Pas als ik goed kijk, zie ik wat het is.

Een gebruikt condoom.

'Jasses,' zeg ik.

'Nog niet zo oud,' zegt Cooper. 'Roberta had gisteren een afspraakje waar de vonken van afvlogen.'

Met zijn andere hand pakt hij een envelop van de stapel post-papier met Ziggy die op Roberta's bureau ligt. Daar laat hij het condoom in vallen.

'Wat doe je?' vraag ik geschrokken. 'Verstoor je zo niet het bewijs?'

'Bewijs waarvan?' Cooper vouwt de envelop klein en stopt die in zijn jaszak. 'De politie is tot de slotsom gekomen dat er geen misdaad is gepleegd.'

'Waarom bewaar je dat ding dan?'

Cooper haalt zijn schouders op en legt het potlood weg. 'In mijn werk heb ik geleerd dat je op alles voorbereid moet zijn.'

Hoofdschuddend kijkt hij de kamer rond. 'Raar hoor. Wie gaat er nou na een stevig potje vrijen nog liftsurfen? Andersom kan ik er nog wel inkomen; met al die adrenaline die vrijkomt omdat je je leven hebt gewaagd, kun je behoorlijk geil worden. Maar eerst vrijen en dan liftsurfen? Tenzij het een soort bizarre seks is.'

Met grote ogen kijk ik hem aan. 'Bedoel je dat die kerel eerst met een meisje naar bed gaat en haar dan in de liftschacht gooit?'

'Zoiets.' Cooper ziet er niet op zijn gemak uit. Hij praat niet graag met mij over bizarre seks en verandert gauw van onderwerp. 'En dat andere meisje? Die eerste. Je zei dat je had gecontroleerd dat ze geen bezoek had de avond voordat ze stierf.'

'Dat klopt,' zeg ik. 'Maar voordat je hier was, heb ik ook gekeken, en volgens het register heeft Roberta ook geen bezoek gehad.' Ineens schiet me iets te binnen. 'Als... als er in Elizabeth' kamer ook iets te vinden was – een condoom of zo, bedoel ik – dan had de politie dat toch wel gevonden?'

'Niet als ze er niet naar op zoek waren. En als ze ervan overtuigd waren dat het een ongeluk was, zouden ze niet eens hebben gezocht.'

Ik bijt op mijn lip. 'Er is nog niemand ingetrokken in de kamer die Elizabeth had. Haar kamergenote heeft die kamer voor zich alleen. We kunnen er nu even gaan kijken.'

Cooper kijkt weifelend.

'Ik geef toe dat het vreemd is dat dat kind op die manier om het leven is gekomen, Heather,' zegt hij. 'Vooral met dat condoom en die sleutel erbij. Maar wat jij suggereert...'

'Jij suggereerde het eerst,' breng ik hem in herinnering. 'Trouwens, we kunnen toch gewoon gaan kijken? Dat kan toch geen kwaad?'

'Ook al gaan we kijken, vergeet niet dat er al een hele week voorbij is gegaan,' merkt hij op. 'Ik denk niet dat we iets zullen vinden.'

'Dat weten we pas als we hebben gekeken,' zeg ik. Ik loop naar de deur. 'Kom op.'

Cooper kijkt me alleen maar aan.

'Waarom vind je het zo belangrijk om te bewijzen dat de oorzaak van de dood van die meisjes niet bij henzelf ligt?' vraagt hij.

Ik knipper met mijn ogen. 'Wat?'

'Je hebt me heel goed gehoord. Waarom wil je zo graag bewijzen dat het geen ongeluk was?'

Dat kan ik hem natuurlijk niet vertellen. Omdat ik niet wil klinken als wat Sarah een psychopaat zou noemen. En zo zou ik klinken als ik hem vertelde wat ik vind... Dat ik het aan het gebouw verplicht ben – aan Fischer Hall – om uit te zoeken wat daar nou precies in gebeurt. Omdat Fischer Hall – net als Cooper – op een bepaalde manier mijn leven heeft gered.

Nou goed, ze hebben me gered van mijn hele verdere leven serveerster in Senor Swanky te moeten zijn.

Maar is dat voldoende? Ik weet dat het onzinnig klinkt – dat Sarah me ervan zou beschuldigen mijn gevoelens van genegenheid voor mijn ouders en mijn ex over te brengen op een gebouw uit 1850 – maar ik vind echt dat de verantwoordelijkheid op mij rust om te bewijzen dat de gebeurtenissen van de laatste tijd niet de schuld zijn van Fischer Hall – niet van het personeel omdat ze niet merkten dat deze meisjes afgleden, of zoiets – en ook niet van de meisjes, die veel te goochem lijken te zijn geweest om zoiets stoms te doen – en ook niet van het gebouw zelf omdat het niet huiselijk genoeg zou zijn of zoiets. In de schoolkrant heeft al een artikel over de gevaren van liftsurfen gestaan. Wie weet wat er morgen in verschijnt?

Zie je? Ik zei toch dat het stom was.

Nou ja, zo voel ik het dus.

Maar dat kan ik niet aan Cooper uitleggen. Ik weet dat het geen zin heeft dat ook maar te proberen.

'Omdat meisjes niet aan liftsurfen doen,' is het enige waar ik mee durf te komen.

Eerst denk ik dat hij weggaat, net als inspecteur Canavan, zonder nog iets te zeggen, kwaad omdat hij door mijn toedoen zijn tijd heeft verspild.

Maar in plaats daarvan slaakt hij een zucht en zegt: 'Goed. Dan gaan we in ook in die andere kamer kijken.'

9

Shake your pom-pom
Shake your pom-pom
Shake it, baby
All night long

'Shake It'
Zang: Heather Wells
Tekst: O'Brien/Henke
Van het album: *Rocket Pop*
Cartwright Records

Na één keer kloppen doet Elizabeth' kamergenote de deur van kamer 1412 open. Ze draagt een groot wit T-shirt en een zwarte legging. In haar ene hand heeft ze een mobieltje en in de andere een sigaret.

Ik lach vriendelijk en zeg: 'Hoi, ik ben Heather, en dit is...'

'Hoi.' De kamergenote valt me in de rede en spert haar ogen wijd open als ze Cooper ziet.

En waarom ook niet? Ze is immers een gezonde meid. En Cooper lijkt nogal sterk op een van Amerika's populairste popsterren.

'Cooper Cartwright,' zegt Cooper, en hij grijnst naar het meisje met een grijns waarvan ik als ik niet beter wist zou zweren dat hij die voor de spiegel heeft geoefend en alleen in extreme situaties gebruikt.

Maar Cooper is niet iemand die voor de spiegel zijn lach staat te oefenen.

'Marnie Villa Delgado,' zegt het meisje. Marnie is net als ik fors, maar ze heeft meer boezem dan billen, en een enorme bos krullend donker haar. Ik merk dat ze zich zit af te vragen of ik iets met Cooper heb, of dat ze een poging in zijn richting kan wagen.

'Marnie, we vroegen ons af of je even met ons over Elizabeth zou willen praten,' zegt Cooper. Bij die grijns laat hij zo veel tanden blikkeren dat ik er bijna door word verblind.

Maar Marnie heeft daar kennelijk geen last van. Ze heeft op de een of andere manier uitgevogeld dat Cooper en ik niet bij elkaar horen (hoe weet ze dat? Hoe kunnen andere meisjes zoals Marnie, Rachel en Sarah dat, terwijl ik dat niet kan?) en zegt in haar mobieltje: 'Ik moet ophangen.' Ze hangt op.

Met haar blik als gehypnotiseerd op Cooper gericht, zegt ze: 'Kom binnen.'

Ik glip langs haar heen. Cooper komt achter me aan. Ik zie meteen dat Marnie alles anders heeft ingericht nu Elizabeth er niet meer is. De bedden zijn tegen elkaar aan geschoven en er ligt een sprei met een tijgermotief overheen. De twee ladekasten staan op elkaar zodat Marnie acht laden helemaal voor zich alleen heeft in plaats van vier, en Elizabeth' bureau lijkt wel een entertainment centre met een tv, video en cd-speler, allemaal bereikbaar vanuit bed.

'De politie heeft al met me over haar gesproken.' Marnie tikt de as op het kleedje met tijgermotief af waar ze met haar blote voeten op staat. Vervolgens verplaatst ze even haar aandacht van Cooper naar mij. 'Over Beth, bedoel ik. Zeg, ken ik jou niet ergens van? Ben je soms actrice of zo?'

'Ik? Nee hoor,' antwoord ik naar waarheid.

'Maar je zit toch in de showbizz?' Marnie klinkt heel zeker van zichzelf. 'Zeg, maken jullie soms een film over Beth?'

Voordat Cooper iets kan zeggen, vraag ik: 'Hoezo? Denk je soms dat Beth' leven interessant genoeg voor een film is?'

Marnie probeert de vrouw van de wereld uit te hangen, maar ik hoor haar kuchen als ze een haal van haar sigaret neemt. Ze rookt duidelijk alleen voor het effect.

'Nou ja, ik snap best hoe jullie het willen brengen. Meisje uit de provincie dat naar de grote stad trekt. Ze kan het allemaal niet aan, en verongelukt door een stomme streek. Mag ik mezelf spelen? Ik heb veel ervaring...'

Maar Cooper verpest alles door te zeggen: 'We hebben niets met showbizz te maken. Heather is de assistent-huismeester van dit gebouw, en ik ben een vriend van haar.'

'Maar ik dacht...' Marnie staart me aan in een poging erachter te komen waar ze me van kent. 'Ik dacht dat je actrice was. Ik weet zeker dat ik je wel eens heb gezien...'

'Misschien achter de balie,' zeg ik snel.

'Je kamergenote, hè?' zegt Cooper. Hij kijkt om zich heen, naar het piepkleine keukentje waarin Marnie een magnetron heeft gezet, een kookplaat, een keukenmachine, een koffieapparaat en zo'n weegschaal die mensen die aan de lijn doen gebruiken om hun kipfilet op te wegen. 'Waar kwam ze vandaan?'

'Nou, uit Mystic,' zegt Marnie. 'In Connecticut.'

Cooper kijkt in de kasten, maar Marnie is zo in de war dat ze geen bezwaar maakt.

'Ik weet het! Je zat in *Saved by the Bell*, hè?' zegt ze tegen me.

'Nee,' zeg ik. 'Je zei dat Eliz... Ik bedoel, dat Beth het hier vreselijk vond?'

'Nou ja, niet echt, hoor,' antwoordt Marnie. 'Beth viel alleen een beetje uit de toon. Weet je, ze wilde verpléégster worden.'

Cooper kijkt haar aan. Je kunt wel merken dat hij weinig met studenten van het New York College omgaat, want hij vraagt: 'Wat is er mis met verpleegsters?'

'Waarom zou je helemaal naar het New York College komen om verpléégster te worden?' antwoordt Marnie schamper. 'Waarom zou je al dat geld uitgeven als je ergens veel goedkoper een verpleegstersopleiding kunt volgen?'

'Wat voor opleiding volg jij?' vraagt Cooper.

'Ik?' Het lijkt er even op alsof Marnie van plan is 'duh' te zeggen, maar ze wil niet onbeleefd zijn. Tegen Cooper. Daarom drukt ze haar peuk maar uit in een asbak in de vorm van een hand, en zegt: 'Ik word actrice.' Dan gaat ze op haar tweepersoonsbed zitten en staart me weer aan. 'Ik weet zeker dat ik je ergens van ken.'

Ik pak de asbak op in een poging haar af te leiden, zodat ze niet langer probeert mij te plaatsen, en ook niet kijkt wat Cooper aan het doen is: ongegeneerd rondsnuffelen.

'Is deze van jou of van Elizabeth?' vraag ik, ook al weet ik het antwoord natuurlijk.

'Van mij,' antwoordt Marnie. 'Uiteraard. Ze hebben alles van Beth meegenomen. Bovendien rookte Beth niet. Beth deed helemaal niets.'

'Hoe bedoel je: ze deed helemaal niets?'

'Zoals ik het zei: ze deed niets. Ze ging nooit uit, ze kreeg nooit vrienden op bezoek. En haar moeder... Allemachtig! Heb je gehoord wat haar moeder tijdens de herdenkingsdienst heeft gedaan?'

Cooper kijkt rond in de badkamer. Zijn stem klinkt galmend wanneer hij roept: 'Wat deed ze dan?'

Marnie zoekt iets in de zwartleren rugzak op het bed.

'Ze zei dat ze een rechtszaak tegen het New York College ging aanspannen omdat de liften niet tegen liftsurfen beveiligd zijn. Wat doe je eigenlijk in de badkamer?'

'Ik heb gehoord dat Elizabeth' moeder niet wilde dat er jongens op haar kamer kwamen,' zeg ik, zonder in te gaan op haar vraag over wat Cooper in de badkamer doet.

'Dat heeft Beth me nooit verteld.' Marnie heeft haar sigaretten gevonden. Gelukkig is het pakje leeg. Geërgerd gooit ze het op de grond. 'Maar het verbaast me niks. Dat meisje leefde nog in een heel andere eeuw. Volgens mij had ze nog nooit met iemand gezoend, tot twee weken voordat ze stierf.'

Cooper verschijnt in de deuropening van de badkamer. Die is nogal klein, en hij is nogal lang.

'Met wie dan?' vraag ik, voordat hij zich ermee kan bemoeien.

'Weet ik veel.' Marnie haalt haar schouders op. Ze mist zeker een sigaret, daarmee kan ze beter de diepbedroefde kamergenote spelen.

'Ze ging uit met de een of andere kerel, vlak voordat ze... Nou ja.' Marnie wijst met een fluitend geluid naar de vloer. 'Ze kenden elkaar nog maar pas. Maar wanneer ze het over hem had, ging ze helemaal... Ik weet niet goed hoe ik het moet uitleggen.'

'Heb je die kerel ooit gezien?' vraag ik. 'Weet je hoe hij heet? Was hij aanwezig bij de herdenkingsdienst? Heeft hij Elizabeth soms aangezet om te gaan liftsurfen?'

Marnie kijkt onthutst. 'Jezus, wat een boel vragen!'

Cooper brengt redding. Zoals altijd.

'Marnie, dit is belangrijk. Heb je enig idee wie die kerel was?'

Aan mij wil ze het niet vertellen, maar voor Cooper doet ze haar best.

'Laat me eens denken...' Marnie fronst haar voorhoofd. Ze is niet mooi, maar ze heeft wel een interessant gezicht. Misschien is ze geschikt voor karakterrollen, de mollige hartsvriendin of zoiets.

Waarom is de hartsvriendin altijd mollig? Waarom is de heldin nooit mollig? Of niet mollig, maar gewoon met maat 42? Of 44? Waarom heeft de heldin altijd een maatje 36?

'Ze zei geloof ik dat hij Mark heette,' zegt Marnie, en daarmee onderbreekt ze mijn gedachten over maatdiscriminatie in de showbizz. 'Maar ik heb hem nooit gezien. Ik bedoel, het was pas zo'n beetje aan ongeveer een week voor haar dood. Ze zijn naar de film geweest, een buitenlandse film in de Angelika. Daarom vond ik het zo raar...'

'Wat?' Ik schud mijn hoofd. 'Wat vond je zo raar?'

'Nou, ik bedoel dat een kerel die naar buitenlandse films gaat, ook zou liftsurfen. Liftsurfen is kinderachtig. Dat doen eerstejaars. Je weet wel, van die jongens met te wijde broeken, die eruitzien alsof ze twaalf zijn. Maar deze kerel was ouder. Volgens Beth was hij ontwikkeld. Dus waarom zou hij haar dan aanmoedigen om van de ene lift op de andere te springen?'

Ik ga naast Marnie op het enorme bed zitten.

'Heeft ze je dat verteld?' vraag ik. 'Heeft ze je verteld dat hij met haar wilde gaan liftsurfen?'

'Nee,' antwoordt Marnie. 'Maar dat moet haast wel, hè? Ik bedoel, in haar eentje zou ze dat nooit hebben gedaan. Ik denk dat ze niet eens wist wat het was.'

'Misschien was ze met van die eerstejaars?' oppert Cooper.

Marnie maakt een grimas. 'Nee,' zegt ze. 'Die jongens zouden haar nooit hebben gevraagd mee te doen. Die voelen zich mijlenver boven haar verheven. Bovendien zou ze niet zijn gevallen als ze met hen was geweest. Dat zouden ze niet hebben laten gebeuren. Die jongens zijn er veel te goed in.'

'Je was er toch niet bij, op de avond dat ze stierf?' vraag ik.

'Ik? Nee, ik moest auditie doen. Eigenlijk mogen eerstejaars geen auditie doen.' Ze kijkt sluw. 'Maar ik dacht dat ik wel een kans maakte. Ik bedoel, het was voor een stuk op Broadway. Als ik daar aan de bak zou kunnen komen, was ik hier meteen weg.'

'Dus Elizabeth had die avond de kamer voor zich alleen?' vraag ik.

'Ja. Die kerel van haar zou komen. Ze was er heel opgewonden over. Ze wilde een romantisch etentje organiseren.' Marnie kijkt achterdochtig. 'Zeg... Jullie gaan toch niet verklappen dat we hier een kookplaat hebben, hè? Ik weet best dat dat brandgevaarlijk is, maar...'

'Die kerel Mark, hè?' val ik haar in de rede. 'Of hoe hij ook heet... Is hij die avond komen opdagen?'

'Jawel,' zegt Marnie. 'Tenminste, dat neem ik aan. Toen ik

thuiskwam, waren ze er niet meer, maar in de gootsteen stonden borden. Die moest ik afwassen, anders komen er maar kakkerlakken op af. Met de huur die we hier betalen zou je toch zeggen dat ze daar iets aan zouden kunnen doen...'

'Heeft iemand anders hem ooit gezien?' valt Cooper haar in de rede. 'Die Mark, bedoel ik. Hadden jullie geen gezamenlijke vrienden die hem kenden?'

'Beth en ik hadden geen gezamenlijke vrienden,' antwoordt Marnie uit de hoogte. 'Ik zei toch dat ze een loser was. We deelden een kamer, maar meer niet, hoor. Ik wist pas een hele dag later dat ze dood was. Die avond kwam ze niet thuis. Ik dacht dat ze wel bij die kerel zou zijn.'

'Heb je dat aan de politie verteld?' vraagt Cooper. 'Dat Elizabeth bezoek had op de avond dat ze stierf?'

'Jawel,' antwoordt Marnie schouderophalend. 'Maar dat leek ze niet te kunnen schelen. Ik bedoel, die kerel heeft haar toch niet vermoord? Ze ging dood omdat ze iets stoms had gedaan. Weet je, je kunt nog zo veel wijn drinken, maar dan hoef je nog niet op een lift te springen...'

Ik houd mijn adem in. 'Hadden ze gedronken? Mark en je kamergenote?'

'Ja,' zegt Marnie. 'Er lagen twee flessen in de vuilnisbak. Dure wijn, hoor. Die heeft Mark zeker meegebracht. Flessen van wel twintig dollar per stuk. Die man geeft heel wat geld uit voor iemand die in een klerezooi als dit woont.'

De adem stokt in mijn keel.

'Wacht eens... Woont hij in Fischer Hall?'

'Ja. Tenminste, dat moet wel, hè? Want ze hoefde hem niet aan te melden.'

Allemachtig, daar had ik nog helemaal niet bij stilgestaan. Beth had een jongen op de kamer, ook al was hij nergens geregistreerd. Want ze hoefde hem niet te laten registreren omdat hij in het gebouw woont. Hij woont ook in Fischer Hall!

Ik kijk op naar Cooper. Ik weet niet waar dit allemaal naartoe gaat, maar ik weet zeker dat het belangrijk is. Maar aan Cooper kan ik niet zien of hij dat ook denkt.

'Marnie,' zeg ik. 'Kun je ons misschien een beetje meer over de vriend van je kamergenote vertellen?'

'Het enige wat ik weet, heb ik al verteld,' antwoordt Marnie geërgerd. 'Hij heet Mark of zoiets, hij houdt van buitenlandse films en dure wijn, en ik weet bijna zeker dat hij hier woont. O, en Beth zei altijd dat hij knap was. Maar daar heb ik zo mijn twijfels over. Ik bedoel, waarom zou een knappe man in Beth geïnteresseerd zijn? Ze zag er niet uit.'

In de studentenkrant, de *Washington Square Reporter*, had de maandag nadat Beth was gestorven een foto van haar gestaan. Het spijt me het te moeten zeggen, maar Marnie overdreef niet. Elizabeth was geen mooi meisje. Ze gebruikte geen make-up, ze had een bril met jampotglazen, een ouderwets Farrah Fawcett-kapsel, en als ze lachte, kwam er heel veel tandvlees bloot.

Maar goed, zulk soort pasfoto's zijn nooit erg flatterend, en ik had aangenomen dat Beth er in het echt leuker had uitgezien.

Maar misschien was dat niet juist geweest.

Of misschien was Marnie jaloers omdat Beth een vriend had en zij niet.

Dat komt voor, hoor. Daar hoef je geen graad in de sociologie voor te hebben om dat te weten. En je hoeft er ook geen detective voor te zijn.

Cooper en ik bedanken Marnie, en we gaan weg. Maar eerst moet Marnie nog een tijdje emmeren over dat ze me ergens van kent. Tegen de tijd dat we op de gang staan, vervloek ik zoals ik bijna elke dag doe mijn besluit – of beter gezegd: dat van mijn moeder – om de middelbare school niet af te maken en een carrière in de muziek te beginnen.

Terwijl we zwijgend de trap af lopen, vraag ik me af of Cooper misschien gelijk heeft. Ben ik echt gek? Ik bedoel, denk ik nou echt dat er een of andere gek in Fischer Hall rondloopt die eerstejaars overhaalt met hem te gaan liftsurfen, nadat hij eerst met hen naar bed is geweest? Een gek die meisjes de dood in duwt?

Wanneer we op de tiende verdieping zijn gekomen, zeg ik bij wijze van proef: 'Ik heb ooit in een tijdschrift gelezen over moordenaars die voor de kick mensen om zeep brengen. Gewoon omdat het spannend is.'

'O, ja,' zegt Cooper, 'Dat komt vaak voor. In films. In het echt gebeurt het maar weinig. De meeste moorden zijn crimes passionnels. Er zijn minder gestoorde moordenaars dan we denken.'

Ik kijk vanuit mijn ooghoek naar hem. Hij weet niet hoe gestoord mijn fantasie is. Hij weet bijvoorbeeld niet dat ik er nu aan denk hem op de grond te gooien en zijn kleren met mijn tanden van zijn lijf te rukken.

Maar dat doe ik maar niet.

'Iemand zou eens met de kamergenote van dat andere meisje moeten gaan praten,' zeg ik, terwijl ik manmoedig een einde maak aan mijn fantasietje over Coopers kleren tussen mijn tanden. 'Van het meisje dat vandaag is gestorven. Misschien weet ze van wie dat condoom kan zijn geweest.'

Cooper kijkt me met die vreselijk blauwe ogen doordringend aan.

'Niets zeggen,' zegt hij. 'Jij denkt dat het van een kerel was die Mark heet, en die van buitenlandse films en dure wijn houdt.'

'We kunnen het toch vragen?'

'Ken jij iemand die aan die beschrijving voldoet? Iemand die hier werkt?' vraagt Cooper.

'Eh...' zeg ik. 'Nee.'

'Hoe kwam hij dan aan die sleutel die achter de balie hangt?'

Ik frons diep.

'Daar ben je nog niet achter, hè?' vraagt Cooper voordat ik antwoord kan geven. 'Luister, Heather. Detectiefje spelen houdt meer in dan rondsnuffelen en vragen stellen. Je moet ook weten wanneer het de moeite loont om te gaan snuffelen. En het spijt me, maar ik denk niet dat dat hier het geval is.'

'Maar... maar dat condoom!' breng ik onthutst uit. 'En die geheimzinnige man!'

Cooper schudt zijn hoofd. 'Het is echt heel verdrietig van die meisjes. Maar denk eens terug aan toen jij achttien was, Heather. Jij deed toen ook rare dingen. Misschien was je niet zo maf om tijdens een afspraakje op liften te klimmen, maar...'

'Dat hebben ze niet gedaan,' val ik hem op heftige toon in de rede. 'Die meisjes zijn niet op een lift geklommen.'

'Nou ja, maar ze kwamen wel op de bodem van de liftschacht terecht,' zegt Cooper. 'Ik weet dat je liever denkt dat een door- trapte schurk hen heeft geduwd, maar Heather, er wonen hier wel duizend studenten. Denk je niet dat het een van hen moet zijn opgevallen als een kerel zijn vriendinnetje in de liftschacht duwt? En denk je niet dat diegene dat wel zou hebben verteld?'

Ik knipper een paar keer met mijn ogen. 'Maar... maar...'

Maar ik weet niet wat ik moet zeggen.

Hij kijkt op zijn horloge. 'Ik moet dringend naar een afspraak. Kunnen we later verdergaan met detectiefje spelen? Want ik moet nu echt weg.'

'Ja, hoor,' zeg ik zwakjes.

'Goed. Tot straks,' zegt hij. En hij stormt zo snel de trap af dat ik hem onmogelijk kan bijhouden.

Maar op de overloop blijft hij staan en kijkt naar me op. Zijn ogen zijn verrassend blauw.

'Ik moet je nog iets zeggen,' zegt hij.

'O ja?' Gretig leun ik over de leuning. Ik verwacht zoiets als: ik wil niet dat je zelf op onderzoek gaat omdat ik niet wil dat je gevaar loopt. Want weet je, Heather, ik hou van je. Ik heb altijd al van je gehouden.

Nou ja, dat is wat ik hóóp dat hij gaat zeggen.

'De melk is op,' zegt hij. 'Probeer eraan te denken onderweg naar huis melk te kopen, als je wilt.'

'Oké,' breng ik zwakjes uit.

En dan is hij verdwenen.

10

'Wie was dat?' vraagt Sarah. 'Die kerel die net wegging?'
'Die?' Ik glip achter mijn bureau. 'Dat was Cooper.'

'Is dat degene bij wie je woont?'

Ik denk dat Sarah me ooit met hem aan de telefoon heeft gehoord of zoiets.

'Nou, eigenlijk is hij mijn huisbaas,' zeg ik. 'Ik woon op de bovenverdieping van zijn huis.'

'Dus hij is zowel knap als rijk?' Sarah kwijlt bijna. 'Waarom heb je hem nog niet besprongen?'

'We zijn gewoon vrienden,' zeg ik. Elk woord voelt als een klap in mijn gezicht. 'Bovendien ben ik toch zijn type niet.'

Sarah kijkt geschokt. 'Is hij homo? Maar dat kun je helemaal niet aan hem zien...'

'Nee hoor, hij is geen homo,' zeg ik snel. 'Hij houdt gewoon meer van talentvolle vrouwen die iets hebben bereikt.'

'Jij hebt toch iets bereikt?' vraagt Sarah verontwaardigd. 'Je kreeg toen je vijftien was al een platina plaat!'

'Ik bedoelde: ontwikkelde vrouwen,' zeg ik. Ik zou willen dat we het over iets anders hadden, geeft niet wat. 'Vrouwen met een universitaire opleiding. Vrouwen die waanzinnig aantrekkelijk zijn. En mager.'

'O,' zegt Sarah, en meteen is ze niet meer geïnteresseerd. 'Vrouwen zoals Rachel, bedoel je.'

'Ja,' zeg ik, en om de een of andere reden zakt de moed me in de schoenen. 'Vrouwen zoals Rachel.'

Is dat echt waar? Valt Cooper op vrouwen zoals Rachel, vrouwen met schoenen en tassen die bij elkaar passen? Vrouwen die weten wat PowerPoint is en daar ook mee overweg kunnen? Vrouwen die salades zonder dressing eten, en die honderd sit-ups kunnen doen zonder buiten adem te raken? Vrouwen die op Yale hebben gestudeerd? Vrouwen die liever onder de douche gaan dan in bad? Ik ga liever in bad omdat ik dan niet zo lang hoef te staan.

Voordat ik daar echt over kan nadenken, komt Rachel binnenstormen. Haar donkere haar zit in de war, maar toch ziet ze er sexy uit. Ze zegt: 'O, Heather, daar ben je. Waar was je toch?'

'Ik was boven, met iemand van het onderzoek,' antwoord ik. Dat is min of meer waar. 'Ze wilden in de kamer van het verongelukte meisje.'

'O,' zegt Rachel ongeïnteresseerd. 'Nu je terug bent, kun je misschien de psychologische dienst bellen en vragen of ze iemand willen sturen? Roberta's kamergenote is in alle staten.'

Ik ga rechtop zitten.

'Tuurlijk,' zeg ik, en ik pak de telefoon. Mijn belofte aan Cooper dat ik niet voor detective zal spelen, is plotsklaps vergeten. 'Wil je dat ik haar ernaartoe breng?'

'Ja, graag.' Om Rachel heen spelen zich tragedies af, maar dat kun je niet aan haar zien. Haar wikkeljurk van Diane von Furstenberg zit strak op de juiste plekken, en niet zoals wikkeljurken bij mij doen, op de verkeerde. Ze heeft ook blosjes op haar wangen. 'Denk je dat je iemand kunt vinden?'

'Ik doe mijn best,' zeg ik.

Natuurlijk voel ik me een beetje schuldig. Want ik wil mijn best doen om de kamergenote een paar vragen te stellen.

Maar ik voel me niet schuldig genoeg om me daarvan te laten weerhouden.

Ik bel de psychologische dienst. Ze weten al van de 'tweede tragedie' en zeggen dat ik de kamergenote, Lakeisha Green, maar moet brengen. Bij mijn baan hoort dat ik studenten die naar de psychologische dienst zijn doorverwezen, persoonlijk moet brengen, omdat een studente die er zelf naartoe ging onderweg ooit verdwaalde en later op Washington Heights werd aangetroffen met haar beha op haar hoofd; ze dacht dat ze Cleopatra was.

Echt, hoor, dat verzin ik niet.

Lakeisha zit in een hoekje van de kantine onder een poster die Magda daar heeft opgehangen om de boel een beetje op te vrolijken. Magda vindt al die glas-in-loodramen en mahoniehouten panelen namelijk niet om aan te zien. Magda zit bij Lakeisha en dringt haar snoepbeertjes op.

'Neem er toch een paar,' zegt ze terwijl ze de zak onder Lakeisha's neus houdt. 'Toe, je mag ze voor niks hebben. Ik weet dat je ze lekker vindt, want gister heb je met je vriendinnen nog een hele zak gekocht.'

Uit beleefdheid neemt Lakeisha de zak aan. 'Dank u wel,' mompelt ze.

Magda straalt. Zodra ze me ziet, fluistert ze: 'Mijn arme, lieve filmsterretje. Ze wil niet eten.'

En dan vraagt ze nog zachter: 'Wie was die man met wie Pete en ik je vandaag zagen, Heather? Die knappe man?'

'Dat was Cooper,' antwoord ik. Ik heb Magda al alles over Cooper verteld, want wanneer je tijdens de lunch samen hamburgers eet, heb je het uiteraard over sexy mannen.

'Was dát Cooper?' Magda kijkt ontzet. 'Maar schat, geen wonder dat...'

'Geen wonder wat?'

'Laat maar.' Magda wrijft even over mijn arm. Dat zou ik troostend hebben gevonden, als ik niet bang was aan haar lange nagels te worden gespietst. 'Het komt allemaal goed. Misschien.'

'Dank je.' Ik weet niet goed waar ze het over heeft. En ik weet ook niet of ik dat wel wil weten. Daarom richt ik mijn aandacht maar op Roberta's kamergenote.

Lakeisha ziet er diepbedroefd uit. Ze heeft allemaal vlechtjes en aan de uiteinden daarvan bungelen kraaltjes. Wanneer ze met haar hoofd beweegt, klikken de kralen tegen elkaar aan.

'Lakeisha,' zeg ik zacht. 'Je hebt een afspraak bij de psychologische dienst. Ik zal je ernaartoe brengen. Ga je mee?'

Lakeisha knikt, maar ze staat niet op.

Ik kijk Magda aan.

'Misschien wil ze uitrusten,' zegt Magda. 'Wil mijn filmsterretje uitrusten?'

Lakeisha aarzelt even, dan zegt ze: 'Nee, ik ga wel mee.'

'Wil je echt geen Dovereep?' vraagt Magda. Want Doverepen zijn eigenlijk de oplossing voor bijna elk probleem.

Maar Lakeisha schudt haar hoofd, waardoor de kraaltjes muzikaal tegen elkaar tikken.

Daardoor blijft ze zeker zo mager. Omdat ze weigert Dove-repen aan te nemen wanneer die haar worden aangeboden, bedoel ik. Ik kan me niet herinneren dat ik ooit een aangeboden ijsje heb afgeslagen. En zeker geen Dovereep.

Langzaam en in een sombere stemming lopen we het gebouw uit. De studenten mogen er in kleine groepjes weer in, en ze krijgen te horen dat ze met de trap naar hun kamer moeten. Zoals in zo'n kleine gemeenschap valt te verwachten, heeft het nieuws dat er weer iemand dood is, snel de ronde gedaan. Wanneer de studenten Lakeisha en mij samen naar buiten zien komen, wordt er druk gefluisterd. 'Dat is de kamergenote,' hoor ik. Iemand anders zegt: 'Arme meid...' Lakeisha hoort het niet, of ze wil het niet horen. Ze loopt met haar rug recht en haar blik naar de grond gericht.

We staan op de hoek van de straat te wachten totdat het voetgangerslicht op groen springt wanneer ik het eindelijk durf te vragen. 'Lakeisha,' zeg ik. 'Weet jij of Roberta gisteravond een afspraakje had?'

Lakeisha kijkt me aan alsof ze me voor de eerste keer ziet. Ze is klein, met geprononceerde jukbeenderen en knobbelknieën. Het zakje snoepbeertjes dat Magda haar heeft opgedrongen, lijkt zwaar te wegen.

Zacht zegt ze: 'Pardon?'

· 'Je kamergenote... Had ze gisteravond een afspraakje?'

'Ik geloof het wel. Ik weet het eigenlijk niet,' antwoordt Lakeisha. Ze fluistert het verontschuldigend, bijna niet te horen boven het verkeersgedruis uit. 'Ik was gisteren uit. Ik had om acht uur een dansrepetitie. Bobby sliep al toen ik thuiskwam. Het was al laat, na middernacht. En toen ik vanmorgen ging ontbijten, sliep ze nog steeds.'

Bobby... Waren ze goede vriendinnen, Lakeisha en **haar** kamergenote die zo dol op Ziggy was? Dat moet wel, als ze haar

Bobby noemde. Waar ben ik mee bezig? Ik hoor een meisje uit dat nog niet van de schok is bekomen.

Heeft Jordan gelijk? Laatst beschuldigde hij me ervan dat ik hard werd.

Misschien is dat ook wel zo, want voordat ik het weet, stel ik weer een vraag.

'Lakeisha, ik vraag het omdat...' Ik voel me een echte rotzak. Misschien doet het er niet toe als je jezelf een rotzak vindt. Snap je wat ik bedoel? Ik heb namelijk gelezen dat mensen die gek zijn, zichzelf nooit als geestelijk gestoord beschouwen. Dus misschien beschouwen rotzakken zichzelf ook niet als rotzakken. Dus het feit dat ik me een rotzak voel, betekent dat ik niet echt een rotzak ben...

Dat moet ik eens aan Sarah vragen.

'Ik vraag het omdat de politie...' Dat is een leugentje, maar nou ja. 'Omdat de politie vanmorgen een gebruikt condoom onder Roberta's bed heeft gevonden. Het was nog, eh... vers.'

Daardoor lijkt de mist in Lakeisha's hoofd op te trekken. Ze kijkt me aan, en deze keer ziet ze me ook echt.

'Pardon?' fluistert ze iets harder.

'Een condoom. Onder Roberta's bed. Dat moet van gisteravond zijn geweest.'

'Dat kan niet,' reageert Lakeisha vol overgave. 'Onmogelijk. Zoiets zou Bobby nooit doen. Ze is nog nooit...' Ze breekt de zin af en bestudeert haar Nikes. 'Nee,' zegt ze weer, en ze schudt haar hoofd zo heftig dat de kraaltjes in haar vlechtjes als castagnetten klinken.

'Nou ja, dat condoom moet toch van iémand zijn,' zeg ik. 'En als het niet van Roberta was, van wie...'

'O god,' valt Lakeisha me plotseling in de rede. Ze klinkt echt opgewonden. 'Het moet Todd zijn geweest!'

'Wie is Todd?'

'Todd is de man. Bobby's man. De nieuwe man. Bobby had nog nooit een man gehad.'

'O,' zeg ik, beteuterd door deze nieuwe informatie. 'Ze was, eh...'

'Ze was maagd,' zegt Lakeisha bedroefd. Ze moet dat condoom nog verwerken. 'Ze moeten... Ze moeten het hebben gedaan toen ik weg was. Hij moet bij haar op bezoek zijn gekomen. Wat zal ze opgewonden zijn geweest!'

Ineens is Lakeisha's opwinding verdwenen, en ze schudt weer haar hoofd. 'En daarna doet ze zoiets verschrikkelijk stoms...'

Goed, nu komen we ergens.

Ik ga langzamer lopen, en Lakeisha doet dat onbewust ook. We zijn nog maar twee blokken verwijderd van het gezondheidscentrum.

'Dus je kamergenote maakte van liftsurfen geen gewoonte?' vraag ik. Ook al weet ik het antwoord.

'Bobby?' Lakeisha's stem breekt. 'Liftsurfen? Nee, nooit. Waarom zou ze zoiets stoms doen? Ze is verstandig... Ze wás verstandig,' verbetert ze zichzelf. 'Te verstandig om zoiets te doen, in elk geval. Bovendien,' voegt ze eraan toe, 'Bobby had hoogtevrees. Ze durfde niet eens uit het raam te kijken omdat ze vond dat het zo hoog was.'

Ik wist het wel. Ik wist het wel! Ze is geduwd. Een andere verklaring bestaat er niet.

'Die Todd, hè?' zeg ik, en ik probeer de gretigheid niet in mijn stem te laten doorklinken. En Lakeisha mag ook niet weten dat mijn hart zo idioot snel is gaan kloppen. 'Wanneer heeft Roberta hem leren kennen?'

'O, vorige week, op het feest.'

'Welk feest?'

'Het feest in de kantine.'

Uiteindelijk hadden we het feest niet geschrapt dat gepland stond voor de avond nadat Elizabeth was gestorven. Sarah was niet de enige die daar bezwaar tegen had gemaakt. De studentenraad had ook groot bezwaar, en Rachel had toegegeven. Het feest werd drukbezocht, en er was maar één moment waarop het onaangenaam was geworden. Dat was toen fans van Jordan Cartwright kwaad werden over de muziek die werd gedraaid, en het bijna uitliep op een vechtpartij met de fans van Justin Timberlake.

'Todd was op het feest,' zegt Lakeisha. 'Bobby en hij zagen elkaar daarna vaker.'

'Die Todd, hè?' vraag ik. 'Weet je misschien ook zijn achternaam?'

'Nee.' Even kijkt ze bezorgd, en dan klaart haar gezicht op. 'Maar hij woont wel in het gebouw.'

'O ja? Hoe weet je dat?'

'Omdat Bobby hem niet hoefde te registreren.'

'En die Todd, hè?' Ik durf bijna geen adem te halen. 'Heb je hem wel eens ontmoet?'

'Nee, maar Bobby heeft me hem op het feest aangewezen. Maar hij stond nogal ver weg.'

'Hoe zag hij eruit?'

'Lang.'

Als Lakeisha niet verdergaat, dring ik aan. 'Alleen maar: lang?'

Lakeisha haalt haar schouders op.

'Hij was blank,' zegt ze verontschuldigend. 'En blanke kerels... Nou ja. Je weet wel.'

Oké. Iedereen weet dat blanke kerels er allemaal hetzelfde uitzien.

'Die Todd, hè?' Nu zegt Lakeisha dat ook al! 'Denk je dat hij iets te maken heeft met... met wat Bobby is overkomen?'

'Dat weet ik niet,' zeg ik. Terwijl ik het zeg, dringt het tot me door dat we bij het gezondheidscentrum zijn aangekomen. Nu al? Wat een teleurstelling... 'O... Lakeisha, we zijn er.'

Lakeisha kijkt naar de dubbele toegangsdeuren zonder ze echt te zien. Dan zegt ze tegen me: 'Die Todd, hè? Denk je... denk je dat hij haar heeft geduwd of zo?'

Het is alsof mijn hart blijft stilstaan.

'Ik weet het niet,' zeg ik op mijn hoede. 'Hoezo? Denk jij dat?

Heeft Roberta wel eens gezegd dat hij losse handjes had?'

'Nee.' Lakeisha schudt haar hoofd. De kraaltjes maken een herrie van jewelste. 'Dat is het hem nou net. Ze leek zo gelukkig. Waarom zou ze dan zoiets stoms doen?' De tranen springen haar in de ogen. 'Waarom zou ze zoiets doen als ze net de man van haar dromen heeft leren kennen?'

Nou, dat vraag ik me ook af.

11

Tijdens de lunch vertel ik Magda en Pete alles. Ik vertel hun precies wat er allemaal is gebeurd, ook dat van Cooper.

Maar natuurlijk niet dat ik hopeloos verliefd op hem ben. En daardoor wordt het hele verhaal veel korter en veel minder interessant.

Pete reageert door achterdochtig naar de bonenschotel te kijken.

'Zitten er worteltjes in? Je weet toch dat ik niet van worteltjes hou?'

'Pete, heb je wel gehoord wat ik zei? Ik zei dat ik denk dat...'

'Dat heb ik gehoord,' valt Pete me in de rede.

'O... Maar denk jij dan niet dat...'

'Nee.'

'Maar denk je echt niet dat...'

'Heather,' zegt Pete terwijl hij het stukje wortel naar de rand van zijn bord schuift. 'Ik denk dat je te veel kijkt naar *Law and Order: Special Victims Unit*.'

'Je bent een schat,' is alles wat Magda erover te zeggen heeft. 'Maar laten we wel wezen: iedereen weet dat je niet helemaal spoort.' Ze draait met haar vinger een kringetje boven haar hoofd. 'Snap je?'

Het is toch niet te geloven dat een vrouw die er vijf uur voor overheeft om het Vrijheidsbeeld op haar nagels te laten airbrushen, vindt dat ík niet helemaal spoor.

'Kom op, zeg.' Ik kijk hen kwaad aan. 'Twee meisjes die nooit in liftsurfen geïnteresseerd zijn geweest, vallen in twee weken tijd dood.'

'Dat gebeurt nou eenmaal.' Pete haalt zijn schouders op. 'Eet je je augurken nog op?'

'Jongens, ik meen het, hoor. Ik denk echt dat er iemand is die meisjes in liftschachten duwt. Ik bedoel, het is een patroon. Allebei de meisjes waren laatbloeiers. Ze hadden nooit eerder een vriendje gehad. En dan opeens, een week voor hun dood, krijgen ze een vriend...'

'Misschien hebben ze al die jaren op de juiste man gewacht,' oppert Magda. 'En toen kwamen ze erachter dat seks helemaal niet zo geweldig is.'

Daarna wordt er niet meer gepraat omdat Pete zich in zijn Snapple verslikt.

De hele verdere dag gaat als in een roes voorbij. Omdat er zo snel op elkaar volgend twee sterfgevallen zijn geweest, worden we voortdurend door de media lastiggevallen, voornamelijk door de *Post* en de *News*, maar een verslaggever van de *Times* belt ook op.

En dan is er nog de memo die Rachel naar alle bewoners laat sturen om hun te laten weten dat er dit weekend vierentwintig uur per dag in het gezondheidscentrum iemand voor hen klaarstaat om hen te helpen hun verdriet te verwerken. Dat betekent dat ik zevenhonderd fotokopieën moet maken, en de werkstudenten moet overhalen die in driehonderd postvakjes te leggen; twee voor de tweepersoonskamers en drie voor de driepersoonskamers.

Eerst weigert Tina, de baliemedewerkster. Justine maakte blijkbaar altijd maar één kopietje per verdieping, en dat hing ze naast de liften.

Maar Rachel wil dat iedereen haar of zijn eigen kopietje krijgt. Ik moet tegen Tina zeggen dat het me niet uitmaakt hoe Justine alles deed, en dat ík wil dat het zo gebeurt. Daarop zegt Tina met veel gevoel voor theater: 'Het kan niemand iets schelen wat er met Justine is gebeurd! Ze was de beste baas die je je maar kunt wensen, en ze hebben haar zonder enige reden ontslagen! Ik heb haar zien huilen toen ze erachter kwam. Ik weet er alles van! New York College is toch zo oneerlijk!'

Ik wil opmerken dat Justine waarschijnlijk van opluchting huilde omdat ze alleen maar was ontslagen en niet zou worden vervolgd.

Maar ik mag de studenten niet vertellen dat Justine wegens diefstal is ontslagen. Net zoals we het hier geen studentenflat mogen noemen. Omdat dat geen veilig gevoel uitstraalt.

Daarom beloof ik Tina haar extra uit te betalen als ze die memo's uitdeelt. Daar klaart ze geweldig van op.

Tegen de tijd dat ik thuiskom – met de melk – is het al bijna zes uur. Geen spoor van Cooper. Waarschijnlijk is hij iemand aan het schaduwen, of wat privédetectives dan ook de hele dag uitspoken. Ik vind het prima, ik heb genoeg te doen. Ik heb de lijst met bewoners mee naar huis gesmokkeld, en die ga ik helemaal doornemen, en om elke bewoner die Todd of Mark heet, ga ik een rood kringetje zetten. En later ga ik hen allemaal bellen. De nummers kan ik op de administratie vinden. En dan ga ik hun vragen of ze Elizabeth of Roberta hebben gekend.

Ik weet nog niet wat ik ga doen als een van hen ja zegt. Ik kan natuurlijk niet zomaar vragen: 'Eh... heb jij haar soms in de liftschacht geduwd?' Maar dat zie ik dan wel weer.

Ik zit net over de lijst gebogen, met een glaasje wijn en een paar biscotti die ik in een kast heb gevonden, wanneer de bel gaat.

En dan herinner ik me ineens dat ik had aangeboden vanavond op Patty's kind te passen.

Patty ziet meteen dat er iets is als ik de deur opendoe. Ze vraagt: 'Wat is er gebeurd?'

'Niks,' stel ik haar gerust nadat ik Indy van haar heb overgenomen. 'Nou ja, er is wel iets gebeurd, maar niet met mij. Er is weer een meisje doodgegaan.'

'Alweer?' Frank, Patty's echtgenoot, kijkt opgetogen. Sommige mensen zijn geïntrigeerd door geweld. Frank is zo iemand. 'Hoe is ze aan haar eind gekomen? Overdosis?'

'Ze is in de liftschacht gevallen,' zeg ik. Ondertussen geeft Patty Frank een por in zijn ribben waarvan hij moet kreunen. 'Tenminste, dat denken we. En het geeft niet. Heus, ik voel me prima.'

'Wees een beetje lief tegen haar,' zegt Patty tegen haar man. 'Ze heeft een rotdag achter de rug.'

Patty heeft de neiging zenuwachtig te worden wanneer ze uitgaat. Ze voelt zich niet lekker in avondkleding, misschien omdat ze na de bevalling nog niet haar oude figuur heeft teruggekregen. Patty en ik zijn 's avonds een paar keer door SoHo gaan *powerwalken* om te voldoen aan de van overheidswege aangeraden zestig minuten lichaamsbeweging per dag.

Maar Patty kon geen etalage passeren zonder stil te blijven staan. Dan vroeg ze: 'Denk je dat die schoenen mij zouden staan?' En vervolgens ging ze naar binnen om ze te kopen.

En ik kon niet langs een bakker zonder naar binnen te gaan en een baguette te kopen.

Dus konden we er beter een punt achter zetten, want Patty's kasten puilen toch al uit, en wie heeft er zo veel brood nodig?

Bovendien kan Patty die schoenen nauwelijks dragen. Eigenlijk is ze een huismus, en dat is niet best voor de vrouw van een popster.

Want Frank Robillard is een beroemde popster. Bij hem vergeleken is Jordan een soort Yanni. Patty leerde hem kennen toen ze allebei voor Letterman werkten; hij zong, en zij was zo'n meisje dat met een dienblad met hapjes rondloopt. Het was liefde op het eerste gezicht. Je weet wel, waarover je leest, maar wat jezelf nooit overkomt.

'Hou op, Frank,' zegt Patty tegen haar grote liefde. 'We komen nog te laat.'

Maar Frank loopt rond in het kantoor en bekijkt Coopers spullen.

'Heeft hij al eens iemand doodgeschoten?' vraagt hij. Hij bedoelt of Cooper dat heeft gedaan.

'Dat zou hij me toch niet vertellen,' zeg ik.

Sinds ik bij Cooper ben ingetrokken, ben ik in Franks achting gestegen. Jordan heeft hij nooit gemogen, maar Cooper is zijn grote held. Hij heeft zelfs net zo'n jasje gekocht als Cooper heeft. Een tweedehandsjasje, zodat het er niet zo nieuw uitziet. Frank snapt niet dat het leven van een privédetective heel anders is dan op tv. Ik bedoel, Cooper hééft niet eens een pistool. In Coopers branche heb je alleen een camera nodig en de gave om op te gaan in de omgeving.

Cooper is daar verrassend goed in, met de omgeving versmelten.

'En, is het al aan tussen jullie?' vraagt Frank zomaar ineens. 'Tussen jou en Cooper?'

'Frank!' roept Patty ontzet uit.

'Nee, Frank,' zeg ik voor de driehonderdste keer deze maand.

'Frank,' zegt Patty. 'Cooper en Heather zijn huisgenoten. Met je huisgenoot begin je niets. Je weet toch dat alle romantiek verdwijnt als je iemand eenmaal in badjas hebt gezien? Zo is het toch, Heather?'

Ik knipper met mijn ogen. Daar heb ik nou nooit bij stilgestaan. Stel dat Patty gelijk heeft? Cooper zal me nooit beschouwen als iemand om mee uit te vragen, ook niet als ik de Nobelprijs voor geneeskunde heb gewonnen, omdat hij me te vaak zonder make-up in joggingbroek heeft gezien!

Patty en Frank nemen afscheid, en Indy en ik zwaaien hen uit terwijl ze de stoep af lopen en in de wachtende limousine stappen. De drugsdealers op straat kijken van een eerbiedige afstand toe. Ze vinden de band van Frank allemaal geweldig. Ik weet zeker dat Coopers huis nooit vol graffiti zit en er ook nooit wordt ingebroken omdat iedereen in de buurt weet dat we met Frank Robillard bevriend zijn.

Of misschien ligt het aan de alarminstallatie en de spijlen voor de ramen op de begane grond en de eerste verdieping. Wie zal het zeggen?

Indy en ik hebben een leuke avond. We kijken in mijn kamer naar *Forensic Files* en *The New Detectives*. Vanuit mijn kamer kan ik een oogje op het kind van mijn beste vriendin houden, én op de achtergevel van Fischer Hall. Wanneer ik naar het hoge bakstenen gebouw kijk, met al die verlichte ramen, moet ik denken aan wat Magda zei. Ze maakte een grapje over Elizabeth en Roberta, die er een einde aan hadden gemaakt omdat seks achteraf toch niet zo geweldig was als iedereen zegt. Bobby was nog maagd geweest. Volgens haar kamergenote, tenminste. En waarschijnlijk was Elizabeth Kellogg dat ook.

Is dat het? Is dat wat de twee meisjes met elkaar gemeen hadden? Maakt iemand de maagden van Fischer Hall van kant?

Of heb ik te veel afleveringen van CSI gezien?

Wanneer Patty en Frank hun spruit na middernacht komen ophalen, overhandig ik hem bij de voordeur. Hij was halverwege *Crossing Jordan* in slaap gevallen.

'Is alles goed gegaan?' vraagt Patty.

'Geen kind aan gehad,' zeg ik.

'Bij jou is hij altijd even lief,' zegt ze met de slapende baby in haar armen. 'Je zou zelf kinderen moeten hebben.'

'Ja, hoor, wrijf het er nog maar eens in,' zeg ik.

'Sorry,' zegt Patty. 'Ik vind het fijn dat je voor ons wilt oppassen, maar besef je wel dat je nog geen enkele keer hebt gezegd dat je niet kon omdat je iets anders te doen had? Heather, je moet er echt eens uit. Je moet je meer met je muziek bezighouden, maar je moet ook eens onder de mensen komen.'

'Ik kom vaak genoeg onder de mensen,' zeg ik verdedigend.

'Ik bedoel onder mensen die geen eerstejaars op het New York College zijn.'

'Dat kun jij gemakkelijk zeggen,' zeg ik. 'Jij hebt de ideale man aan de haak geslagen. Jij weet niet hoe het er in het echte leven aan toe gaat. Jij dacht toch dat Jordan een uitzondering was? Nou, Patty, hij is de norm.'

'Dat is niet waar,' reageert Patty. 'Je komt heus nog wel eens iemand tegen. Je moet alleen risico durven nemen.'

Waar heeft ze het over? Ik doe niets anders dan risico nemen. Ik probeer een psychopaat ervan te weerhouden nogmaals toe te slaan. Is dat soms niet voldoende? Moet ik ook nog een ring aan mijn vinger hebben?

Sommige mensen zijn ook nooit tevreden.

12

Ik moet er het hele weekend aan denken: de maagden van Fischer Hall.

Ik weet dat het idioot klinkt, maar toch moet ik er steeds aan denken.

Misschien heeft Patty gelijk, en nemen de kinderen in de studentenflat – ik bedoel: het studentenhuis – de plaats in mijn hart in waar liefde en mijn eigen kinderen zouden moeten huizen, als ik die had. Want ik maak me voortdurend zorgen om hen.

Niet dat er daar nog veel maagden over zijn. Dat weet ik toevallig. Sinds ik de snoepjes in de snoeppot op mijn bureau voor condooms heb verwisseld, komen er jongens en meisjes in hun pyjama om negen uur 's morgens naar mijn kantoor – en als je denkt dat negen uur 's ochtends vroeg is voor studenten, heb je nooit gestudeerd – en pakken condooms uit de pot.

Ze schamen zich daar niet voor. Wanneer de condooms op zijn en de pot een paar dagen leeg blijft omdat ik op nieuwe condooms van het gezondheidscentrum wacht, nou, dan krijg ik dat te horen. De studenten geven me de wind van voren: 'Hé, waarom zijn er geen condooms? Zijn ze op? Wat moet ik nou?'

In elk geval weet ik dus wie er allemaal seksueel actief zijn.

En ik kan je vertellen dat het er véél zijn. In Fischer Hall zijn maar weinig maagden over.

Toch heeft iemand ze weten te vinden, en hij heeft twee van hen vermoord.

Ik moet voorkomen dat er nog meer meisjes doodgaan. Maar hoe moet ik dat doen als ik geen flauw benul heb wie die kerel is? Met de lijst van bewoners kwam ik geen stap verder. Er waren drie Marks en niet één Todd. Maar er was wel een Tad. Een van de drie Marks is zwart (hij woont op dezelfde verdieping als Jessica – ik heb haar gebeld om haar naar hem te vragen), en een andere Mark is van Koreaanse afkomst (ik heb gebeld) en dat sluit deze twee Marks uit, want Lakeisha wist zeker dat de bewuste Mark blank was. Tad is overduidelijk homo, dus zei ik maar gauw dat ik verkeerd was verbonden toen hij de telefoon opnam.

De derde Mark was volgens zijn kamergenoot het weekend naar huis, en hij zou maandag pas terug zijn. Maar volgens zijn kamergenoot was hij maar een meter zeventig, en dat is niet echt lang te noemen.

Ik denk dat het onderzoek muurvast zit.

Omdat Cooper het hele weekend weg is, kon ik hem niet om deskundig advies vragen. Ik weet niet of hij mij uit de weg gaat, of dat hij het druk met zijn werk heeft, of dat hij druk is met... Nou ja, met iets anders. Sinds ik hier ben komen wonen, is er niemand bij hem blijven slapen, en als ik Jordan moet geloven, is dat voor Cooper heel uitzonderlijk, dat hij zo lang droogstaat. Maar omdat hij wel heel vaak dagenlang niet thuiskomt, kan ik alleen maar aannemen dat hij bij zijn huidige vlam is. Wie dat ook moge zijn.

Dat is echt typisch iets voor hem. Ik bedoel, dat hij het me niet inwrijft dat hij seksueel actief is en ik absoluut niet.

Toch had ik moeite met zijn hoffelijke gedrag naarmate het weekend vorderde en ik maar geen stap dichter kwam bij het achterhalen wie de Maagden van Fischer Hall om zeep helpt. Als er al zo iemand bestaat, natuurlijk.

En daarom was ik misschien de eerste die maandagochtend op de werkplek verscheen, met mijn koffie en bagel al achter de kiezen. Ik verdiepte me meteen in het dossier van Roberta Place.

Het dossier lijkt verrassend veel op dat van Elizabeth, hoewel de meisjes uit verschillende delen van het land kwamen; Roberta kwam uit Seattle. Maar ze hadden allebei bemoeizuchtige moeders. Roberta's moeder had Rachel gebeld omdat ze vond dat Roberta beter een andere kamergenoot kon hebben.

En dat kwam als een verrassing. Hoe kan iemand Lakeisha nou niet aardig vinden?

Maar volgens het dossier – waar alles in staat wat betrekking op de student heeft – bleek dat Rachel met Roberta had gesproken, en dat het mevrouw Pace was die moeite met Lakeisha had, niet Roberta. 'Niet dat ik iets tegen zwarten heb,' had mevrouw Pace volgens het verslag tegen Rachel gezegd, 'ik wil alleen niet dat mijn dochter met zo iemand sámenwoont.'

Met zulke dingen krijgen mensen in het hoger onderwijs dagelijks te maken, heb ik ontdekt. Gelukkig zijn het meestal niet de studenten die er moeite mee hebben, maar de ouders. Zodra de ouders naar huis zijn gegaan, is er geen vuiltje meer aan de lucht.

Het is echt jammer dat er mensen zoals mevrouw Pace bestaan.

Ik dwing mezelf verder te lezen. Volgens het dossier heeft Rachel Roberta naar haar kantoor laten komen en haar gevraagd of ze een andere kamer wilde, zoals haar moeder had gezegd dat het geval was. Maar Roberta zei nee, en dat ze Lakeisha graag mocht. Rachel schrijft dat ze Roberta toen had weggestuurd en dat ze mevrouw Pace had gebeld om haar te zeggen wat we in zo'n geval altijd zeggen: 'Het onderwijs vindt voor een groot deel buiten de collegezalen plaats, waar onze studenten kennismaken met andere culturen en manieren van leven. Hier in het New York College proberen we de studenten begrip voor andere culturen bij te brengen. U wilt toch zeker dat uw zoon of dochter met allerlei soorten mensen kan omgaan wanneer hij of zij eenmaal een werkkring heeft gevonden?'

Daarna zei Rachel dat Roberta geen andere kamer kreeg, en vervolgens hing ze op.

En dat was dat. Meer stond er niet in Roberta's dossier. Er was verder niets wat erop wees dat ze problemen had met het zich aanpassen aan het studentenleven.

Alleen is ze nu wel dood.

Ik hoor het belletje van de lift, gevolgd door het klikklakken van Rachels hakken op de marmeren vloer voor ons kantoor. Even later verschijnt ze in de deuropening, met in haar ene hand de dampende mok koffie die ze uit haar appartement heeft meegenomen, en de *Times* in haar andere. Ze kijkt verbaasd omdat ik er al zo vroeg ben. Hoewel ik maar vier minuten lopen hiervandaan woon, kom ik toch altijd vijf minuten te laat.

'Allemachtig!' zegt Rachel, blij me te zien. 'Wat ben jij vroeg! Heb je een leuk weekend gehad?'

'Ja, hoor,' zeg ik. Ik sla Roberta's dossier dicht en schuif het gauw onder de troep op mijn bureau.

Niet dat ik het niet zou mogen inzien. Ik wil Rachel alleen liever niet vertellen wat ik vermoed: dat de meisjes zijn geduwd. Ik bedoel, misschien had ik iets over de sleutel moeten zeggen, of over het condoom, of op zijn minst dat beide meisjes onlangs een nieuwe vriend hadden...

Maar stel dat Cooper gelijk heeft? Stel dat Elizabeth en Roberta gewoon zijn gevallen, en dat ik alles opblaas omdat ik denk dat ze zijn vermoord? Zou Rachel dan in mijn dossier zetten dat ik last heb van waanideeën? Zou ik dan de laan uit worden gestuurd voordat mijn proeftijd van een half jaar erop zit? Kunnen ze me om die reden ontslaan, net zoals ze Justine hebben ontslagen? Ook al heb ik geen enkele keramische kachel gejat?

Ik durf het risico niet te nemen, en daarom houd ik mijn vermoedens voor mezelf.

'Het ging wel,' zeg ik in antwoord op Rachels vraag hoe mijn weekend was. Trouwens, afgezien van het bellen over de Marks en de Tad, heb ik niets anders gedaan dan Lucy uitlaten, tv-kijken, en een beetje gitaarspelen. Niets wat de moeite van het melden waard is. 'En jij?'

'Vreselijk,' zegt Rachel hoofdschuddend. Voor iemand die een rotweekend achter de rug heeft, ziet ze er geweldig uit. Ze heeft een nieuw pakje aan met een perfecte pasvorm. Het zwart doet haar bleke huid mooi uitkomen, en haar haar lijkt nog dieper kastanjebruin. 'Roberta's ouders waren er om de spullen van hun dochter op te halen,' gaat Rachel verder. 'Het was een nachtmerrie. Uiteraard gaan ze een schadevergoeding eisen. Maar op welke gronden weet ik ook niet. Die arme mensen, ik had echt medelijden met ze.'

'Ja,' zeg ik. 'Dat moet heel rot zijn geweest.'

De telefoon op Rachels bureau gaat. 'O, hoi, Stan,' zegt ze nadat ze heeft opgenomen. 'O, dank je wel, maar het gaat goed, hoor. Ja, het was afschuwelijk...'

Wauw. Stan. Dus Rachel mag meneer Jessup nu bij zijn voornaam noemen. Nou, ik denk dat als een paar van de studenten in je studentenflat – oeps, studentenhuis, bedoel ik – doodgaan, je het hoofd van dat instituut wel leert kennen.

Ik neem de verslagen door die de baliemedewerkers in het weekend voor me hebben gemaakt. Meestal ben ik om elf uur 's ochtends wel klaar met de salarissen, het budget en de memo's die uitgetikt moeten worden. En dan heb ik de rest van de dag alle tijd om op internet te surfen, om met Magda of Patty te kletsen, of erachter te komen wie er hier meisjes vermoordt. Ik had al besloten dat dat mijn taken voor maandag waren.

Maar ik weet nog niet precies hoe ik het moet aanpakken.

Ik ben net klaar met de salarissen als ik twee in Nikes gehulde voeten zie. Ik kijk op, in de verwachting een basketballer te zien, hopelijk met een briefje dat in mijn verzameling kan.

Maar nee, ik zie Cooper.

'Hoi,' zegt hij.

Is het mijn schuld dat mijn hart een dubbele salto maakt? Ik bedoel, ik heb hem al een tijdje niet meer gezien. Wel bijna twee-enzeventig uur. Bovendien heb ik al heel lang geen man meer gehad. Daarom kan ik mijn ogen zeker niet afhouden van de gulp van zijn spijkerbroek. De spijkerbroek is daar net als bij zijn knieën verbleekt.

Onder zijn verweerde leren jasje draagt hij een blauw overhemd, precies dezelfde kleur blauw als zijn ogen.

'Wa-wa...' Is het enige wat ik weet uit te brengen. Dat komt door zijn spijkerbroek, en natuurlijk omdat ik een loser ben die stapelverliefd op hem is.

Hij heeft een krant onder zijn arm, en die vouwt hij open en legt hem vervolgens op mijn bureau.

'Wa-wa...' zeg ik weer. Tenminste, zo klinkt het mij in de oren.

'Ik wilde zeker weten dat je hiervan op de hoogte was,' zegt Cooper. 'Voordat *Us Weekly* belt en je ermee overvalt.'

Ik kijk naar de krant. Het is de *New York Post*. Op de voorpagina staat een uitvergrote foto van mijn ex-verloofde en Tania Trace, die samen op een terrasje in SoHo zitten te eten. Eronder staat een grote kop:

ZE ZIJN VERLOOFD!

13

She shut you out.
What'd you do to deserve this?
She shut you out.
Put you out of service

Did she think you'd take this lying down?
Does she think you like playin' the clown?

I'd never shut you out.
You gotta believe me.
I'd never shut you out.
You're all I need.
Baby, cant't you see?
Don't shut me out.

'Shut You Out'
Zang: Heather Wells
Tekst: Valdez/Caputo
Van het album: *Staking Out Your Heart*
Cartwright Records

Wauw. Hij laat er geen gras over groeien. Ik bedoel, het is pas vier, vijf maanden uit tussen ons.

'Wa-wa...' lijkt het enige wat ik kan uitbrengen.

'Ja,' zegt Cooper. 'Ik dacht al dat je dat zou zeggen.'

Ik zit daar maar naar de foto van Tania's ring te kijken. Die ziet er precies zo uit als MIJN ring. De ring die ik van mijn vinger heb gerukt en die ik hem naar zijn kop heb gesmeten toen ik hen in onze slaapkamer betrapte.

Maar het kan dezelfde ring niet zijn. Jordan is platvloers, maar niet zó platvloers.

Ik sla de krant open op de pagina met een heel artikel over hen.

Kijk nou toch eens, ze zijn niet alleen verloofd, ze gaan ook samen op tournee.

'Gaat het?' vraagt Cooper.

'Jawel,' zeg ik, blij dat er iets anders uitkomt dan: wa-wa...

'Als het een troost voor je is,' zegt hij, 'haar nieuwste single staat niet meer bij TRL op de lijst.'

Ik vraag Cooper maar niet waarom hij naar *Total Request Live* kijkt. In plaats daarvan zeg ik: 'Ze halen altijd de clips eruit die al lang op de lijst staan. Dat wil niet zeggen dat het geen populair nummer meer is.'

'O.'

Cooper kijkt om zich heen, duidelijk op zoek naar iets anders om over te praten. Mijn kantoortje is zo'n beetje de receptie voor Rachels kantoor. Er staat een prachtig metalen hek tussen. Al vanaf het moment dat ik hier werk, zeur ik de lui van onderhoud aan het hoofd om dat weg te halen. Ik heb mijn kant versierd met posters van Monet, en toen Rachel de waterlelies bij Giverny wilde vervangen door affiches tegen verkrachting en voor welzijnswerk in de buurt, hield ik mijn poot stijf.

Ik heb ooit in een tijdschrift gelezen dat Monet rustgevend is. Daarom zie je posters van zijn schilderijen zo vaak in de wachtkamer van de dokter.

'Leuk hier,' zegt Cooper. Dan valt zijn blik op de snoeppot vol condooms.

Ik krijg een kop als een biet.

Rachel kiest dat moment uit om op te hangen en haar hoofd om het hek te steken. 'Kan ik iets voor je doen?'

Wanneer ze ziet dat onze bezoeker mannelijk is, lang en nog geen veertig – en waanzinnig sexy – zegt ze op een heel andere toon: 'O... Hallooo.'

'Goedemorgen,' zegt Cooper beleefd. Cooper is altijd beleefd tegen iedereen, behalve tegen familieleden. 'Jij bent zeker Rachel. Ik ben Cooper Cartwright.'

'Leuk je te leren kennen,' zegt Rachel. Ze schudt zijn uitgestoken hand en lacht stralend. 'Cooper... Cooper... Och ja, de vriend van Heather. Ik heb al veel over je gehoord.'

Cooper kijkt me even aan, en er verschijnen lachrimpeltjes rond zijn ogen. 'Ja?'

Ik zou wel door de grond kunnen zakken. Ik probeer me te herinneren wat ik Rachel allemaal over Cooper heb verteld. Behalve dat hij mijn huisbaas is, bedoel ik. Want stel dat ik indiscreet ben geweest en heb gezegd dat Cooper voor mij de ideale man belichaamt, en dat ik soms fantasietjes heb waarin ik zijn kleren met mijn tanden van zijn lijf ruk? Het is voorgekomen dat ik zulke dingen zeg, wanneer ik te veel Krispy Kremes heb gegeten, in combinatie met een overdosis cafeïne.

Maar Rachel zegt alleen maar: 'Je hebt zeker wel gehoord dat we hier problemen hebben.'

Cooper knikt. 'Ja, dat heb ik gehoord.'

Weer lacht Rachel, nu iets minder stralend. Ik weet dat ze in haar hoofd aan het berekenen is wat Coopers horloge heeft gekost – hij heeft er zo eentje van zwarte kunststof met veel toeters en bellen – en tot het besluit komt dat hij onmogelijk een ton per jaar kan verdienen.

Ze moest eens weten...

Dan gaat de telefoon op haar bureau weer, en ze neemt op.

'Fischer Hall, met Rachel. Wat kan ik voor u doen?'

Cooper trekt zijn wenkbrauwen op, en ineens herinner ik me dat Magda heeft gezegd dat Rachel Coopers type is.

Nee! Dat is niet eerlijk! Rachel is iedereens type! Ik bedoel, ze is aantrekkelijk en sportief, ze ziet er goed uit en heeft iets bereikt, ze heeft op Yale gestudeerd en drukt haar stempel op de wereld om haar heen. En ik? Wat moeten meisjes zoals ik, die alleen maar, eh... aardig zijn? Hoe zit het met aardige meisjes? Hoe moeten wij het opnemen tegen al die bekwame, sportieve meisjes die voortdurend onder de douche staan, die diploma's hebben behaald, die Palm Pilots hebben en strakke billen?

Voordat ik de kans krijg om voor mijn eigen soort op te komen, stormt iemand van de onderhoudsploeg naar binnen.

'Hedder,' roept Julio handenwringend uit. Julio is klein en draagt een bruin uniform. Zonder dat hem dat wordt gevraagd, maakt hij elke dag het bronzen beeldje van Pan dat in de lobby staat, met een tandenborstel schoon.

'Hedder, die jongen doet het weer.'

Ik knipper met mijn ogen. 'Bedoel je Gavin?'

'*Sí.*'

Tersluiks kijk ik naar Rachel. Die kwekt in de telefoon. 'O, meneer Allington, maakt u zich over mij maar geen zorgen. Ik ben vooral bezorgd over de studenten...'

Gelaten slaak ik een zucht. Dan sta ik op. Ik moet er maar mee leren leven dat ik vergeleken bij Cooper altijd een enorme kluns lijk.

Daar kan ik niets aan doen.

'Ik regel het wel,' zeg ik.

Julio kijkt even naar Cooper, en nog steeds handenwringend vraagt hij: 'Wil je dat ik met je meega, Hedder?'

'Wat is er?' vraagt Cooper achterdochtig. 'Wat is er aan de hand?'

'Niks,' zeg ik. 'Bedankt voor je komst. Maar nu moet ik weg.'

'Waar ga je naartoe?' vraagt Cooper.

'Ik moet gewoon even iets regelen. Tot straks.'

Daarna loop ik snel het kantoortje uit en ga naar de dienstlift, die alleen door het personeel mag worden gebruikt. De lift heeft zo'n metalen hek binnen de deuren om de studenten buiten te houden.

Maar ik weet met welke hendel je het hek kunt openen. Ik haal die hendel over, en draai me dan om om tegen Julio te zeggen dat ik er klaar voor ben.

Maar Julio staat niet achter me. Het is Cooper.

'Heather,' zegt hij geërgerd, 'wat is er aan de hand?'

'Waar is Julio?' vraag ik met een piepstemmetje.

'Dat weet ik niet,' antwoordt Cooper. 'In je kantoortje, denk ik. Waar ga je naartoe?'

In de liftschacht hoor ik gelach en gejoel. Waarom ik? Waarom?

Maar ik kan er niets aan doen. Ik bedoel, het hoort bij mijn werk. En als ik het volhoud, kan ik uiteindelijk gratis een medische opleiding afronden.

'Kun jij de dienstlift bedienen?' vraag ik aan Cooper.

Nu kijkt hij nog meer geërgerd dan daarnet. 'Ik denk het wel.'

Meer gejoel in de liftschacht.

'Oké,' zeg ik. 'Daar gaan we.'

Cooper ziet er nu zowel nieuwsgierig als geërgerd uit. Hij stapt achter me aan de lift in, en omdat de deursponning zo laag is, moet hij zijn hoofd buigen. Ik trek het hek dicht en haal de hendel over. Schokkend en piepend gaat de lift naar boven. Ik zet mijn voet op de leuning, trek me op en grijp me vast aan het gat in het plafond waar een paneel uit is gehaald. Door het gat kan ik de kabels zien, en de kale bakstenen van de liftschacht. Heel hoog zie ik ook licht; daar schijnt de zon door de raampjes die verplicht in een liftschacht moeten zitten.

Cooper ziet er niet meer nieuwsgierig uit, alleen nog maar geërgerd.

'Waar ben je mee bezig?' vraagt hij.

'Maak je niet druk,' zeg ik. 'Het gaat best. Ik heb dit al vaker gedaan.' Ik heb mijn hoofd en schouders al door het gat in het plafond, en ik trek me op om mijn heupen erdoorheen te wurmen.

Dan moet ik even uitrusten. Ik ben best zwaar om op te trekken

'Is dít wat je de hele dag doet?' vraagt Cooper beneden me. 'Staat er in je functieomschrijving dat je achter liftsurfers aan moet zitten?'

'Nee, dat staat er niet in,' antwoord ik. Verbaasd kijk ik tussen mijn knieën door naar beneden, in zijn opgeheven gezicht. De donkere muren van de liftschacht glijden als water langs me heen. 'Iémand moet het toch doen?' En als ik het niet doe, kom ik nooit door de zes maanden proeftijd heen. 'Welke verdieping zijn we?'

Cooper tuurt door het hek naar de nummers die op de binnenkant van de liftdeuren zijn geschilderd.

'Negen,' zegt hij. 'Je weet toch dat je maar één verkeerde beweging hoeft te maken en jou gebeurt wat die dode meisjes is overkomen?'

'Dat weet ik,' zeg ik. 'Daarom moet ik ze een halt toeroepen. Er zou iemand kunnen vallen. Iemand anders, bedoel ik.'

Cooper zegt zachtjes iets wat als een vloek klinkt. En dat is verrassend, want hij vloekt bijna nooit.

Een verdieping hoger verdwijnen twee van de muren van de liftschacht, zodat ik in de liftschachten van de andere liften kan kijken. Bij de tiende verdieping staat een lift, en door omhoog te kijken kan ik de andere lift vijf verdiepingen hoger zien hangen.

Het gejoel klinkt harder.

Op dat moment komt lift nummer 2 naar beneden, en op het dak ervan zie ik tussen de kabels en lege bierflesjes Gavin McGoren, een tweedejaars cinematografie, een fervente fan van de *Matrix*, en een hardnekkige liftsurfer.

'Gavin!' roep ik als lift nummer 3 langskomt. In tegenstelling tot mij staat hij en bereidt hij zich voor om naar lift nummer 1 te springen. 'Kom daar onmiddellijk af!'

Verbaasd kijkt Gavin om, dan kreunt hij als hij me tussen de kabels ziet zitten. Ik zie maaiende armen en benen wanneer zijn maten zich door het luik in de lift laten zakken. Ze willen niet door mij worden herkend.

'Shit!' zegt Gavin, omdat hij niet net als zijn vrienden gauw weg heeft weten te komen. 'Betrapt!'

'Ja, en vannacht zul je in het park moeten slapen,' zeg ik, hoewel niemand ooit vanwege liftsurfen uit het studentenhuis is gezet. Tenminste, tot nu toe. Want wie weet, misschien is de directie na de ongelukken wel strenger geworden. Je moet echt iets heel ergs uitvreten om op straat te worden gezet, zoals een hakbijl naar een student-assistent gooien. Dat had iemand vorig jaar gedaan, las ik in een dossier.

Maar het volgende studiejaar werd die student toch weer toegelaten omdat hij in de zomervakantie psychologische hulp had gezocht.

'Godverdomme!' schreeuwt Gavin. Maar daar trek ik me niets van aan; het is Gavin maar.

'Vind je dit grappig?' vraag ik. 'Weet je wel dat er de afgelopen twee weken twee meisjes zijn doodgevallen? En jij werd vanmorgen wakker en vond dat dit een goed moment voor een ritje was.'

'Dat waren amateurs,' zegt Gavin. 'Heather, je weet toch dat ik weet hoe het moet?'

'Ik weet dat je een idiote waaghals bent,' reageer ik. 'En kom er nu af. Als je niet in Rachels kantoor bent tegen de tijd dat ik beneden kom, laat ik een ander slot op je deur zetten en confisqueer ik al je spullen.'

'Shit!' Gavin verdwijnt door het gat in de lift en legt het paneel netjes terug.

Lift nummer 2 begint aan de tocht naar de lobby, en ik blijf even zitten, genietend van het duister en de stilte. Ik ben dol op de liftschachten. Het is de vredigste plek van de hele studentenflat – het studentenhuis, bedoel ik.

Als er tenminste geen mensen in vallen.

Wanneer ik me in de lift laat zakken – geen jury zou me daar een 10 voor geven – staat Cooper in een hoek. Hij heeft zijn armen over elkaar geslagen en fronst diep.

'Wat had dat te betekenen?' vraagt hij terwijl ik de hendel overhaal zodat we teruggaan naar de begane grond.

'Dat was gewoon Gavin,' zeg ik. 'Hij doet dat wel vaker.'

'O, nee.' Cooper klinkt echt kwaad. 'Dit heb je expres gedaan. Om me te laten zien hoe een echte liftsurfer zich gedraagt, en om me duidelijk te maken dat die twee meisjes dat niet waren.'

Ik kijk kwaad terug. 'Oké,' zeg ik. 'Dacht je soms dat ik dit met Gavin heb afgesproken? Dacht je soms dat ik wíst dat je vandaag zou komen om me te confronteren met de verloving van mijn ex, en dat ik Gavin belde, zo van: "Zeg, ga eens even surfen op lift nummer 2, dan kom ik om je te betrappen, en dan kan ik mijn vriend Cooper het verschil laten zien tussen echte liftsurfers en amateurs"?'

Cooper kijkt onthutst, maar niet om de reden die ik denk.

'Ik kwam niet om je daarmee te confronteren,' zegt hij. 'Ik wilde dat je het had gezien voordat een verslaggever van de *Star* je er vragen over zou stellen.'

Het dringt tot me door dat ik misschien te heftig heb gereageerd, en ik zeg: 'O ja, dat zei je al.'

'Ja,' zegt Cooper. 'Dat zei ik. Doe je dat vaak, op liften klimmen?'

'Ik klom niet, ik zat erop,' zeg ik. 'En ik doe het alleen als iemand iets in de liftschacht heeft gehoord. Dat is ook nog zoiets raars met Elizabeth en Roberta. Niemand heeft iets gehoord. Nou ja, toen Roberta viel wel...'

'En jij moet ze eraf halen?' vraagt Cooper. 'Als iemand ze hoort?'

'Nou ja, we kunnen het de student-assistenten moeilijk vragen. Dat zijn studenten. En het staat niet in het vakbondscontract van de onderhoudsmedewerkers.'

'En het staat wel in het jouwe?'

'Ik ben niet aangesloten bij een vakbond,' breng ik hem in herinnering. Ik vraag me af waar hij naartoe wil. Ik bedoel, maakt hij zich echt zorgen om me? En als dat zo is, maakt hij zich zorgen om mij als maatje? Of is het meer? Gaat hij aan de hendel van de rem trekken, de lift stilzetten en me in zijn armen nemen om me met gesmoorde stem te vertellen dat hij van me houdt en dat het bloed in zijn aderen stolt bij de gedachte dat hij me kan kwijtraken?

'Heather, je zou je ernstig kunnen bezeren, en dan heb ik het nog niet eens over doodvallen,' zegt hij. Het is me wel duidelijk dat hij me niet in zijn armen gaat nemen. 'Hoe kon je...' Ineens knijpt hij zijn ogen tot spleetjes. 'Wacht eens. Je vindt het leuk.'

Ik knipper met mijn ogen. 'Wat?' Ja, hoor, ik sta altijd met een gevat antwoord klaar.

'Je vindt het leuk.' Ontzet schudt hij zijn hoofd. 'Je vond dat leuk, daarnet, hè?'

Ik haal mijn schouders op. Alsof ik niet weet waar hij het over heeft. 'Het is leuker dan de salarissen berekenen,' zeg ik.

'Je vindt het leuk,' zegt hij alweer, net of ik niets heb gezegd. 'Omdat je de opwinding mist van voor duizenden gillende tieners op te treden.'

Een poosje staar ik hem aan, dan barst ik in lachen uit.

'Jezus,' breng ik met moeite uit. 'Meen je dat serieus?'

Maar aan zijn gezicht zie ik dat het zo is.

'Lach maar,' zegt hij. 'Je had een hekel aan de troep die je van de platenmaatschappij moest zingen, maar van de optredens kreeg je een kick. Ontken het maar niet; je kreeg er een kick van.' Hij kijkt me strak aan met zijn blauwe ogen. 'Daar gaat het allemaal om, hè? Jacht maken op moordenaars en liftsurfers. Je mist de opwinding.'

Ik hou op met lachen en bloos alweer. Ik weet niet waar hij het over heeft.

Nou ja, misschien weet ik dat ook wel. Ik ben inderdaad niet iemand die de zenuwen krijgt bij de gedachte aan een optreden voor een grote menigte. Vraag me om op een cocktailparty een luchtig gesprekje met dertig mensen te houden, en je kunt me net zo goed vragen de stelling van Pythagoras uit te leggen. Maar met een paar nummers achter de microfoon gaan staan? Geen enkel probleem. Het zit zelfs zo dat...

Nou ja, ik vond het wel leuk. Erg leuk.

Maar mis ik het? Misschien een beetje. Maar niet genoeg om ernaar terug te verlangen. O, nee. Ik ga nooit meer terug.

Alleen op mijn voorwaarden.

'Daarom ging ik niet achter Gavin aan,' zeg ik. Omdat ik echt het verband niet zie. Jacht maken op liftsurfers is niets vergeleken bij een optreden voor drieduizend gillende meiden. Helemaal niets. Trouwens, analyseert Sarah mijn psyche al niet genoeg? Moet Cooper dat nou echt ook gaan doen? 'Hij had wel kunnen doodvallen...'

'Je had zélf wel kunnen doodvallen.'

'Nee, hoor,' zeg ik, zo redelijk mogelijk. 'Ik doe heel voorzichtig. En dat jacht maken op moordenaars... Ik zei toch dat ik niet echt denk dat die meisjes...'

'Heather,' onderbreekt hij me hoofdschuddend. 'Waarom bel je niet gewoon je agent en vraag je hem een optreden voor je te regelen?'

Mijn mond valt open.

'Wat? Waar heb je het over?'

'Het is wel duidelijk dat je dolgraag weer eens op het toneel wilt staan. Ik snap dat je wilt gaan studeren, maar weet je, niet iedereen vindt een studie bevredigend.'

'Maar...' Het is toch niet te geloven! Mijn ziekenhuiszaal! Mijn Nobelprijs! Mijn afspraakje met hem! Ons detectivebureau en de drie kinderen: Jack, Emily en de kleine Charlotte!

'Ik... ik zou het niet kunnen!' roep ik uit. En dan kom ik met mijn smoes op de proppen: 'Ik heb niet genoeg nummers voor een optreden...'

'Nou, mij kun je niet voor de gek houden,' zegt Cooper, met zijn blik op de nummers van de verdiepingen gericht waar we met duizelingwekkende vaart langs komen: 14, 12, 11...

'Hoe... hoe bedoel je?' stamel ik. Plotseling krijg ik het koud vanbinnen. Het is dus waar; hij kan me wel degelijk horen repeteren!

Maar nu kijkt hij ongemakkelijk. Aan zijn frons te zien heeft hij spijt dat hij erover is begonnen.

'Laat ook maar,' zegt hij. 'Vergeet dat ik er iets over heb gezegd.'

'Nee, je bedoelde er iets mee.' Waarom geeft hij het niet gewoon toe? Waarom geeft hij niet gewoon toe dat hij me heeft gehoord?

Ik weet wel waarom. Ik weet wel waarom, en daarom kan ik wel door de grond gaan.

Omdat hij het verschrikkelijk vindt. Mijn nummers. Hij heeft ze gehoord en vindt het rotzooi.

'Zeg nou maar wat je ermee bedoelde.'

'Laat maar,' zegt hij. 'Je hebt gelijk, je hebt niet genoeg nummers voor een optreden. Vergeet maar wat ik heb gezegd, oké?'

De lift komt op de begane grond aan. Cooper schuift het hek naar opzij en houdt het voor me open. Hij ziet er eerder moordlustig uit dan beleefd.

Geweldig, nu is hij kwaad op me. We staan in de lobby, en omdat het nog erg vroeg is – voor achttienjarigen, tenminste – is er verder niemand, afgezien van Pete en de baliemedewerker. Pete is verdiept in de *Daily News*, de baliemedewerker luistert in vervoering naar een cd van Marilyn Manson.

Ik zou het hem gewoon moeten vragen. Hij gaat vast niet zeggen dat het troep is. Hij is zijn vader niet, en hij is ook niet Jordan.

Maar dat is het hem nou net. Met kritiek van zijn vader heb ik geen moeite, en ook niet met kritiek van zijn broer. Maar met kritiek van Cooper zelf?

Nee. Want als hij er niets aan vindt...

Jezus, wees toch niet zo'n angsthaas en VRAAG HET HEM GEWOON.

'Heather,' zegt Cooper terwijl hij met zijn hand door zijn donkere haar strijkt. 'Luister. Ik denk alleen maar...'

Maar voordat ik erachter kan komen wat Cooper denkt, komt Rachel de hoek om.

'O, daar ben je,' zegt ze wanneer ze ons ziet. 'Gavin is in mijn kamer. Ik ga zo meteen een hartig woordje met hem wisselen. Bedankt dat je hem eraf hebt gekregen. Zeg, Heather, ik vroeg me af of je een van de werkstudenten deze mededelingen kunt laten ophangen.'

Rachel geeft me een hele stapel papier. Ik kijk ernaar en zie dat het de aankondiging is voor een playbackshow die de studentenraad heeft georganiseerd, vanavond in de cafetaria, na het avondeten.

'Eerst wilde ik het niet toestaan.' Rachel vindt kennelijk dat ze het moet uitleggen. 'Ik bedoel, zo'n stomme playbackshow na twee zulke tragische gebeurtenissen... Maar Stan vindt dat ze wel een beetje afleiding kunnen gebruiken. En ik kon niet anders dan het daarmee eens zijn.'

Stan. Wauw. Rachel is wel erg dikke maatjes met de baas.

'Klinkt goed,' zeg ik.

'Ik wilde net koffie gaan drinken voordat ik Gavin ga aanpakken.' Rachel houdt haar mok op van de American Association for Counseling and Development op. 'Doet er iemand met me mee?'

Ze zegt het tegen ons allebei, maar haar blik is op Cooper gericht.

Jezus, Rachel vraagt Cooper om koffie met haar te gaan drinken... Míjn Cooper!

Natuurlijk weet ze niet dat hij míjn Cooper is. Want hij is míjn Cooper helemaal niet. En het ziet er niet naar uit dat hij dat ooit zal worden...

Zeg nee, denk ik. Ik probeer mijn gedachten naar zijn hersenen te sturen, zoals ze dat in *Star Trek* doen. Zeg nee, zeg nee, zeg nee, zeg...

'Nee, dank je,' zegt Cooper. 'Ik heb nog heel veel te doen.'

Gelukt!

Rachel lacht en zegt: 'Misschien een andere keer?'

'Oké,' zegt Cooper.

En Rachel loopt klikklakkend weg.

Zodra ze uit het oog is verdwenen, zeg ik zonder te laten merken dat ik hem op de Vulcan-manier aanstuurde: 'Ik moet ook weer eens aan het werk.' Ik hoop dat hij niet verder doorgaat op waar we het in de lift over hadden. Daar kan ik nu even niet tegen. Niet na de aankondiging van Jordans verloving. Weet je, een meisje kan maar zo en zoveel hebben op een dag.

Misschien voelt Cooper dat aan. Of misschien merkt hij dat ik zijn blik probeer te ontwijken.

In elk geval zegt hij alleen maar: 'Oké. Nou, dan zie ik je straks wel. O, en Heather...'

Mijn hart slaat over. Nee, alsjeblieft niet nu. Niet nu ik net dacht dat ik ervan af was...

'De ring,' zegt hij.

Wacht eens. Wat? 'De ring?'

'Tania's ring.'

O! Tania's verlovingsring! De ring die er precies zo uitziet als de ring die ik Jordans gezicht heb gesmeten!

'Ja?'

'Dat is niet de jouwe,' zegt Cooper.

En dan loopt hij weg.

14

You think she's got
So much sophistication
I think she's just
In need of medication

Why'd you pick
Her instead of me
When she's in so much
Need of therapy?

What's she got that I don't have?
What's she give you that I can't?
How did she become your girl
Instead of
Me?

'What's She Got'
Zang: Heather Wells
Tekst: O'Brien/Henke
Van het album: *Staking Out Your Heart*
Cartwright Records

Eigenlijk is het wel toepasselijk dat de studentenraad een play-backshow in Fischer Hall organiseert. Want laten we wel zijn, New York College zit vol jongens en meisjes die net als ik een kick van optreden krijgen.

Daarom hebben ze mij natuurlijk gevraagd om in de jury te zitten, een hele eer. Natuurlijk heb ik ja gezegd. Niet omdat ik – zoals Cooper denkt – dolgraag weer wil gaan optreden, maar omdat ik dacht dat als ik de geheimzinnige Mark/Todd wil vinden (als hij al bestaat), ik tijdens een evenement in Fischer Hall de meeste kans maak om dat te doen, omdat die vent overduidelijk in het gebouw woont.

Misschien werkt hij hier ook wel. Dat had inspecteur Canavan geopperd, ook al was het plagerig bedoeld.

Het is hoogst onwaarschijnlijk dat een van de mensen met wie ik werk een moordenaar is. Maar hoe moet ik anders dat incident van de liftsleutel verklaren? En dan heb ik het nog niet eens over de dossiers van beide meisjes die in het kantoortje lagen. Niet dat dat er iets mee te maken hoeft te hebben, maar, zoals Sarah zou zeggen, zowel Elizabeth als Roberta had met problemen te kampen...

En hun problemen stonden in hun dossier opgetekend.

Weet je, zowel de student-assistenten als de mensen van de onderhoudsploeg beschikken over de sleutel van het kantoor dat Rachel en ik delen. Dus als er echt een kerel is die in de dossiers op zoek gaat naar potentieel kwetsbare, onervaren meisjes die hij gemakkelijk kan verleiden, moet het iemand zijn die ik ken.

Maar wie? Wie ken ik die in staat is tot zoiets verschrikkelijks? Een van de student-assistenten? Er zijn er vijftien, en zeven van hen zijn van het mannelijk geslacht. Maar geen van hen zou ik een echte versierder durven noemen, en al helemaal geen psychopathische moordenaar. Zoals dat bij student-assistenten meestal het geval is, zijn het nerds; jongens die het geloven wanneer iemand beweert dat ze een kreteksigaret rookten, en geen joint. Ze kennen het verschil gewoon niet.

Trouwens, iedereen hier kent de student-assistenten. Ik bedoel, tijdens het avondeten houden ze praatjes over veilig vrijen en zo. Als Mark of Todd student-assistent was geweest, zou Lakeisha hem wel hebben herkend.

En de onderhoudsploeg kun je ook wel vergeten. Dat zijn allemaal mannen van Spaanse afkomst, en alleen Julio beheerst het Engels voldoende om door iemand te worden begrepen die niet tweetalig is. Bovendien werken ze allemaal al jarenlang in Fischer Hall. Waarom zouden ze dan nu opeens mensen om zeep gaan helpen?

Dus blijven alleen de vrouwelijke personeelsleden over. Eigenlijk zou ik die ook op mijn lijst met verdachten moeten zetten, want ik wil niet seksistisch zijn.

Maar geen van hen kan verantwoordelijk zijn voor dat condoom onder Roberta's bed.

Misschien ben ik wel de enige die het vreemd vindt dat beide meisjes – die gemeen hadden dat over allebei een dossier in het kantoor lag, en die een week na elkaar een vriendje hadden gekregen – allebei los van elkaar ineens besloten te gaan liftsurfen, en allebei doodvielen op het moment dat de sleutel van de liftdeuren zoek was. En die sleutel dook plotseling weer op nadat het lijk van een van de meisjes was gevonden.

Daarom glip ik om zeven uur die avond mijn huis uit – sinds dat akkefietje met de lift van vanmorgen heb ik niets meer van Cooper gehoord, en dat vind ik prima, want eerlijk gezegd zou ik niet weten wat ik tegen hem moest zeggen.

En daarom bots ik ook pardoes tegen Jordan Cartwright op, die net het trappetje voor het huis op loopt.

'Heather!' roept hij uit. Hij heeft zo'n overhemd met ruches aan, van het soort waarover ze in *Seinfeld* grapjes maken, en een leren broek.

Ja, een leren broek. Het spijt me het te moeten zeggen.

Erger nog is dat het hem goed staat.

'Ik kwam net even langs om te kijken hoe het met je gaat,' zegt hij. Zijn stem klinkt bezorgd. Hij denkt zeker dat ik geestelijke bijstand nodig heb.

'Met mij gaat het prima,' zeg ik terwijl ik de deur dichttrek en alle sloten vergrendel. Vraag me niet waarom we zo veel sloten hebben als we ook een inbraakalarm hebben en daarbovenop ook nog eens al die rasta's die de buurt in de gaten houden.

'Goedenavond,' zegt een van de drugsdealers.

'Dank je,' zeg ik tegen de dealer. Tegen Jordan zeg ik: 'Het spijt me, ik heb geen tijd voor een babbeltje. Ik moet ergens naartoe.'

Jordan loopt met me mee het trappetje af.

'Ik weet niet of je het al hebt gehoord,' zegt hij. 'Van Tania en mij. Ik wilde het je laatst vertellen, maar je was zo afwerend... Ik vind het rot dat je het op deze manier moest horen, Heather,' zegt hij terwijl hij met grote stappen met me oploopt. 'Echt, ik had het je zelf willen vertellen.'

'Maak je daar maar niet druk om, Jordan,' zeg ik. Waarom gaat hij niet gewoon weg? 'Het geeft niet. Heus niet.'

'Hé!' Een van de dealers snijdt ons de pas af. 'Ben jij niet die gozer?'

'Nee,' zegt Jordan tegen de dealer. Tegen mij zegt hij: 'Heather, loop toch niet zo snel. Ik wil met je praten.'

'Er valt niets te zeggen,' reageer ik zo opgewekt mogelijk. 'Met mij gaat het prima. Alles is dik in orde.'

'Nee, het is niet in orde,' zegt Jordan. 'Ik vind het vreselijk om je zo verdrietig te zien. Ik kan er niet tegen...'

'Zeg,' zeg ik tegen de dealer, die ons volgt. 'Dit is Jordan Cartwright. Je weet wel, van Easy Street.'

'Die gozer van Easy Street!' roept de dealer uit, en hij wijst naar Jordan. 'Ik wist het wel! Hé! Kijk eens!' roept hij naar zijn maten. 'Die gozer van Easy Street!'

'Heather!' Jordan wordt omringd door handtekeningen-jagers. 'Heather!'

Maar ik loop snel door.

Wat had ik anders moeten doen? Ik bedoel, hij is verloofd. VERLOOFD. En niet met mij.

Wat valt er nog te zeggen? Ik heb echt wel iets anders aan mijn hoofd, hoor.

Rachel kijkt verrast wanneer ze me 's avonds Fischer Hall ziet binnen lopen. Ze staat in de lobby en zet grote ogen op.

'Heather!' roept ze uit. 'Wat doe jíj hier?'

'Ik zit in de jury,' zeg ik.

Om de een of andere reden kijkt ze ineens opgelucht. Even later begrijp ik waarom dat is. 'O, fijn! Iemand voor in de jury van de playbackshow! Geweldig! Ik hoopte al dat Sarah en ik dat niet samen hoefden te doen. Stel dat de stemmen staken?'

'Heather!' Jordan komt de lobby in gestormd.

Om ons heen klinken gesmoorde kreten. Iedereen herkent hem onmiddellijk. En dan begint het fluisteren: 'Is dat niet... Nee, onmogelijk. Jawel, hij is het wel! Kijk dan!'

'Heather,' zegt Jordan, en hij loopt recht op Rachel en mij af. Zijn gouden kettingen onder het overhemd met de ruches rijzen en dalen omdat hij zo hijgt. 'Toe, Heather, ik wil met je praten.'

Ik draai me om naar Rachel, die Jordan aankijkt met nog grotere ogen dan daarnet.

'Hier is nog een jurylid,' zeg ik tegen haar.

En zo komt het dat Jordan en ik op de voorste rij zitten van ongeveer driehonderd kantinestoelen, tegenover de grill- en saladbar, met klemborden op onze schoot. Je kunt je wel voorstellen dat dat het voor Jordan moeilijk maakt om het over onze relatie te hebben, en dat wil hij nou net zo graag.

Maar ik vind het best. Ik bedoel, ik ben hier alleen maar om naar die mysterieuze Mark/Todd te zoeken, en als jurylid is dat helemaal niet gemakkelijk.

Maar het voorkomt dat ik naar Jordan moet luisteren die zijn excuses voor zijn gedrag wil aanbieden. Al vraag ik me af of het hem iets kan schelen wat ik van hem vind. Hij heeft het me immers goed duidelijk gemaakt dat hij niets meer met mij wilde. Misschien kan Sarah me dat eens uitleggen.

De studenten gaan vanwege Jordans aanwezigheid helemaal

uit hun bol. Ze wisten niet dat er een beroemdheid in de jury zou zitten. (Ik tel niet mee. De studenten die me hebben herkend, waren daar niet ondersteboven van. Vanavond draait het om Jordan... Al vrees ik dat sommigen hem een beetje uitlachen vanwege dat overhemd met ruches en Easy Street en zo.) Jordans aanwezigheid maakt de playbackshow helemaal echt.

Jordans aanwezigheid maakt de deelnemers ook erg zenuwachtig.

Bij de saladbar staan ingewikkelde apparaten voor het geluid en de belichting. Studenten lopen overal rond, en ondertussen kletsen ze en genieten ze van de gratis frisdrank en chips. Ik kijk of er paartjes bij zijn, ik probeer te zien of er jongens en meisjes intieme onderonsjes hebben. Als die Mark of Todd weer wil toeslaan, heeft hij hier een grote keus aan eerstejaarsstudentes.

Maar ik zie alleen maar groepjes studenten: jongens en meisjes, blank, van Afro-Amerikaanse of Aziatische afkomst, nou ja, van alles en nog wat, gekleed in oversized spijkerbroeken en T-shirts, en ze roepen en joelen en gooien met Doritos.

Mm... Doritos.

Sarah, die naast Jordan zit, kan haar ogen niet van hem afhouden. Ze stelt diepgravende vragen over de muziekindustrie, precies dezelfde vragen die ze mij in het begin stelde. Bijvoorbeeld of hij vindt dat hij zichzelf verkocht toen hij een commercial voor Pepsi deed. En of hij het als musicus vernederend vond om in de pauze van de Super Bowl op te treden. En vindt hij het als musicus niet vervelend dat hij wel kan zingen, maar geen enkel instrument kan bespelen? Betekent dat niet dat hij geen echte musicus is, maar een verlengstuk van Cartwright Records, dat hem misbruikt om maar veel geld binnen te halen?

Tegen de tijd dat de lichten doven en Greg, de student-assistent-huismeester, opstaat om iedereen welkom te heten, heb ik een heel klein beetje medelijden met Jordan gekregen.

Dan komen de eerste deelnemers, drie meisjes die op Christina's laatste hit playbacken, met danspasjes en al. Met de lichten gedimd kan ik onopvallend naar het publiek kijken.

Er zijn heel veel studenten gekomen. Bijna elke stoel is bezet, en er is hier plaats voor vierhonderd man. Achterin staan ook nog mensen, ze joelen en applaudisseren en gedragen zich zoals achttienjarigen zich gedragen die net uit huis zijn. Naast me kijkt Jordan met het klembord in zijn handen aandachtig naar de drie Christina's. Voor iemand die met listige trucjes voor deze baan is geronseld, neemt hij het erg serieus op.

Of misschien doet hij maar alsof, om te voorkomen dat Sarah nog meer vragen op hem afvuurt.

Met zwiepende heupen komt het eerste nummer ten einde, en vier jongens nemen de plaats van de meisjes in. Door de zware bassen trillen de muren van de cafetaria. Ze doen namelijk 'Bye Bye Bye' van 'N Sync. Ik heb medelijden met de buren van Fischer Hall; een daarvan is een episcopaalse kerk.

De jongens storten zich er helemaal in. Ze hebben flink geoefend op de danspasjes – zo goed dat ik het van het lachen bijna in mijn broek doe.

Het valt me op dat Jordan niet lacht. Hij begrijpt niet dat de jongens boybands belachelijk maken. Hij geeft hun punten voor originaliteit, en voor het goed kennen van de tekst.

Echt waar.

Terwijl ik de jongens cijfers geef – vijfjes omdat ze zich niet hebben verkleed – kijk ik even over de rand van het klembord en zie een lange man naar binnen lopen. Hij heeft zijn handen diep in de zakken van zijn kakibroek gestoken.

Eerst denk ik dat het meneer Allington is. Maar die draagt nooit kakibroeken; ik heb geloof ik al verteld dat hij de voorkeur aan witte Dockers geeft. De nieuwkomer is veel te goed gekleed om de president van het College te zijn.

Maar wanneer hij in het licht gaat staan dat de frisdrankautomaat uitstraalt, besef ik dat het Christopher Allington is, de zoon van de president. Het is dus heel verklaarbaar dat ik even in de war was.

Het is niet ongebruikelijk voor Christopher om zich hier te vertonen. Ik bedoel, hij heeft een kamer in een studentenflat voor rechtenstudenten, maar zijn ouders wonen hier, helemaal boven. Waarschijnlijk wilde hij hun een bezoekje brengen, maar bleef hij even kijken om te zien waarom het in de kantine zo'n jolige boel is.

Maar wanneer hij zich bij een groepje studenten voegt dat tegen de achterwand staat geleund en een gesprekje met hen aanknoopt, begin ik me toch af te vragen wat Christopher hier eigenlijk doet. Hij studeert rechten aan de universiteit.

Pete heeft me ooit verteld dat toen de Allingtons hiernaartoe kwamen, nadat meneer Allington op een College in Indiana had gewerkt, er een heel gedoe was geweest omdat Christopher te laag had gescoord op de examens, en niet in aanmerking kwam om te worden toegelaten op het New York College. Kennelijk heeft zijn vader achter de schermen iets geritseld, en werd Christopher alsnog toegelaten.

Met een alcoholische moeder en een vader die in het openbaar tanktops draagt, kun je natuurlijk weinig van de arme jongen verwachten. Het is heel normaal dat hij een beetje hulp nodig had.

Eindelijk komt er een einde aan het nummer van 'N Sync, en dan is het de beurt van iemand die Elvis nadoet. Terwijl hij zijn vertolking van 'Viva Las Vegas' geeft, houd ik Christopher Allington in de gaten, die zich onder het publiek begeeft. Hij loopt tussen de studenten door totdat hij een plaatsje heeft gevonden op een stoel achter een rij meisjes. Het zijn allemaal eerstejaars, dat merk je wel aan hun verlegen gegiechel. Ze hebben zich nog niet helemaal aan het leven in het New York College aangepast, dat is te zien aan hun gezichten zonder piercings, hun ongeverfde haar en hun kleertjes van Gap. Een van hen, die er een beetje brutaler uitziet dan de anderen, draait zich om en zegt iets tegen Christopher. Christopher buigt zich naar haar toe om haar beter te kunnen verstaan. Het meisje naast haar durft niet deel te nemen aan het gesprek en kijkt strak voor zich uit.

Maar je kunt zien dat ze hen wel afluistert.

Elvis is klaar en er klinkt applaus op. Daarna is Marnie Villa Delgado aan de beurt – ja, de kamergenote van Elizabeth Kellogg. Iedereen klapt extra hard voor haar. Ik probeer maar te denken dat ze echt voor haar klappen, niet voor het feit dat ze het voor elkaar heeft gekregen dat ze dit hele jaar een kamer voor zichzelf heeft.

Marnie heeft een pruik van lang blond haar op, een laagzittende spijkerbroek aan, en ze buigt beleefd. Daarna begint ze aan een nummer dat me vagelijk bekend voorkomt. Eerst kan ik dat nummer niet goed plaatsen, ik weet alleen maar dat ik er niet echt op ben gesteld...

En dan weet ik het ineens. Het is 'Sugar Rush'. Marnie playbackt vol overgave op het nummer dat mij beroemd heeft gemaakt, dertien jaar geleden. Beroemd bij jonge meisjes.

Jordan stikt bijna van het lachen. Een paar studenten die van mijn verleden op de hoogte zijn, lachen met hem mee. Marnie zelf kijkt me tersluiks even aan wanneer ze bij het gedeelte komt: '*Don't tell me to stay on my diet, you have simply got to try it.*'

Ik lach en probeer niet te laten merken dat ik me opgelaten voel. Daarom kijk ik maar weer naar Christopher, bij wijze van afleiding. Hij zit nog steeds met de meisjes op de rij voor hem te praten. Eindelijk is het hem gelukt de aandacht te trekken van het bedeesde meisje, dat niet echt mooi is, maar wel een interessanter gezicht heeft dan haar levendige vriendin. Ze heeft zich omgedraaid en lacht verlegen naar Christopher. Ze heeft haar knieën opgetrokken en strijkt lokjes rood haar uit haar gezicht.

Ondertussen zwiept Marnie met haar blonde pruik en haar heupen. Het publiek amuseert zich kostelijk. Ik hoop maar dat dit niet als waarheidsgetrouwe imitatie van mij is bedoeld.

En dan ineens komt er zomaar iets bij me op: dat Christopher Allington misschien Mark is.

Of Todd.

15

> *You're a tornado*
> *Blowing through my heart*
> *You're a tornado*
> *Can't finish what you start*
>
> *You wreck everything*
> *In your path*
> *Think you'll have*
> *The very last laugh*
> *You're a tornado*
> *And you're blowing*
> *Me away*
>
> 'Tornado'
> Zang: Heather Wells
> Tekst: Dietz/Ryder
> Van het album: *Staking Out Your Heart*
> Cartwright Records

Het bloed bevriest in mijn aderen.

Niet echt, hoor. Maar het voelt wel of iemand een ijskoud blikje cola light over mijn rug uitgiet.

Plotseling krijg ik zulke zweethanden dat ik het klembord nog maar nauwelijks kan vasthouden. Mijn hart gaat wild tekeer, net zoals die keer dat ik die nummers voor Jordans vader zong die ik zelf had geschreven, en hij me uitlachte.

Christopher Allington? Christopher Allington? Kom op, zeg! Maar...

Maar Christopher kan zomaar rondlopen door Fischer Hall. Er hoeft nooit voor hem getekend te worden, en hij heeft ook toegang tot het kantoor wanneer hij dat maar wil. Dat weet ik omdat de student-assistenten er een keer over klaagden dat er op maandagmorgen nooit papier in het kopieerapparaat zat. Rachel legde toen uit dat dat komt doordat Christopher Allington zich zondagavond door iemand van de onderhoudsploeg laat binnenlaten, zodat hij de aantekeningen van zijn medestudenten kan kopiëren.

Hij kan dus op zijn gemak Rachels dossiers hebben doorgenomen en hebben gezocht naar makkelijke slachtoffers: meisjes die hij eenvoudig voor zich zou kunnen winnen, meisjes met weinig ervaring, meisjes die hij zou kunnen versieren.

Daarna kon hij naar hen op zoek zijn gegaan, een babbeltje met hen hebben gemaakt, zichzelf onder een andere naam hebben voorgesteld... Op die manier kon hij zonder veel gedoe aan zijn trekken komen. Hij zou een kleine harem hebben van gewillige eerstejaars uit wie hij kon kiezen.

Jezus, wat een duivels plan. Maar wel heel slim en...

Maar wel erg vergezocht. Cooper zou me erom uitlachen.

Maar Cooper is er niet...

En Christopher Allington is echt heel leuk. Hij is lang, en hij heeft nogal lang blond haar dat hij in een beetje nonchalante coupe laat knippen. Hij heeft iets jongensachtigs, een beetje zoals... Zoals jongens uit een boyband. Welke eerstejaarsstudente zou niet gevleid zijn als hij aandacht aan haar besteedde? Zo gevleid dat ze bereid is met hem naar bed te gaan, ook al kent ze hem nog maar pas? Jezus, hij is echt knap, hij is een beetje ouder en een man van de wereld. Ieder meisje van achttien zou voor hem vallen. Een meisje van achtentwintig zou nog voor hem vallen. Hij is een kanjer.

Maar waarom vermoordde hij hen? Meisjes versieren is één ding, maar ze daarna om zeep helpen? Schiet je dan niet een beetje je doel voorbij? Als ze dood zijn, kun je niet meer met hen naar bed.

Belangrijker nog: hoe heeft hij hen vermoord? Ik bedoel, ik weet wel hoe – als ze tenminste echt zijn vermoord. Maar hoe kreeg hij het voor elkaar om een volwassen vrouw in de liftschacht te duwen? Ik neem aan dat ze zich hebben verzet. Drugs? Maar daar zou de lijkschouwer dan toch sporen van moeten hebben aangetroffen...

Ik krijg het er warm van. Met het klembord wuif ik me koelte toe, en ik richt mijn aandacht weer op Marnie. Ze maakt zich net klaar voor de *grande finale,* en daarbij zwiept ze met haar heupen op een manier die ik niet meer heb gezien sinds het laatste optreden van Shakira voor de MTV Music Video Awards. Nu weet ik zeker dat ze mij niet imiteert. Ik kan niet zo goed dansen, ik bracht choreografen tot wanhoop. Ze zeiden altijd dat ik moeite had mijn verstand op nul te zetten en me helemaal te laten gáán.

Marnie beëindigt het nummer met een achterwaartse salto als van een olympische turnster, en komt in een spagaat neer. Iedereen staat juichend op. Ik sta ook op, en loop naar haar toe. Lakeisha is er niet, maar Marnie is hier wel, en zij kan misschien bevestigen dat haar kamergenote iets met Christopher Allington had.

Maar voordat ik twee stappen kan zetten, grijpt Jordan me bij de arm.

'Waar ga je heen?' vraagt hij bezorgd. 'Je gaat toch niet stiekem weg voordat we hebben gepraat, hè?'

Jordan ruikt naar Drakkar Noir, en dat is vreemd. Toen het nog aan was tussen ons, gebruikte hij Carolina Herrera for Men.

Die Drakkar Noir heeft dus zeker met Tania te maken.

'Ik kom zo terug,' zeg ik, en ik wrijf even geruststellend over zijn arm – de arm met de ruches. Hij heeft getraind voor zijn volgende tournee, dat kun je voelen. Best leuk. 'Echt waar.'

'Heather...' zegt Jordan, maar ik laat hem niet uitspreken.

'Ik beloof dat ik terugkom,' zeg ik. 'Zodra de playbackshow is afgelopen, kunnen we eens helemaal bijpraten.'

Jordan lijkt gerustgesteld.

'Goed,' zegt hij. 'Oké.'

Ik zie Marnie naar het gedeelte lopen waar de andere deelnemers op het oordeel van de jury staan te wachten, en terwijl het volgende groepje zich klaarmaakt, ga ik snel naar haar toe.

Marnie heeft haar blonde pruik afgezet en wist het zweet af. Ze lacht wanneer ze me ziet.

'Marnie, dat heb je goed gedaan,' zeg ik.

'Dank je,' zegt ze lijzig. 'Ik was bang dat je er kwaad om zou worden. Zoals je ziet, weet ik eindelijk wie je bent.'

'Ja,' zeg ik. 'Luister, ik wil je iets vragen. Die man met wie Elizabeth iets had... Heette hij misschien Chris?'

Marnie is duidelijk teleurgesteld dat ik naar haar toe ben gekomen om het alweer over haar overleden kamergenote te hebben. Ze haalt haar schouders op.

'Geen idee. Het was wel zoiets... Chris of Mark.'

'Dank je,' zeg ik. Ze wendt zich af om tegen het drietal Christina's iets lulligs over de andere deelnemers te zeggen, en ik trek aan haar mouw. 'Eh... Marnie?'

Ze werpt me een blik toe. 'Ja?'

'Zie je dat meisje op de vijfde rij, op de tiende stoel? Dat meisje dat met die blonde jongen zit te praten?'

Marnie kijkt en trekt haar wenkbrauwen op.

'Wat een stuk, zeg, die gozer... Wie is dat?'

'Dus je kent hem niet?'

'Nog niet,' zegt ze, en daarmee maakt ze duidelijk dat ze van plan is daar gauw verandering in te brengen.

Ik probeer mijn teleurstelling niet te tonen. Als ik een foto van Christopher Allington te pakken kan krijgen, kan ik Lakeisha misschien aanschieten voordat ze naar college gaat, en op die manier duidelijkheid krijgen...

Dan schiet me ineens iets te binnen.

'Ken je dat meisje?' vraag ik aan Marnie.

Ze tuit haar lippen. 'Een beetje. Ze woont op de twaalfde verdieping. Ik geloof dat ze Amber heet, of zoiets.'

Amber. Prima. Nu heb ik een naam en een verdieping.

Ik ga terug naar mijn plaats net op het moment dat twee jongens beginnen aan hun vertolking van 'Dude Looks Like a Lady'. Jordan buigt zich naar me toe en fluistert in mijn oor: 'Wat deed je?'

Ik haal glimlachend mijn schouders op. Het heeft geen zin om te proberen boven het lawaai uit te komen, en bovendien zit Sarah kwaad naar me te kijken. Ik denk dat ze het niet op prijs stelt dat ik even een onderonsje had met een van de deelnemers; dat zou me bevooroordeeld kunnen maken.

Dus zit ik machteloos op mijn stoel terwijl Christopher Allington misschien – waarschijnlijk – zijn volgende slachtoffer aan het opwarmen is. Voor zover ik kan zien – omdat ik haar onopvallend in de gaten wil houden, kan ik niet steeds kijken – lijkt Amber op te leven onder Christophers aandacht. Ze frunnikt aan haar kastanjebruine haar en schuift heen en weer op haar stoel, en ze lacht aldoor en gedraagt zich als een meisje dat het niet is gewend in de belangstelling van knappe jongens te staan. Ik kijk er bezorgd naar. Ik bijt op mijn lip en vraag me af of we Amber morgenochtend op de bodem van de liftschacht zullen aantreffen.

Maar Christopher lijkt me geen type om iemand te vermoorden. Wel iemand die meisjes ontmaagdt. Maar een moordenaar?

Aan de andere kant, de echtgenoot van Evita Perón was een beruchte rokkenjager, en ik heb gelezen dat hij in Argentinië bosjes mensen om zeep heeft geholpen. Daarom wilde Madonna in dat liedje niet dat er om haar werd gehuild.

Eindelijk komt de playbackshow ten einde. Greg, de student-assistent-huismeester, komt naar voren en zegt dat de jury moet beginnen met haar taak. Iedereen staat op en zet koers naar de Doritos (de bofkonten). Rachel draait haar stoel om zodat ze recht tegenover mij, Jordan en Sarah zit.

'En,' zegt ze met een lach tegen mij. 'Wat vond je ervan?'

Ik vind dat we een probleem hebben, wil ik zeggen. Een groot probleem. En niet met het jureren.

In plaats daarvan zeg ik: 'Ik vond Marnie wel leuk.'

Jordan valt me in de rede. 'Natuurlijk vond je die leuk! Maar die jongens van 'N Sync waren veel beter. De choreografie was geweldig. Ik geef hun een tien.'

Sarah zegt: 'Het was heel amusant zoals ze vol ironie een boy-band neerzetten.'

'Eh...' zeg ik. 'Ik vond Marnie leuk.'

'Ze heeft zoveel meegemaakt,' zegt Rachel ernstig. 'Het is wel het minste wat we voor haar kunnen doen, vinden jullie niet?'

Ik wil gewoon dat het gauw is afgelopen, zodat ik een smoes kan verzinnen om een gesprekje met Chris aan te knopen. 'Oké,' zeg ik. 'Dan zetten we Marnie op de eerste plaats, 'N Sync op de tweede, en de drie Christina's op de derde.'

Jordan kijkt geërgerd omdat we nauwelijks aandacht aan zijn mening besteden, maar hij gaat er niet tegenin.

Rachel gaat Greg vertellen tot welk besluit de jury is gekomen, en ik draai me in mijn stoel om om te kijken wat Christopher uitspookt.

Ik ben net op tijd om te zien dat hij wegloopt, met zijn arm nonchalant om Ambers schouders geslagen.

Meteen sta ik op en loop snel weg, zonder nog iets tegen Jordan of de anderen te zeggen. Ik hoor hem me naroepen, maar ik heb geen tijd om het allemaal uit te leggen. Christopher en Amber zijn al halverwege de tv-ruimte. Als ik niet snel ben, wordt dat meisje ook nog een vlek op de bodem van de liftschacht.

Maar tot mijn verbazing zetten Amber en Christopher geen koers naar de liften, maar lopen ze door de voordeur naar buiten.

Ik loop zigzaggend tussen de groepjes studenten in de lobby door achter hen aan. Eigenlijk komt de lobby pas 's avonds echt tot leven. Bewoners die ik nog nooit heb gezien, staan leunend tegen de balie met de student-assistent te kletsen. De bewaker – niet Pete, die werkt overdag – heeft ruzie met een stelletje jongelui die zeggen dat ze iemand kennen die op de vijfde verdieping woont, maar ze weten niet meer hoe hij heet. Waarom mogen ze nou niet gewoon naar binnen, zeuren ze.

Ik ren langs hen heen, gooi de deuren open en storm de warme herfstlucht in.

Op Washington Square wemelt het 's avonds van de agenten. Agenten, toeristen, dealers en schakers. De schakers zitten op de bankjes rond de schaakborden totdat het park om middernacht zijn hekken sluit. Ze spelen bij het licht van de straatlantaarns. Leerlingen van de Westchester middelbare school rijden in de Volvo's van hun ouders over straat, met de radio veel te hard aan. Af en toe worden hun auto's wegens het veroorzaken van geluidsoverlast in beslag genomen. Er is heel veel te zien, daarom willen onze studenten graag kamers met uitzicht op de Square; als er niets op tv is, kun je altijd nog naar het park kijken.

En dat is wat Christopher en Amber doen. Ze leunen tegen een van de plantenbakken buiten Fischer Hall, ze roken een sigaret en kijken naar de politie die aan de overkant iemand arresteert. Christopher heeft zijn armen over elkaar geslagen en paft er flink op los, alsof hij Johnny Depp is. Amber giechelt en houdt onwennig haar sigaret vast.

Ik heb geen moment te verliezen, dat zie ik meteen. Ik loop nonchalant naar hen toe, want ik denk dat Cooper dat in deze situatie ook zou hebben gedaan.

'Hoi,' zeg ik tegen Christopher. 'Mag ik een sigaretje van je bietsen?'

'Tuurlijk,' zegt Christopher. Hij haalt een pakje Camel Light uit zijn borstzakje en geeft het mij.

'Bedankt,' zeg ik. Ik steek de sigaret tussen mijn lippen en buig me naar Christopher, zodat hij me met zijn Zippo een vuurtje kan geven.

Ik ben niet gewend aan sigaretten. Roken is niet zo best voor je stembanden. Bovendien snap ik niet waarom sigaretten lekkerder zouden zijn dan Butterfingers. Als je jezelf eens wilt verwennen, waarom dan niet met een heerlijke reep vol pinda's en met een laagje chocola?

Maar ik doe net of ik inhaleer, en ondertussen vraag ik me af wat mijn volgende zet moet zijn. Wat zou Nancy Drew doen? Of Jessica Fletcher? Of die andere, hoe heet ze ook alweer, die in *Crossing Jordan?* Jezus, ik ben een detective van niks. Hoe moet dat wanneer Cooper en ik eindelijk een stel zijn – je weet wel, nadat ik ben afgestudeerd. Hoe moeten we Nick en Nora Charles zijn als Nora er niets van bakt? Dat is een verontrustende gedachte die ik maar snel verdring.

Aan de overkant arresteren agenten een dronken man die dacht dat het grappig zou zijn om zich exhibitionistisch te gedragen voor de mensen die aan het schaken zijn. Ik begrijp niets van die drang van sommige mannen om met hun genitaliën te pronken. Het zijn ook altijd mannen die niets bijzonders te showen hebben.

Dat zeg ik tegen Christopher en Amber. Je weet wel, om een babbeltje te maken. Amber kijkt geschokt, maar Christopher moet lachen.

'Ja,' zegt hij. 'Er zou in de wet moeten staan dat alleen dronkenlappen met ten minste vijftien centimeter hun broek mogen laten zakken.'

Met opgetrokken wenkbrauwen kijk ik hem aan. Christopher Allington kan lollig uit de hoek komen. Had Ted Bundy gevoel voor humor? Wel zoals Mark Harmon hem speelde in die film die ik laatst op Lifetime heb gezien...

Aan de overkant schreeuwt de dronken man verwensingen aan het adres van de politie. Hij heeft handboeien om, en de mensen die zitten te schaken, jouwen hem uit. Mensen die schaken zijn bij lange na niet zo beschaafd als de media je willen doen geloven.

'Hemeltje,' zegt Amber wanneer er een wel heel kleurrijk scheldwoord klinkt. 'Zulke dingen zeggen ze thuis niet tegen de politie.'

'Waar is dat: thuis?' vraag ik terwijl ik achteloos mijn as op de stoep aftik. Tenminste, ik hoop dat het er achteloos uitziet.

'Boise, Idaho,' antwoordt Amber. Alsof er meer dan één Boise bestaat...

'Boise...' herhaal ik. 'Daar ben ik nog nooit geweest.' Dat is een leugen. Ik heb tijdens de tournee van Sugar Rush in Boise opgetreden, voor een zaal met vijfduizend gillende meiden. 'En jij?' vraag ik aan Christopher.

'Ik ook niet,' zegt hij. 'Ik ben nooit in Boise geweest. Zeg, ken ik jou niet ergens van?'

'Mij?' Ik probeer verbaasd te kijken. 'Ik denk het niet.'

'Jawel,' zegt hij. 'Ik ken jou ergens van. Studeer je misschien rechten?'

'Nee,' zeg ik, en ik tik nog eens as af. Misschien krijg je van sigaretten dan wel kanker, maar ze zijn geweldig als je er nonchalant wilt uitzien. Bijvoorbeeld wanneer je met iemand staat te kletsen die je van twee moorden verdenkt.

'Echt niet?' Christopher blaast de rook door zijn neus uit. Het is niet eerlijk; hij kent rokerstrucjes! 'Want ik zou durven zweren dat ik je ergens van ken.'

'Waarschijnlijk heb je me gewoon hier gezien. Ik zie jou vaak genoeg. Jij bent toch Christopher Allington, de zoon van president Allington?'

Het lijkt wel of ik hem met een volle zak snoepbeertjes in zijn gezicht heb geslagen, zo verbaasd kijkt hij. Even ben ik bang dat hij zijn sigaret nog zal inslikken.

Maar hij herstelt zich snel.

'Eh... ja,' zegt hij. Zijn ogen zijn grijs, en ze staan vriendelijk. Nog wel. 'Hoe weet je dat?'

'Iemand heeft me je aangewezen,' antwoord ik. 'Woon je hier? Bij je ouders?'

Dat vindt hij niet leuk. Snel zegt hij: 'O, nee. Ik bedoel, ik woon op mezelf, in de studentenflat van de rechtenfaculteit. Daar...'

'Maar ik dacht dat je hier woonde,' zegt Amber, die niet snel iets doorheeft. 'Studeer je rechten?'

'Ja,' zegt Christopher. Hij kijkt niet meer zo op zijn gemak als voordat ik die vragen op hem afvuurde. De stakker. Ik heb nog veel meer munitie.

'Ik wist niet dat je de zoon van president Allington was,' zegt Amber een beetje beschuldigend met haar Minnie Mouse-stemmetje.

'Och, daar loop ik liever niet mee te koop,' mompelt Christopher.

'En ik dacht dat je zei dat je Dave heette.'

'O ja?' Christopher neemt een laatste haal van zijn sigaret, laat hem dan op de stoep vallen en trapt hem uit. 'Dan heb je me zeker verkeerd verstaan. Ik heet Chris.'

Aan de overkant duwen de agenten de dronken man zonder broek in een patrouillewagen. Ze staan er allemaal omheen. Ze vullen formulieren in en drinken de koffie die iemand om de hoek voor hen heeft gehaald. De dronkaard beukt tegen het raampje. Hij wil ook koffie.

Niemand let op hem.

Goed, dit slaat nergens op. Ik ben de slechtste detective die er maar bestaat. Ik kan beter de colleges strafrecht gaan volgen. Je weet wel, wanneer mijn proeftijd van een half jaar erop zit en ik gratis mag gaan studeren.

'Triest, hè?' zeg ik, en ik vind zelf dat het te opgewekt klinkt, een beetje zoals die man van de piepkleine maatjes laatst in de spijkerbroekenwinkel. 'Al die losers in de stad, bedoel ik. Zoals die exhibitionistische zuipschuit die ze helemaal de straat over moesten slepen. O, en die domme meisjes in Fischer Hall. Die zijn verongelukt... Wat was het ook alweer? O ja, ze waren gaan liftsurfen. Het is toch niet te geloven dat iemand zoiets stoms doet.'

Ik kijk tersluiks naar Chris om te zien hoe hij reageert als iemand het over zijn slachtoffers heeft. Maar hij vertrekt geen spier. Tenzij je vindt dat nog een sigaret opsteken verdacht is.

'O!' zegt Amber, die dapper een duit in het zakje doet. 'Dat was echt zo erg! Dat laatste meisje kende ik een beetje. Ik heb een keer met haar in de lift opgesloten gezeten. Het duurde maar even, maar ze hád het gewoon niet meer. Ze had hoogtevrees, weet je. Dus toen ik hoorde hoe ze aan haar eind was gekomen, dacht ik: wát? Waarom zou iemand met hoogtevrees zoiets gevaarlijks gaan doen?'

'Bedoel je Roberta Pace?' Ik kijk even naar Chris om te zien hoe hij op die naam reageert.

Maar hij kijkt net op zijn horloge. Het is een echte Rolex, niet zo eentje die je voor veertig dollar op de markt koopt.

'Ja, zo heette ze. Jezus, dat was erg, hè? Het was een heel aardig meisje.'

'Weet ik.' Ik knik ernstig. 'Dat maakt het allemaal nog vreemder, dat ze ging liftsurfen. Trouwens, ik hoorde dat ze de dag voordat ze stierf een kerel had leren kennen, en...'

Maar ik kan mijn zin niet afmaken. Want ineens pakt iemand mijn arm in een stalen greep en word ik weggetrokken.

16

Get up at ten
Hit the beach, and then
The mall, a matinee
That's it for the day

Then we go out
Hit the strip and shout
As stars fill the sky
Someone tell me why

Every day can't be summer
Every day can't be summer
Every day can't be summer
And I can't spend it with you!

'Summer'
Zang: Heather Wells
Tekst: Dietz/Ryder
Van het album: *Summer*
Cartwright Records

Wankelend steek ik mijn hand uit, en dan voel ik gestaalde spieren – gestaald in de sportschool – onder mijn vingers.

Is er iets aan Jordan Cartwright wat niet van plaatstaal is? Bijvoorbeeld dat bord voor zijn kop?

Hij sleurt me een eindje weg van Chris en Amber.

'Waar ben je mee bezig?' vraagt Jordan kwaad terwijl hij de sigaret uit mijn mond trekt en op straat uittrapt. 'Rook je nu ook al? Je woont een paar maanden met die verdorven Cooper samen en je bent gaan róken? Weet je wel wat dat met je stembanden doet?'

'Jordan...' Het is toch niet te geloven... En dat waar mijn hoofdverdachte bij staat!

Ik probeer zacht te praten, zodat Chris het niet kan horen.

'Ik inhaleer niet,' fluister ik. 'En ik woon niet samen met Cooper. Ik bedoel, ik heb mijn eigen appartement.' Dan houd ik op met fluisteren omdat ik ineens razend word. Ik bedoel, wie denkt hij wel dat hij is? 'Wat heb jij er trouwens mee te maken? Moet ik je er soms aan herinneren dat je verloofd bent? En niet met mij?'

'Ik ben dan misschien met een ander verloofd, Heather,' zegt Jordan, 'maar dat wil nog niet zeggen dat ik niet heel veel om je geef. Weet je, pa zei al dat het helemaal de verkeerde kant met je opging, maar ik wist niet dat het zo erg zou zijn. Wat moet je met zo'n gozer, Heather? Zeg nou zelf, hij heeft net zo veel gevoel voor mode als...' Hij werpt een blik op Chris' kakibroek. 'Als Cóóper!'

'Je hebt het helemaal bij het verkeerde eind, Jordan.' Ik kijk achterom. Chris en Amber staan er nog, gelukkig ver genoeg van ons vandaan zodat ze ons niet kunnen horen kibbelen. Chris ziet er niet uit of hij zich druk maakt om wat ik daarnet allemaal heb gezegd, maar het valt me wel op dat hij zijn blik af en toe in onze richting laat dwalen. Is hij bang? Is hij bang dat het spel uit is?

Of vraagt hij zich gewoon af waar Jordan dat overhemd met ruches vandaan heeft?

'Niet kijken,' zeg ik zachtjes tegen Jordan. 'Maar die kerel met wie ik stond te praten, dat is misschien een moordenaar.'

Jordan kijkt naar Chris. 'Wie? Die gozer?'

'Ik zei toch: niet kijken?'

Jordan rukt zijn blik los van Chris en kijkt naar mij. Dan slaat hij zijn armen om me heen en drukt me tegen zijn borstkas.

'O, arme, arme meid,' zegt hij. 'Wat heeft Cooper met je gedáán?'

Ik worstel me uit zijn verstikkende omhelzing. Dan kan ik tenminste iets zeggen zonder dat ik borsthaar in mijn mond krijg.

'Dit heeft niets met Cooper te maken,' zeg ik, me ervan bewust dat de student-assistent achter de balie probeert niet te grijnzen terwijl ze ons van achter het raam in de gaten houdt. 'Er verongelukken hier meisjes, en ik denk...'

'Dus hier zijn jullie!'

Allebei draaien we ons met een ruk om en kijken met grote ogen naar Rachel, die zonder dat we het hebben gemerkt naar buiten is gekomen.

'Jullie hebben de prijsuitreiking gemist,' zegt Rachel gespeeld beschuldigend. 'Marnie was zo blij dat ze ervan moest huilen.'

'Wauw,' zeg ik niet erg enthousiast. 'Leuk voor haar.'

'Ik was naar jullie op zoek,' zegt Rachel. 'Ik dacht dat jullie wel iets bij mij zouden willen drinken...'

Jordan en ik kijken elkaar eens aan. Er staat een wanhopige blik in zijn ogen. Ik weet niet wat hij in de mijne geschreven ziet staan. Waarschijnlijk totale verwarring. Rachel heeft me nog maar één keer eerder bij haar thuis uitgenodigd, voor een glaasje wijn nadat alle eerstejaars waren aangekomen. Ik voelde me daar hoogst ongemakkelijk omdat ze nu eenmaal mijn baas is, en ik wilde alles heel goed doen vanwege die proeftijd van een half jaar, maar er was nog iets...

Rachels appartement is keurig opgeruimd. Niet dat ik nou zo'n sloddervos ben, maar...

Goed, ik ben wel een beetje een sloddervos. Ik geef grif toe dat er van alles in mijn laden zit gepropt, en dat er troep onder mijn bed ligt. Nou ja, er ligt overal troep.

Maar bij Rachel is het keurig opgeruimd. Er lagen geen stapels *Us Weekly* naast de plee, zoals bij mij, en er hingen geen beha's aan deurknoppen, en er lagen geen lege koekjesverpakkingen op het nachtkastje. Het zag eruit alsof ze bezoek verwachtte.

Of ze houdt het altijd zo netjes.

Nee, dat kan niet. Dat zou niet menselijk zijn.

Bovendien viel het me op dat ze maar een paar cd's had, en die stonden keurig op alfabetische volgorde. Ze waren van mensen als Phil Collins en Faith Hill.

PHIL COLLINS EN FAITH HILL.

Niet dat er iets mis met hen is. Ze beschikken over veel talent. Ik was echt dol op 'Circle of Life', de eerste vijftig keer dat ik het hoorde...

'Rachel,' zeg ik, 'ik ben eigenlijk nogal moe.'

'Ik ook,' zegt Jordan snel. 'Ik heb een lange dag achter de rug.'

'O,' zegt Rachel teleurgesteld. 'Misschien een andere keer.'

'Graag,' zeg ik. Ik durf Jordan niet aan te kijken, want eigenlijk is dit allemaal zíjn schuld. Zonder Jordan zou Rachel me nooit hebben gevraagd iets te komen drinken. Ze deed alsof ze hem niet herkende, maar ik heb gehoord dat een van de student-assistent-huismeesters het haar heeft verteld. Morgen gaat ze me natuurlijk allemaal vragen over hem stellen.

Want Jordan verdient echt wel meer dan een ton per jaar. Veel meer.

'Nou,' zeg ik. 'Tot morgen dan maar.'

'Ja. Slaap lekker.' Rachel lacht. Tegen Jordan zegt ze: 'Leuk je te leren kennen, Jordan.'

'Insgelijks,' zegt Jordan, en het klinkt bijna of hij het meent.

Daarna pak ik Jordan bij zijn arm en trek hem mee in de richting van Waverly Place voordat het gesprek nog ongemakkelijker kan worden, en hij me nog erger voor schut kan zetten ten overstaan van iedereen met wie ik werk.

'Jezus,' zeg ik terwijl we lopen. 'Wat vind je dat ik moet doen? Met Amber, bedoel ik. Stel dat zij zijn volgende slachtoffer is... Dat zou ik mezelf nooit kunnen vergeven. Maar ik heb er wel voor gezorgd dat zijn smoesjes werden doorgeprikt, met dat "Dave" en zo. Denk je dat ik hem heb afgeschrikt? Denk je niet dat ze op haar hoede voor hem zal zijn? Jezus, denk je dat ik beter naar de politie kan gaan? Maar ik kan niet bewijzen dat hij de moordenaar is. Alleen... Cooper heeft dat condoom waarschijnlijk nog! Dat zou ik kunnen gebruiken om hem alles te laten opbiechten. "Beken, of ik ga hiermee naar de politie!" Of zoiets...'

Jordan kijkt me ontzet aan.

'Condóóm? Heather, wat heb je...'

'Dat zei ik toch?' zeg ik, en ik trap op zijn voet. 'Ik probeer een moordenaar te pakken te krijgen. Tenminste, ik dénk dat hij de moordenaar is. Ik weet het nog niet zeker. Je broer vindt dat ik te veel fantasie heb. Maar jij vindt het toch ook vreemd, hè, Jordan? Twee meisjes vallen binnen twee weken dood, en geen van beiden had ooit eerder aan liftsurfen gedaan. En ze hadden allebei net hun eerste vriendje. Ik bedoel, vind jij dat dan niet verdacht?'

We slaan de hoek om en lopen Waverly Place in. Een van de rasta's komt op me af, waarschijnlijk in de hoop dat ik van gedachten ben veranderd en inga op zijn aanbod om hasj van hem te kopen.

Maar in plaats van de rasta te negeren en antwoord op mijn vraag te geven, snauwt Jordan: 'Oprotten!' tegen de rasta, en erg bedreigend kun je die rasta nou niet bepaald noemen. Ik bedoel, ik ben een kop groter en waarschijnlijk ook wel tien kilo zwaarder dan hij. Geen wonder dat de stakker zo onthutst kijkt vanwege Jordans uitval.

En dan dringt het tot me door wie ik in werkelijkheid voor me heb. Niet een vriend. Niet eens een kennis. Mijn ex-vriend.

'O, laat ook maar,' zeg ik, en ik duw zijn arm weg voordat ik naar huis loop.

Maar Jordan komt gewoon achter me aan.

'Wat heb ik nou weer gedaan?' vraagt hij. 'Heather, vertel het me maar gewoon. Het spijt me, ik weet alleen niet hoe ik moet reageren. Doodgevallen meisjes, condooms en dealers... En jij rookt ineens. Wat voor leven leid je eigenlijk, Heather?'

Ik loop het trappetje voor Coopers huis op en zoek in het licht van de straatlantaarn naar mijn sleutels.

'Luister,' zeg ik. Ik probeer de sloten zo snel mogelijk open te krijgen, want ik ben me ervan bewust dat Jordan pal achter me staat. Hij staat met dat overhemd met al die ruches namelijk in het licht. 'Ik leef zoals ik dat wil, oké? Het spijt me dat het niet helemaal op rolletjes loopt, maar weet je, Jordan, jij hebt daar ook de hand in gehad...'

'Dat weet ik ook wel!' roept Jordan uit. 'Maar jij wilde niet samen in therapie gaan. Ik heb het je gesmeekt...'

Hij legt zijn handen zwaar op mijn schouders, deze keer niet om me door elkaar te rammelen, maar om me om te draaien. Ik knipper met mijn ogen terwijl ik hem aankijk, maar ik kan hem niet goed zien vanwege de straatlantaarn achter hem, die net een halo boven zijn hoofd vormt. Daardoor is zijn gezicht een soort zwarte vlek.

'Heather,' gaat hij verder. 'Elk stelletje heeft wel eens iets. Maar als ze niet samen aan hun problemen werken, loopt de relatie stuk.'

'Precies,' zeg ik. 'En dat is wat er met ons gebeurde.'

'Juist,' zegt Jordan. Hij kijkt op me neer. Ik kan zijn ogen niet zien, maar ik voel zijn blik in me branden. Waarom kijkt hij zo naar me? Net alsof hij... alsof hij...

'O, nee,' zeg ik, en ik deins achteruit, recht tegen de deur aan. De deurknop priemt in mijn rug. 'Jordan... Wat doe je hier? Ik bedoel, wat wil je nou echt?'

'Mijn ouders geven een verlovingsfeest,' zegt hij, en zijn stem klinkt ineens hees. 'Voor Tania en mij. Thuis, in het penthouse. Op dit moment.'

Meneer en mevrouw Cartwright gaven geen verlovingsfeest toen Jordan zich met mij verloofde. Nee, mevrouw Cartwright vroeg toen of ik soms zwanger was.

Ik denk dat ze geen andere reden kon verzinnen waarom haar zoon zich zou verloven met een meisje met een tanende carrière en een groeiende taille.

'Moet je daar dan nu niet zijn?' vraag ik.

'Ja, daar zou ik nu moeten zijn,' antwoordt Jordan. Plotseling dringt het tot me door dat zijn stem niet alleen hees klinkt, maar ook erg verdrietig. 'Maar... maar ik kan de hele dag alleen maar aan jou denken.'

Ik slik moeizaam en probeer helder te denken. Ik ben per slot van rekening een vrouwelijke detective. Vrouwelijke detectives houden altijd het hoofd koel.

Maar Jordan is zo dichtbij, en hij klinkt zo verdrietig. Dat maakt helder denken erg moeilijk.

En het is ook erg prettig om zijn handen op mijn schouders te voelen. Ineens kan het me niet meer zoveel schelen dat hij naar Drakkar Noir ruikt.

En in het donker kan ik natuurlijk zijn gouden kettingen en de armband met naamplaatje niet zien.

Dat is het! Armband met naamplaatje!

'Ik... ik...' stamel ik. Ik probeer het gevoel van hysterie te onderdrukken dat in me opkomt. 'Ik denk dat het misschien aan alle opwinding ligt van de verloving en de media-aandacht. Als je nou eens rustig naar huis ging en een paracetamolletje nam...'

'Ik wil geen paracetamolletje,' mompelt hij, en hij trekt me tegen zich aan. 'Ik wil alleen maar jou.'

'Nee,' zeg ik. Er komt paniek in me op als ik al die ruches tegen mijn wang voel. 'Nee, dat denk je maar. Weet je nog? Je zegt steeds dat ik zo ben veranderd. Nou, ik bén ook veranderd, Jordan. We zijn allebei veranderd. We moeten verder, we moeten ons eigen leven leiden, los van elkaar. Jij leidt een eigen leven met Tania, en ik met...' Met wie? Ik heb niemand. Het is niet eerlijk dat hij wel iemand heeft en ik niet.

'En ik met Lucy,' zeg ik, en zelf vind ik dat dapper gezegd.

'Is dat wat je wilt?' vraagt Jordan. Zijn lippen zijn nu angstig dicht bij de mijne. 'Dat ik met Tania ben?'

Ik kan mijn oren nauwelijks geloven.

'Wat bedoel je?'

Voordat ik er erg in heb, buigt hij zich naar me toe en drukt hij zijn lippen op de mijne.

Normaal gesproken houd ik in dit soort situaties het hoofd koel. Ik bedoel, wanneer iemand me ineens gaat zoenen – niet dat dat vaak gebeurt – ben ik zo gewiekst om te zeggen dat ik dat niet wil als ik het niet prettig vind, of om hem terug te kussen als ik het wel prettig vind.

Maar in dit geval ben ik zo verbaasd dat ik helemaal verstijf. Ik bedoel, ik ben me bewust van de deurknop die in mijn rug priemt, en van de lichten in huis, die allemaal uit zijn. En dat betekent dat Cooper nog niet thuis is – goddank!

En verder schaam ik me een beetje omdat de dealers op straat ons joelend aanmoedigen. 'Ga ervoor, man!'

Maar verder voel ik niets. Niets prettigs, bedoel ik.

Ik weet net zo goed als de dealers dat het al een hele tijd geleden is dat ik heb gevrijd.

Het moet voor Jordan ook een hele tijd geleden zijn (of Tania stelt in bed weinig voor), want ik sla alleen maar mijn armen om zijn hals – echt waar, uit gewoonte – en voordat ik het weet, duwt hij me tegen de deur aan, met zijn leren broek zo hard tegen me aan dat ik zou kunnen zweren dat ik de tandjes van zijn gulp stuk voor stuk kan voelen...

En dan heb ik het nog niet eens over de, eh, verstijvende spieren achter die tandjes.

Opeens zit zijn tong in mijn mond, en zijn handen in mijn haar.

En ik kan alleen maar denken: NEE, HÈ?

Want hij is verloofd. En niet met mij. En ik... Nou ja, ik ben niet zo'n soort meisje. Absoluut NIET.

Maar er klinkt een stemmetje in mijn hoofd: misschien moet het wel zo zijn. En: mmm, dit herinner ik me nog goed... En: nou, kennelijk heeft hij geen problemen met die paar pondjes meer. En dat maakt het ERG moeilijk om het enige juiste te doen, en dat is hem wegduwen.

Eigenlijk maakt dat stemmetje het onmogelijk om hem weg te duwen.

Ik denk dat al die choreografen het toch bij het verkeerde eind hadden. Je weet wel, over dat ik mijn verstand niet op nul kon zetten en me niet kon laten gáán. Want mijn lichaam doet gezellig mee, zonder enige hulp van mijn verstand.

Het ziet ernaar uit dat we beter naar binnen kunnen gaan, want de dealers roepen dingen in die trant. Daarom draai ik me om en krijg eindelijk de deur open, en dan vallen we zo'n beetje de donkere gang in.

En daar zet ik mijn handen tegen zijn borst en met mijn laatste restje gezond verstand zeg ik: 'Weet je, Jordan, we zouden dit niet moeten doen...'

Maar het is al te laat. Hij heeft mijn shirt al uit mijn broek getrokken. Even later omvat hij mijn borsten, die in een kanten beha zijn gehuld, en kust hij me. Innig. Bijna net of hij het echt meent.

En ja, het komt even bij me op hem eraan te herinneren dat ik vanochtend nog in de krant heb gelezen dat hij verloofd is. Met een ander.

Maar weet je, soms laat je lichaam je heel andere dingen doen.

Mijn lichaam lijkt op de automatische piloot te staan. Dat herinnert zich al die heerlijke momenten met het lichaam waar het nu tegenaan staat gedrukt.

Eigenlijk smeekt mijn lichaam om méér.

En dan kan ik ineens nergens meer aan denken. Behalve...

Nou ja, op het laatst komt er toch een gedachte bij me op. Een gedachte die ik liever niet had gehad.

En die is: verkeerde broer.

Meer niet. Alleen maar dat ik met de verkeerde broer op de grond lig te rollebollen.

En daar ben ik niet trots op.

Het ergste is nog wel dat het helemaal niet zo fijn is. Het is wel snel; gelukkig maar, want ik lig op de gangloper, en die is niet zo zacht als het tapijt op andere plekken in het huis. En we vrijen veilig – Jordan is goed voorbereid gekomen, zoals de leden van Easy Street dat gewend zijn.

Verder is het niet veel anders dan het vrijen van vroeger, op maandag, woensdag en zaterdag.

Alleen ben ík deze keer 'de ander'.

Ik vraag me af of Tania zich ook zo schuldig voelde. Dat betwijfel ik. Tania lijkt me niet iemand die zich ooit schuldig voelt. Ik heb haar ooit in Central Park het papiertje van een Juicy Fruit op de grond zien gooien. Zelfs over troep op straat gooien voelt ze zich niet schuldig.

Er is wel een groot verschil als het is afgelopen. In tegenstelling tot vroeger staat Jordan meteen na afloop op en kleedt zich aan. Vroeger draaide hij zich gewoon om en viel in slaap.

Wanneer ik ga zitten en naar hem op kijk, zegt hij: 'Het spijt me, maar ik moet weg.' Alsof hem net te binnen is geschoten dat hij een afspraak bij de tandarts heeft.

En dan komt het allerbeschamendste: ik voel me ineens verdrietig. Net alsof ik ergens had verwacht dat hij zou zeggen dat hij meteen Tania ging bellen om het uit te maken. Omdat hij voor altijd en eeuwig bij mij wil zijn.

Niet dat ik hem in dat geval had willen terughebben, hoor. Waarschijnlijk niet.

Oké, absoluut niet.

Het is alleen nogal eenzaam wanneer je niemand hebt. Ik bedoel, ik wil niet als Rachel klinken. Ik zeg niet dat als ik een vriend had – ook al was het Cooper, de man van mijn dromen – er een einde aan mijn problemen zou komen.

En ik ga ook geen salades zonder dressing eten, als dat het middel is om een vriend te krijgen. Zo wanhopig ben ik nou ook weer niet.

Maar... maar het zou prettig zijn als er iemand was die om me gaf.

Dat zeg ik allemaal niet tegen Jordan. Ik bedoel, ik heb best mijn trots. Als hij zegt dat hij weggaat, zeg ik alleen maar: 'Oké.'

'Ik bedoel, ik zou best willen blijven,' zegt hij terwijl hij zijn overhemd aantrekt. 'Maar ik heb morgenvroeg een promotie. Voor het nieuwe album.'

'Oké,' zeg ik.

'Maar ik bel je morgen,' zegt hij, terwijl hij de knoop van zijn broek dichtmaakt. 'Misschien kunnen we uit eten gaan of zoiets.'

'Oké,' zeg ik.

'Nou, ik bel je nog,' zegt Jordan bij de deur.

'Oké,' zeg ik. Ik denk dat we allebei wel weten dat hij liegt.

Zodra hij weg is, doe ik de deur op slot en loop de trap op naar mijn appartement, waar ik word begroet door een uitbundige Lucy, die met me naar het park wil. Terwijl ik naar de riem zoek, kijk ik even door het keukenraam en zie de bovenste verdiepingen van Fischer Hall.

Ik vraag me af of Christopher Allington zich net zo gemakkelijk toegang tot Ambers slipje weet te verschaffen als Jordan Cartwright tot het mijne.

En dan dringt het tot me door dat mijn slipje nog beneden is, en ik ren de trap af om het te pakken voordat Cooper thuiskomt en het bewijs van mijn stomme gedrag op de gangloper aantreft.

17

Eén ding weet ik zeker:

Rachel is echt ontzettend nieuwsgierig naar Jordan en wat ik met hem heb.

Op het moment dat ik de volgende ochtend het kantoor binnen loop – nat haar, dampende kop koffie in mijn handen, een grote rode letter op mijn blouse (dat laatste is natuurlijk een geintje), is Rachel helemaal van: 'Nou, zo te zien had je het gisteravond nogal gezellig met je ex.'

Ze heeft geen idee hoe ontzettend ze de spijker op zijn kop slaat.

'O, ja,' is alles wat ik zeg, terwijl ik ga zitten en het telefoonnummer van Ambers kamer opzoek.

Rachel heeft niet door dat ik niks wil zeggen.

'Ik zag jullie buiten praten met de zoon van meneer Allington,' gaat ze onverstoorbaar verder.

'Chris,' zeg ik. 'Klopt.' Ik pak de telefoon en toets Ambers nummer in.

'Hij lijkt me wel aardig,' zegt Rachel. 'Die zoon.'

'Zal wel,' zeg ik. Voor een moordenaar welteverstaan.

De telefoon van Amber blijft maar overgaan.

'Leuk om te zien ook,' gaat Rachel verder. 'Ik heb trouwens gehoord dat hij behoorlijk in zijn slappe was zit. Fondsen van zijn grootouders.'

Dat laatste is nieuw voor me. Jezus, misschien is Christopher Allington wel een soort Bruce Wayne. Dat meen ik. In en in slecht. Misschien heeft hij onder Fischer Hall een complete grot uitgegraven waar hij onschuldige meisjes mee naartoe neemt, ze misbruikt, vol met drugs stopt, vervolgens weer mee naar boven neemt en ze dan in de liftschacht gooit...

Maar ik ben vaak genoeg met een ongediertebestrijder beneden in Fischer Hall geweest om te weten dat daar niets anders te ontdekken valt dan muizen en een heleboel oude matrassen.

Iemand neemt de telefoon op in Ambers kamer. 'Hallo,' hoor ik een slaperige meisjesstem zeggen.

'Hallo,' zeg ik. 'Spreek ik met Amber?'

'Mm,' zegt de slaperige stem. 'Jawel. Met wie spreek ik?'

'Laat maar,' zeg ik. Ik wil namelijk alleen maar weten of je nog leeft. 'Ga maar weer slapen.'

'Oké,' zegt Amber, en ze hangt op.

Amber leeft in elk geval nog. Tenminste, nog wel.

'Zijn Jordan en jij weer bij elkaar?' wil Rachel weten. Ze vindt het blijkbaar helemaal niet gek dat ik zomaar studenten wakker bel. Dit zegt natuurlijk ook wel iets over de plek waar we werken en over onze baan. 'Jullie zijn een erg leuk stel samen.'

Gelukkig hoef ik hier niet op te antwoorden omdat net op dat moment mijn telefoon gaat. Ik neem op en vraag me af of Amber nummerherkenning heeft en me nu gaat vragen waarom ik haar verdomme op een doordeweekse dag 's morgens om negen uur wakker maak.

Maar het is Amber niet. Het is Patty. 'Mooi, vertel maar op,' valt ze met de deur in huis.

'Waarover?'

Ik voel me eigenlijk helemaal niet lekker. Toen ik vanmorgen wakker werd, had ik het liefst weer de dekens over mijn hoofd getrokken en eeuwig in bed willen blijven.

Jordan. Ik heb het met Jordan gedaan. Jezus, waarom?

'Hoezo, waarover?' Patty klinkt behoorlijk verbouwereerd. 'Heb je vandaag de krant dan niet gezien?'

Voor de tweede keer in vierentwintig uur krijg ik het ijskoud.

'Welke krant?'

'De *Post*,' zegt Patty. 'Op de voorpagina staat een foto waarop jullie met elkaar staan te zoenen. Nou ja, je kunt niet echt zien dat jij het bent, maar het is heel duidelijk dat het Tania Trace niet is. En het is ook duidelijk bij Cooper op de stoep.'

Ik zeg iets waardoor Rachel haar kantoor uit vliegt om te vragen of het wel gaat met me.

'Niks aan de hand,' zeg ik, terwijl ik mijn trillende hand over de telefoon leg. 'Niks bijzonders.'

Ondertussen kwekt Patty verder in mijn oor.

'De kop luidt: *Sleazy Street*. Volgens mij omdat Jordan zijn verloofde beduvelt. Maar maak je maar geen zorgen, ze noemen jou de "onbekende vrouw". Goh, je zou toch denken dat ze daar

180

wel achter konden komen. Maar het is een amateurfoto en je hoofd is in het donker. Maar als Tania dit ziet...'

'Ik wil er nu liever niet over praten,' onderbreek ik haar, en ik voel me een beetje misselijk.

'Wil je niet of kun je niet?' vraagt Patty verbaasd.

'Eh, het laatste.'

'Zie je wel. Dat wordt lunchen.'

'Oké.'

'Wat ben je toch een sukkel.' Maar Patty zit te gniffelen. 'Ik kom om een uur of twaalf bij je langs. Ik heb Magda al een hele tijd niet gezien. Zal me benieuwen wat zíj hierover te zeggen heeft.'

Mij ook.

Ik hang op. Sarah komt binnen, brandend van nieuwsgierigheid naar, raad eens? Jordan. Het enige wat ik wil is me opkrullen tot een balletje en huilen. Waarom? WAAROM? WAAROM? WAAROM was ik zo zwak?

Maar op je werk kun je nu eenmaal niet gaan zitten huilen zonder dat tachtig mensen zich ermee gaan bemoeien met opmerkingen zoals: 'Wat is er met je? Huil maar niet. Het komt allemaal goed.' Dus stort ik me op het incasso van de verkoopautomaten, en gebogen over mijn rekenmachine probeer ik te doen alsof ik het heel druk heb.

Niet dat Rachel zelf niet genoeg te doen heeft. Begin deze week heeft ze gehoord dat ze genomineerd is voor een Viooltje. Viooltjes zijn onderscheidingen in de vorm van dit bloemetje en worden uitgereikt aan de personeelsleden en de beheerders die iets uitzonderlijks hebben gepresteerd. Pete heeft er bijvoorbeeld een gekregen omdat hij de deur heeft ingeramd van een meisje dat zich had ingesloten en toen het gas in haar oven had aangezet. Hij heeft echt haar leven gered.

Magda heeft er ook eentje, omdat – zo gek als ze is met dat filmsterretjesgedoe – de meeste studenten dol op haar zijn. Ze zorgt er met name in december voor dat ze zich thuis voelen door tegen alle campusregels in haar kassa te versieren met een kerstmannetje, een heel klein kerststalletje, een menora en kwanzaakaarsen.

Ik vind het wel terecht dat Rachel is genomineerd. Ze heeft heel wat meegemaakt sinds ze hier in Fischer Hall is komen werken, waaronder twee dode studenten in twee weken tijd. Ze heeft tot twee keer toe ouders de dood van hun kind moeten melden, twee keer hun spulletjes moeten inpakken (oké, dat heb ik beide keren gedaan), en twee herdenkingsdiensten moeten regelen. Deze dame verdient toch op zijn minst een onderscheiding in de vorm van een viooltje.

Maar hoe dan ook is Rachel vanwege deze nominatie ook automatisch uitgenodigd voor het Viooltjesbal. Dit bal, dat nogal officieel is, met avondkleding en zo, vindt jaarlijks op de benedenverdieping van de bibliotheek plaats. Rachel is helemaal over haar toeren omdat het vanavond al is en ze niets heeft om aan te trekken, zegt ze. Ze is van plan om in de lunchpauze een paar winkels met showmodellen af te gaan om te zien of ze iets geschikts kan vinden.

Ik weet natuurlijk wat dit betekent. Ze komt opdagen met de mooiste jurk die je ooit hebt gezien. Als je maat 36 hebt, kun je gewoon elke winkel binnen stappen en uit honderden verschillende mogelijkheden kiezen.

Als ik klaar ben met het automatengedoe, zeg ik dat ik naar de afdeling uitbetalingen ga. Rachel gebaart dat ik wel kan gaan, en gelukkig maakt ze geen opmerking over het feit dat ik het altijd zo erg vind om daar in de rij te staan (overigens Justines favoriete bezigheid) en ik meestal een werkstudent dat klusje laat klaren.

Natuurlijk ga ik op weg naar de uitbetaling even langs de kantine om Magda te zien.

Nadat ze een blik op me heeft geworpen, zegt ze tegen Gerald, haar baas, dat ze even tien minuten pauze neemt, hoewel Gerald echt iemand is van: 'Maar je hebt een half uur geleden al pauze gehad.'

Magda en ik lopen naar het park, we gaan op een bankje zitten en ik gooi het hele verhaal over Jordan eruit.

Als Magda is uitgelachen, veegt ze haar ogen af en zegt: 'O, arme schat. Maar wat had je dan gedacht? Dat hij je ze zou smeken om terug te komen?'

'Nou, eigenlijk wel,' zeg ik.

'Maar had je dat dan ook gedaan?'

'Nou... nee. Maar het zou toch wel leuk zijn als hij het had gevraagd.'

'Luister even, lieverd, jij en ik weten dat jij het beste bent wat hem ooit is overkomen. Maar hijzelf? Hij wil alleen maar iemand die precies doet wat hij zegt. En zo ben jij niet. Dus laat hem gewoon zijn gang gaan met Miss Keiharde Kont. Wacht nou maar totdat je een echt aardige man tegenkomt. Je weet maar nooit. Dat gebeurt misschien eerder dan je denkt.'

Ik weet dat ze het over Cooper heeft.

'Ik heb het je toch gezegd,' zeg ik treurig. 'Ik ben zijn type niet. Ik zou op zijn minst vier academische titels moeten hebben om te kunnen wedijveren met zijn vorige vriendin, die een dwergzon of zoiets heeft ontdekt die vervolgens haar naam heeft gekregen.'

Magda haalt alleen maar haar schouders op. 'En die Christopher dan over wie je het had?' vraagt ze.

'Christopher Allington, bedoel je toch? Daar wil ik helemaal niets mee. Hij is misschien wel een moordenaar.'

Nu ik laat blijken dat ik Christopher zo van het een en ander verdenk, wordt Magda pas echt opgewonden.

'Niemand zou hem verdenken,' roept ze uit, 'omdat hij de zoon van meneer Allington is. Het lijkt wel een film. Helemaal perfect!'

'Nou, bijna perfect,' zeg ik. 'Denk even na, waarom zou hij onschuldige meisjes vermoorden? Wat voor motief zou hij kunnen hebben?'

Magda denkt hier inderdaad even over na en komt dan met

een aantal theorieën op de proppen die gebaseerd zijn op films die ze heeft gezien. Bijvoorbeeld dat Chris mensen moet vermoorden als inwijdingsritueel om te mogen toetreden tot een geheim genootschap van de rechtenfaculteit, of dat hij misschien een gespleten persoonlijkheid heeft, of een krankzinnige tweelingbroer. Waardoor haar trouwens opeens te binnen schiet dat Chris Allington waarschijnlijk naar het Viooltjesbal gaat, en dat als ik zo nodig detectiefje wil spelen, een toegangskaartje moet zien te versieren om hem van dichtbij te kunnen observeren.

'Die kaartjes kosten ongeveer tweehonderd dollar, tenzij je genomineerd bent voor een Viooltje,' vertel ik haar. 'Dat kan ik niet betalen.'

'Ook niet om een moordenaar in zijn kraag te grijpen?' vraagt Magda.

'Hij is alleen maar een potentiële moordenaar.'

'Ik weet zeker dat Cooper wel aan kaarten kan komen.' Ik was helemaal vergeten dat Coopers grootvader een belangrijke weldoener van het New York College was. Maar Magda blijkbaar niet. Magda vergeet nooit iets. 'Waarom ga je niet met hem?'

Ik heb de laatste tijd niet veel reden tot lachen gehad, maar het idee van Cooper in een smoking werkt op mijn lachspieren. Ik vraag me af of hij er ooit eentje heeft gehad.

Het lachen vergaat me echter snel als ik eraan denk dat ik hem zou moeten vragen mee te gaan naar het Viooltjesbal. Dat doet hij nooit. Hij zal natuurlijk willen weten waarom ik daar zo nodig naartoe moet, en me vervolgens de les lezen dat ik me niet moet bemoeien met dingen die me niet aangaan.

Magda slaakt een zucht als ze dit allemaal hoort.

'Oké,' zegt ze met spijt in haar stem. 'Maar het zou zó iets uit een film kunnen zijn.'

Wanneer ik in de rij sta bij de bank, doe ik alle moeite niet aan de vorige avond te denken. Dat was echt niet zoals in een film. Als dat wel zo was geweest, was Jordan vanmorgen komen opdagen met een grote bos rozen en twee tickets naar Las Vegas.

Niet dat ik met hem mee zou zijn gegaan. Maar zoals ik al zei, het zou leuk zijn geweest als hij het had gevraagd.

Ik loop door het park terug naar Fischer Hall en repeteer in gedachten: 'Het spijt me, maar ik kan echt niet met je trouwen.' Dat ga ik tegen Jordan zeggen voor het geval hij, nou ja, toch komt opdagen met bloemen en tickets. En op dat moment kijk ik op en staat hij vlak voor mijn neus.

Echt waar. Op de stoep voor Fischer Hall bots ik bijna tegen hem op.

'O,' zeg ik, en ik druk de envelop met dollarbiljetten tegen me aan alsof die hem op een afstand zou kunnen houden. 'Hallo.'

'Heather,' zegt Jordan. Hij staat naast een zwarte limousine – niet echt onopvallend zou je zeggen – pal voor de ingang van de studentenflat. Hij komt zo te zien net van zijn persbijeenkomst, en heeft geen rozen bij zich, maar is wel behangen met platina kettingen, en hij kijkt uitermate schuldbewust.

Ik kan geen medelijden met hem hebben. Tenslotte schrijnt mijn kont nog – en niet de zijne – van de gangloper.

'Ik heb op je staan wachten,' zegt Jordan. 'Je baas zei dat je binnen een uur weer terug zou zijn, maar...'

Oei. Het is half twaalf, en ik ben om tien uur van kantoor gegaan. Rachel had er blijkbaar niet op gerekend dat ik met Magda naar het park zou gaan om even bij te kletsen.

'Nou,' zeg ik. 'Ik ben dus terug.' Ik kijk om me heen, maar ik zie nog steeds geen bloemen. Dat maakt niet uit, want ik ben toch vergeten wat ik tegen hem zou zeggen. 'Wat is er?'

Je gaat niet meer met hem mee, zeg ik tegen mezelf. Je gaat absoluut niet meer met hem mee. Zelfs niet als hij op zijn knieën gaat...

Nou, vooruit, misschien als hij op zijn knieën gaat.

Nee! Zelfs dan niet! Hij is de verkeerde broer, weet je nog? De verkéérde broer.

Jordan kijkt slecht op zijn gemak om zich heen. 'Kunnen we niet even ergens rustig praten?'

'Dat kunnen we ook hier,' zeg ik, omdat ik weet dat wanneer ik ergens met hem alleen zou zijn, ik iets zou doen waarvan ik later misschien spijt zou krijgen.

Misschien? Dat heb ik al.

'Ik zou het fijn vinden,' zegt hij, 'als we even in de auto konden praten.'

'Ik zou het fijn vinden,' zeg ik – niet toegeven, niet toegeven – 'als je gewoon zegt wat je te zeggen hebt.'

Jordan is duidelijk verbaasd over de stelligheid waarmee ik dit zeg. Ik ook, trouwens.

Op dat moment dringt het tot me door dat hij waarschijnlijk denkt dat we toch weer bij elkaar komen, of zoiets.

Ahum.

Voordat ik het weet, gooit hij het er allemaal uit.

'Het is alleen... Ik ben... Ik ben echt ontzettend in de war, Heather,' zegt hij. 'Ik bedoel, je bent echt... nou ja, gewoon geweldig. Maar Tania... Ik heb het er met mijn vader over gehad, en ik kan... nou, ik kan het nu echt niet met haar uitmaken. Dat nieuwe album dat uitkomt, en zo. Mijn vader zegt...'

'Wat zeg je?' Ik weet niet wat ik hoor. O, ik geloof best dat het allemaal waar is, maar niet dat hij dit ook echt tegen me zegt.

'Echt, Heather. Hij is razend over die foto in de *Post*...'

'Je denkt toch niet dat ik...'

'Nee, natuurlijk niet. Maar het is allemaal niet zo fijn, Heather. Tania's album is op dit moment het best verkochte album van het label, en mijn vader zegt dat als ik haar nu aan de kant zet, dat niet zo goed is voor het album dat ik zelf ga uitbrengen...'

'Oké,' zeg ik. Ik trek dit gewoon niet. Hier had ik echt niet op gerekend. 'Niets aan de hand, Jordan. Echt niet.'

En het gekke is dat ik op dat moment ook echt vind dat er niets aan de hand is. Op de een of andere manier heeft Jordans bekentenis dat het niets meer tussen ons kan worden omdat zijn vader het niet wil, alle romantische gevoelens die ik nog voor hem zou kunnen hebben in één klap weggevaagd.

Niet dat ik die nog had, trouwens. Niet meer.

Jordans mond valt open van verbazing. Hij had er duidelijk op gerekend dat ik zou gaan huilen of zo. En om eerlijk te zijn zou ik dat ook wel willen. Maar niet om hem.

Maar dat zeg ik echt niet tegen Jordan. Ik vind dat hij al genoeg aan zijn hoofd heeft. Sarah zou er een dagtaak aan hebben om al zijn diepgewortelde neuroses te duiden...

Jordan beantwoordt mijn glimlach met een soort van kinderlijke opluchting. 'Wauw,' zegt hij. 'Oké, dat is... dat is ontzettend lief van je, Heather.'

Gek genoeg kan ik alleen maar aan Cooper denken. Niet omdat ik het zielig voor mezelf vind dat ik hem zo geweldig vind en hij niet eens weet dat ik besta, behalve dan dat hij merkt dat de stapel paperassen op zijn bureau langzaam slinkt.

Nee, ik besef dat ik alleen maar vurig hoop dat Cooper, waar hij ook mag zijn, niet per ongeluk een *Post* van vanmorgen in handen krijgt. Het laatste wat ik wil is dat hij erachter komt dat ik heb staan zoenen – godzijdank was dat het enige wat in de *Post* te zien was – met zijn eigen broer, op zijn eigen stoep...

Misschien komt het omdat ik tijdens mijn werkzaamheden in Fischer Hall een soort zesde zintuig heb ontwikkeld, maar opeens voel ik iets. Een soort luchtverplaatsing, en ik zie uit mijn ooghoek iets donkers voorbijschieten. Voordat ik goed en wel weet wat er gebeurt, laat ik Jordans hand los en schreeuw: 'Kijk uit!'

Het volgende moment hoor ik een misselijkmakende klap, gevolgd door gekraak. Er vliegen scherven en aarde door de lucht.

Als ik mijn armen van mijn hoofd haal en weer durf te kijken, zie ik tot mijn ontzetting dat Jordan naast zijn limousine languit op het trottoir ligt. Aan de zijkant van zijn hoofd zit een gapende wond waar het bloed uit stroomt, waardoor er een kledderige massa ontstaat van aarde, geraniums en verspreid liggende scherven.

Twee tellen ben ik volkomen verlamd van schrik.

Dan kniel ik naast Jordan neer.

'O, god!' Een meisje dat even verderop stond om een taxi aan te houden, komt aanrennen. 'O, god. Ik heb het gezien! Het was een plant. Een plant in een bloembak. Hij viel van dat penthouse daar naar beneden.'

'Ga naar binnen,' zeg ik tegen haar met een stem die zo kalm klinkt dat ik die nauwelijks herken. 'En zeg tegen de bewaking dat ze een ambulance en de politie moeten bellen. En vraag dan aan de man achter de balie om de eerstehulpdoos.'

Zwikkend op haar hoge hakken doet het meisje wat ik zeg. Ze ziet eruit alsof ze gaat solliciteren, maar het lijkt alsof ze niet beseft dat ze veel en veel te laat zal komen.

Wat zei die instructeur ook alweer toen ik lang geleden die opleiding volgde, en het over reanimatie ging?

O ja. Wacht. Kijk. En luister.

Ik wacht even en zie tot mijn opluchting dat Jordans borst beweegt. Hij ademt nog. Ik zie een ader in zijn hals kloppen, heftig en regelmatig. Hij is bewusteloos, maar niet aan het doodgaan – nog niet. De plantenbak heeft zijn hoofd geschampt, heeft zijn oor geraakt en is met een geweldige klap op zijn schouder terechtgekomen, waardoor zijn shirt finaal aan flarden is gescheurd.

Hij bloedt nog steeds uit de wond op zijn hoofd, en even ben ik geneigd om mijn eigen shirt te gebruiken als verband – dat zouden de jongens van de schaakclub me niet in dank afnemen – als de chauffeur van de limousine komt aanrennen, op hetzelfde moment dat Pete door de voordeur van het gebouw komt gestormd.

'Hoi, Heather.' Met grote donkere ogen gooit hij de eerstehulpdoos naar me toe. 'Ik heb ook een ambulance gebeld.'

'Is hij dood?' vraagt de chauffeur van de limousine nerveus, terwijl hij een mobieltje tegen zijn oor houdt. Hij heeft vast Jordans vader aan de lijn.

Ik geef Pete mijn envelop van de bank, en terwijl ik in de verbanddoos rommel, vind ik een rolletje verband dat ik tegen de wond houd. Het wordt meteen donkerrood van het bloed.

'Haal even een handdoek of zoiets,' zeg ik tegen Pete, nog steeds met die gekke, rustige stem die helemaal niet op de mijne lijkt. Misschien is dit mijn toekomstige stem. Je weet wel, de stem die ik zal hebben wanneer ik ben afgestudeerd en mijn eigen praktijk heb. 'Er ligt nog iets van linnengoed in de voorraadkamer. Haal een paar handdoeken voor me.'

Pete schiet als een pijl uit de boog weg. Er zijn mensen om ons heen komen staan, zowel bewoners van Fischer Hall als mensen van de schaakclub in het park. Ze hebben allemaal wel een medisch advies.

'Til zijn hoofd op,' zegt een van de drugsdealers tegen me.

'Nee, je moet zijn voeten optillen,' zegt iemand anders. 'Als iemand rood ziet, moet je zijn hoofd omhoog doen, en als hij wit ziet, zijn voeten.'

'Zijn gezicht is toch rood, man.'

'Dat is van het bloed.'

'Hé, is dat niet Jordan Cartwright?'

Pete komt terug met een paar schone witte handdoeken. De eerste wordt binnen een paar minuten rood. Bij de tweede gaat het al beter. Terwijl ik de handdoek tegen Jordans hoofd druk, houdt de wond op met hevig bloeden.

'Wat is er gebeurd?' blijft iedereen maar vragen.

Een man van de schaakclub bemoeit zich ermee. 'Ik heb het allemaal gezien. Je hebt mazzel gehad, dame. Dat ding vloog recht op je af. Als je niet opzij was gesprongen...'

De politie is er al voordat de ambulance arriveert. Ze kijken even en blijkbaar kunnen mijn inspanningen hun goedkeuring wegdragen, want vervolgens sturen ze de omstanders allemaal weg en zeggen dat er niets meer te zien valt.

'Jullie moeten getuigenverklaringen opnemen! Dat ding is niet zomaar naar beneden gevallen. Iemand heeft hem een zet gegeven,' zeg ik met veel klem.

Iedereen komt weer nieuwsgierig rond de politieagenten staan om hun verhaal kwijt te kunnen. Ongeveer op dat moment komt Rachel naar buiten gerend, terwijl het geklik van haar hakken op het trottoir weerklinkt.

'O, Heather,' roept ze, terwijl ze zich een weg baant door de scherven, brokken aarde en stukken geranium. 'O, Heather! Ik heb het net gehoord. Is hij... gaat hij...'

'Hij ademt nog,' zeg ik. Ik houd de handdoek tegen de wond gedrukt die eindelijk niet meer bloedt. 'Waar blijft die ambulance?'

Op dat moment stopt die voor de stoep. De ziekenbroeders springen eruit en nemen het godzijdank van me over. Ik maak maar al te graag plaats. Rachel slaat een arm om me heen wanneer ze Jordans reflexen testen. Ondertussen gaat een andere agent naar binnen, terwijl een derde een grote scherf van de bloembak oppakt en me aankijkt.

'Wie heeft hier de leiding?' wil hij weten.

'Ik, ben ik bang,' zegt Rachel.

'Enig idee waar dit vandaan is gekomen?' vraagt hij terwijl hij het stuk steen omhooghoudt.

'Het lijkt op de cementen bloembakken van Allingtons terras,' antwoordt Rachel. Ze draait zich om en wijst langs de gevel van Fischer Hall omhoog. 'Daarboven,' zegt ze, en ze legt haar hoofd in haar nek. 'De 20e verdieping. Het penthouse. Dit soort plantenbakken staat rond het hele terras.' Ze houdt op met wijzen en kijkt me aan. 'Ik zou niet weten hoe dit is gebeurd. Misschien door de wind?'

Ik heb het koud, maar dat komt niet door de wind, want het is een gewone, warme herfstdag.

Magda, die inmiddels bij ons is komen staan, is het zo te horen met me eens.

'Er staat geen wind vandaag,' zegt ze. 'Op New York One zeiden ze dat het de hele dag zacht zou zijn.'

'Er is nog nooit een van die plantenbakken naar beneden

gewaaid,' zegt Pete. 'En ik werk hier nu al twintig jaar.'

'Je wilt toch niet insinueren dat iemand die bak van het terras heeft geduwd?' vraagt Rachel met een uitdrukking van afgrijzen op haar gezicht. 'Ik bedoel, de studenten hebben helemaal geen toegang tot het terras...'

'Studenten?' vraagt de agent die ons met samengeknepen ogen aankijkt. 'Een soort studentenflat, dus.'

'Studentenhuis,' verbeteren Rachel en ik hem werktuiglijk.

De ziekenbroeders leggen Jordan op een rugplank, vervolgens op een brancard en schuiven hem daarna de ambulance in. Wanneer ze de deuren dichtdoen, kijk ik Rachel aan.

'Ik zou eigenlijk met hem mee moeten gaan,' zeg ik tegen haar.

Ze geeft me een zetje in de richting van de ambulance. 'Natuurlijk moet je dat,' zegt ze vriendelijk. 'Ga maar. Ik regel de dingen hier wel. Houd me wel op de hoogte hoe het met hem gaat.'

Ik zeg dat ik dat zal doen en ren achter de ziekenbroeders aan om te vragen of ik mee mag rijden naar het ziekenhuis. Ze zijn erg inschikkelijk en ik mag voorin zitten.

Van daaruit kan ik door een raampje zien wat de broeder die niet achter het stuur zit met Jordan doet. Zo te zien komt Jordan weer bij. Hij weet alleen niet welke dag het is en gromt alleen maar, alsof hij dolgraag weer zou willen slapen.

Het komt nog even in me op om de broeder hem te laten vragen met wie hij verloofd is, maar dat vind ik bij nader inzien te vals.

Wanneer we wegrijden, zie ik dat Rachel, Sarah, Pete en Magda op een kluitje op het trottoir staan en me bezorgd nakijken.

Dan dringt plotseling tot me door dat ik dan wel geen vriendje heb.

Maar ik heb wel familie.

Misschien een beetje gekke familie.

Maar het ís familie.

18

You got me crying
With all your lying

Why you gotta be
So mean to me?

Baby, can't you see
You and me were
Meant to be?

Instead you got me
Crying
And you're not even
Trying

Baby, why you gotta
Be this way?

'Crying'
Zang: Heather Wells
Tekst: Dietz/Ryder
Van het album: *Summer*
Cartwright Records

In de ongeveer vier maanden dat ik op het New York College werk, heb ik met diverse gewonde en zieke studenten wel zo ongeveer alle eerstehulpposten in Manhattan gezien. En die van het St. Vincent behoort niet echt tot mijn favorieten. In de wachtkamer is wel een tv en zo, maar die staat altijd op soaps en in de snoepautomaat is het vak met Butterfingers altijd leeg.

Er zijn ook altijd horden junkies die de verpleegster die de patiënten registreert proberen ervan te overtuigen dat ze toch echt morfine nodig hebben voor die eigenaardige pijn in hun voeten. Voor een tijdje zijn de junks wel lollig om naar te kijken, maar als ze last krijgen van ontwenningsverschijnselen worden ze behoorlijk vervelend en is de bewaker gedwongen hen eruit te gooien. Vervolgens gaan ze dan hard op de ruiten bonken en maken het je bijna onmogelijk om je te concentreren op het tijdschrift dat je in handen hebt.

De wachtkamer mag dan tamelijk vreselijk zijn, de medische staf is geweldig. Ze vragen me van alles over Jordan waar ik geen antwoord op heb. Maar zodra ik zeg hoe hij voluit heet, krijgt hij voorrang en sjezen ze met hem de eerstehulpafdeling binnen, omdat zelfs dokters Easy Street kennen.

Op de eerstehulpafdeling mogen de patiënten alleen de eerste vijf minuten van elk uur bezoek ontvangen, dus ben ik verbannen naar de wachtkamer. Maar ik besteed mijn tijd nuttig door Jordans vader te bellen en hem alle details over het ongeluk te vertellen.

Meneer Cartwright is er vanzelfsprekend nogal van ondersteboven dat zijn succesvolste mannelijke artiest – o ja, en tevens zijn zoon – geveld is door een bloembak met geraniums, dus trek ik het me niet aan dat hij nogal kortaf tegen me is door de telefoon. Het laatste gesprek dat we hebben gevoerd, verliep ook niet zo gesmeerd, toen hij me vertelde dat hij ervoor zou zorgen dat Jordan Tania zou dumpen. Ik hoefde alleen maar mijn eis te laten vallen dat ik op mijn volgende album mijn eigen teksten zou zingen.

Meneer Cartwright is een behoorlijke zak. Waarschijnlijk heeft Cooper daarom al bijna een jaar niet met hem gesproken.

Nadat ik het gesprek met de vader van Jordan en Cooper heb beëindigd, weet ik niet wie ik nog meer moet bellen. Misschien Cooper, om te zeggen dat zijn broer gewond is.

Maar dan zal hij waarschijnlijk vragen wat Jordan bij Fischer Hall te zoeken had. En om de waarheid te zeggen, ben ik niet zo goed in liegen. Ik heb zo het idee dat Cooper het onmiddellijk in de gaten heeft wanneer ik hem iets op de mouw speld.

Dus in plaats van een beetje te zitten bellen, laat ik me in een plastic stoeltje zakken en amuseer me met het kijken naar de andere mensen die op de eerstehulp binnen komen. Het lijkt wel zo'n tv-aflevering over eerstehulppatiënten, maar dan live natuurlijk. Ik zie een vrolijke dronkenlap met een bloedende hand, een afgetobde moeder die per ongeluk hete cappuccino over haar kindje heeft gegooid, een jochie in een schooluniform met een grote snee in zijn kin, en die door een non wordt meegesleurd, een bouwvakker met een gebroken voet, en een stelletje Spaanse vrouwen die zo te zien niets mankeren, maar die heel hard praten en tegen wie de verpleegster zegt dat ze hun kop moeten houden.

Na ongeveer een kwartier komt de bewaker en zegt dat iedereen vijf minuten bij zijn dierbaren op de eerstehulp mag. Dus begeef ik me met de non, de zenuwachtige moeder en de Spaanse dames door de dubbele deuren en probeer uit te vinden waar Jordan ligt.

Hij is weer bewusteloos, of in elk geval heeft hij zijn ogen dicht. Het witte verband steekt sterk af tegen zijn gebruinde huid (zijn ouders hebben echt een heerlijk zomerverblijf in de Hamptons, het zwembad heeft een waterval en zo). Ze hebben zijn brancard op een rustig en nogal afgeschermd plekje neergezet, en wanneer ik ernaar vraag, zegt een verpleegster dat er boven een bed voor hem wordt klaargemaakt. Ze wachten nog steeds op zijn röntgenfoto's, maar naar alle waarschijnlijkheid heeft hij een hersenschudding.

Ik vermoed dat ik er echt heel bezorgd uitzie, omdat de verpleegster naar me lacht en haar hand op mijn arm legt. 'Maak je maar geen zorgen, ik weet zeker dat hij binnen de kortste keren weer staat te swingen.'

Ondanks de geruststellende woorden van de verpleegster kan ik het niet over mijn hart verkrijgen hem alleen te laten. Het is gewoon niet te geloven dat er nog niemand van zijn familie is komen opdagen. Dus als ik mijn vijf minuutjes kijken naar Jordan erop heb zitten, ga ik terug naar mijn plastic stoeltje in de wachtkamer. Ik besluit te blijven totdat hij naar boven gaat, of totdat er iemand van zijn familie komt. Ik blijf gewoon zitten totdat ze komen. En dan...

En dan weet ik niet wat ik moet doen. Ik ben er zeker van – honderd procent zeker, zekerder dan ik ooit van iets ben geweest, wat natuurlijk niks zegt, maar toch – dat iemand me net heeft geprobeerd te vermoorden.

Toch? Die opmerking van die vent van de schaakclub bijvoorbeeld. 'Goed dat je opzij sprong, dame, want dat ding vloog recht op je af,' of iets dergelijks.

En degene die die bloembak van het terras heeft geduwd, kan alleen maar Christopher Allington zijn geweest. Wie anders heeft toegang tot het terras van zijn ouders? Wie anders had een reden om een bak met geraniums op mijn hoofd te keilen? Het was geen moord met voorbedachten rade – dat kan niet. Hij kon nooit weten dat ik op dat moment zou komen aanlopen.

Nee, hij keek naar beneden en zag toen zijn kans schoon om de plantenbak een zwiep te geven. Als ik niet was weggedoken, zou het ding op mij zijn terechtgekomen en niet op Jordan. En ik had het er waarschijnlijk niet levend van afgebracht, omdat mijn hoofd niet half zo hard is als dat van een ex-lid van Easy Street.

Maar waarom zou Chris me uit de weg willen ruimen? Alleen maar omdat ik hem van moord verdenk? Iemand van moord verdenken, en ook echt het bewijs hebben dat iemand een moordenaar is, zijn twee totaal verschillende dingen. Denkt

Chris soms dat ik hard bewijs heb? Behalve het condoom – dat alleen maar bewijst dat hij hitsig is, maar niet dat hij een moordenaar is – heb ik helemaal niets. Ik heb niet eens het bewijs dat het hier überhaupt om moord gaat.

Dus waarom wil hij me dan vermoorden? Het zou voor hem toch veel riskanter zijn om te proberen mij te vermoorden dan om zich gedeisd te houden? Ook al omdat de dood van Elizabeth en Roberta niet met een misdrijf in verband wordt gebracht.

Behalve door mij dan.

Een zware, vertrouwde stem onderbreekt mijn gedachten. Ik wend mijn blik af van de snurkende junk die ik onopvallend heb zitten bekijken en kijk recht in het rustige, glimlachende gezicht van Cooper...

En ineens word ik niet goed.

'Heather,' zegt hij vriendelijk en terloops, terwijl hij in het plastic stoeltje naast me komt zitten.

'Eh.' Dat is alles wat ik kan bedenken. Bijdehand, hè? Na een heleboel verwarrende gedachten, weet ik er uiteindelijk 'Hoi' aan toe te voegen.

Cooper kijkt lichtelijk geïnteresseerd naar de snurkende junk. In zijn versleten maar perfect passende spijkerbroek en zwartleren jasje ziet hij eruit om op te vreten. Zelfs lekkerder dan Ho Ho's. Cooper bedoel ik dus. Niet die junk.

'Goed,' zegt hij op dezelfde ontspannen toon. 'Wat heb je te melden?'

Ik krijg het warm en koud tegelijk. Het is niet eerlijk, wat die vent met me doet. Terwijl hij me zelfs nog nooit een keertje mee uit heeft genomen. Oké, hij heeft gevraagd of ik bij hem wilde komen wonen, maar hallo, dat was uit medelijden. En ik heb een hele verdieping, alleen voor mezelf. Met allemaal aparte sloten op de deur. Die ik overigens nooit gebruik, maar heeft hij ooit de moeite genomen dat te onderzoeken? Nee dus.

'Niet veel,' zeg ik tegen hem, en ik hoop maar dat hij niet kan

zien dat onder mijn T-shirt mijn hart als een gek tekeergaat.
'Heeft, eh, je vader je gebeld?'

'Nee,' zegt Cooper. 'Je vriendin Patty heeft me gebeld toen ze
je van kantoor kwam ophalen om te gaan lunchen. Magda heeft
haar verteld wat er is gebeurd. Het is dat Patty haar baby bij zich
had, anders was ze zelf wel gekomen.'

'O,' zeg ik. Ik was mijn lunchafspraak met Patty helemaal vergeten. Ik kijk op de klok in de wachtkamer en zie dat het al over
tweeën is. 'Nou, ja.'

'Ze kon me niet echt uitleggen wat er precies is gebeurd,' zegt
Cooper.

En dan gooi ik alles eruit.

Dat wil ik helemaal niet. Het is niet mijn bedoeling. Het is
gewoon... nou ja, ik denk dat Cooper daarom zo'n goeie detective is. Zijn stem heeft iets waardoor je gewoon alles vertelt wat
je weet...

Nou ja, niet alles. Ik slaag erin dat hele gedoe met Jordan en
mij op de loper in Coopers gang voor me te houden. Met geen
stok en zeven dienders krijg je dat verhaal uit me.

O, en Cooper krijgt natuurlijk ook niet te horen dat ik zijn
kleren, nou ja, het liefst met mijn tanden van zijn lijf zou scheu-
ren.

Maar de rest komt er in één grote golf uit, een beetje zoals
soms het geval is met de warme chocola die Magda in de kantine
schenkt.

Ik begin met te vertellen over de playbackwedstrijd van de
avond ervoor, toen ik Christopher Allington begon te verdenken
van de moord op Elizabeth en Roberta, en eindig met de geraniums die Jordans hoofd hebben gekliefd, en sla het deel over
waarin zijn broer en ik in Coopers gang het beest met de twee
ruggen hebben gespeeld.

Ik heb Cooper een paar keer met cliënten bezig gehoord. De
was-droogcombinatie staat op dezelfde verdieping als zijn kantoor, pal naast de keuken. Ik was daar mijn control toponder-

goed (dat ik alleen maar bij speciale gelegenheden draag, zoals klantenservice trainingen of multiculturele-bewustwording-workshops) en heb hem horen praten met mensen die hem hadden ingehuurd. Hij stond hen altijd op een rustige, weloverwogen manier te woord...

Totaal anders, blijkt nu, dan de toon die hij tegen zijn niet-betalende cliëntèle aanslaat.

'Heather, ben je verdomme niet goed bij je hoofd?' Hij is echt kwaad. Hij klinkt ook echt kwaad. 'Heb je echt met die gast gepraat?'

Het zou fijn zijn als ik kon denken dat hij zo kwaad is omdat ik op het nippertje aan de dood ben ontsnapt en hij nu pas echt beseft wat hij voor me voelt.

Maar ik denk eigenlijk eerder dat hij zijn vermoeden bevestigd ziet dat ik volkomen geschift ben.

'Waarom zit je zo tegen me te schreeuwen?' vraag ik hem. 'Ik ben hier toch het slachtoffer.'

'Nee, dat ben je niet, dat is Jordan. En als je gewoon naar me had geluisterd...'

'Maar als ik naar je had geluisterd, dan wist ik nu niet dat Chris Allington de gevaarlijke psychopaat is die we zoeken.'

'En daar heb je nog steeds geen enkel bewijs voor.' Cooper schudt zijn hoofd. Hij heeft donker, dik haar dat hij bijna nooit laat knippen en dat over zijn boordje valt. Het geeft hem iets nonchalants, zelfs zonder dat detectivegedoe. 'Die bloembak kan door iedereen van het terras af zijn gestoten. Misschien wel door Allingtons tuinman toen hij de planten water gaf.'

'Uitgerekend op mijn hoofd? Is dat niet een beetje al te toevallig? En daar komt nog bij dat ik net de avond daarvoor Chris Allington heb ondervraagd.'

Ik zou zweren dat ik Coopers mondhoeken zie vertrekken wanneer ik dit zeg.

'Sorry, Heather, maar ik denk niet dat jouw ondervragings-tactiek in staat is in Chris Allington een ongeremde moordlust op te wekken.'

Oké, ik mag dan geen Miss Marple zijn, maar dat hoeft hij me nou ook weer niet in te wrijven.

'Ik zeg toch dat hij me heeft geprobeerd te vermoorden. Waarom geloof je me niet?' hoor ik mezelf gillen voordat ik mijn mond dicht kan doen. 'Begrijp je dan niet dat ik niet meer een stom tienersterretje ben, en dat ik misschien heel goed weet waarover ik het heb?'

Ik zou de woorden die zomaar uit mijn mond komen wel willen tegenhouden. Wat ben ik aan het doen? Waar ben ik in vredesnaam mee bezig? Deze vent heeft me spontaan een woning aangeboden toen ik nergens heen kon... nou ja, behalve naar de logeerkamer bij Patty en Frank op zolder dan.

Maar afgezien daarvan. Kan het ondankbaarder?

'Sorry,' zeg ik, en ik heb een droge mond van de paniek. 'Ik bedoelde het niet zo. Ik weet niet waar ik dat vandaan haalde. Ik denk dat ik... Ik geloof dat ik een beetje in de war ben. Van alle stress, denk ik.'

Cooper zit daar maar en kijkt me aan met een totaal ondefinieerbare uitdrukking op zijn gezicht.

'Ik beschouw je helemaal niet als een stom tienersterretje,' is alles wat hij een tikkeltje verbaasd zegt.

'Weet ik toch,' zeg ik snel. O god, waarom kan ik mijn snavel toch niet een keer houden? WAAROM!

'Soms maak ik me een beetje zorgen om je,' gaat Cooper verder voordat ik iets kan zeggen. 'Ik bedoel, je werkt jezelf in de nesten... Dat gedoe met mijn broer...'

Wat voor gedoe? Bedoelde hij... de verkering met zijn broer? Of gisteravond? O, laat hem in vredesnaam niet de *Post* hebben gezien...

'En bovendien heb je helemaal niemand.' Weer schudt hij zijn hoofd. 'Geen familie of iemand die voor je zorgt.'

'Die heb jij trouwens ook niet,' zeg ik.

'Dat is anders,' zegt hij.

'Volgens mij maakt het niets uit,' zeg ik. 'Ik bedoel, het enige verschil is dat ik jonger ben dan jij.' Maar wat is zeven jaar nou helemaal? Prins Charles en Lady Diana scheelden twaalf jaar. Oké, dat is niet helemaal goed afgelopen, maar hoeveel kans hebben we om als stel dezelfde fouten te maken als zij? Als Cooper en ik ooit een stel zouden worden, tenminste. We houden allebei niet eens van polo.

'Trouwens,' zeg ik terwijl ik moet denken aan het beeld dat ik door de ambulanceruit zag. 'Ik heb wel een soort familie. Ik bedoel, ik heb Rachel en Magda, Pete en Patty en jou...'

Dat laatste wilde ik eigenlijk niet zeggen. Maar nu blijft het tussen ons in hangen. Je maakt deel uit van mijn familie, Cooper. Mijn nieuwe familie, omdat mijn echte familieleden allemaal in de bak zitten of voortvluchtig zijn. Gefeliciteerd!

Cooper kijkt me aan alsof ik gek ben geworden (niet zo vreemd, trouwens). 'En Lucy,' voeg ik er nogal slapjes aan toe.

Cooper ademt langzaam uit.

'Als je er echt van overtuigd bent dat het geen ongeluk was,' zegt hij uiteindelijk, overduidelijk mijn Wij Zijn Familie-praatje negerend (denk maar niet dat ik dat niet merk), 'en je echt denkt dat iemand je wil vermoorden, dan zou ik zeggen dat we naar de politie moeten gaan.'

'Dat heb ik al gedaan,' breng ik hem in herinnering.

'Weet je nog?'

'Ja. Maar nu ga ik met je mee en zal ik ervoor zorgen dat...'

Hij blijft midden in zijn zin steken wanneer een kittige, aantrekkelijke brunette naar de balie van de wachtkamer komt lopen. Ze is helemaal buiten adem, draagt een leren rok en heeft een enorme diamanten ring aan haar vinger.

Nou goed, vanaf de plek waar ik zit kan ik die diamanten ring niet echt zien. Maar ik weet wel wie ze is. Ik heb haar gezien met haar mond om mijn verloofdes je-weet-wel. En dat beeld staat voor eeuwig op mijn netvlies gebrand.

'Neemt u me niet kwalijk,' zegt ze hijgend tegen de stoïcijns ogende receptionist. 'Ik geloof dat mijn verloofde hier is, Jordan

Cartwright. Wanneer kan ik naar hem toe?'

Tania Trace, de vrouw die mijn plaats in Jordans hart en penthouse heeft ingenomen – en niet te vergeten mijn plek op de hitparade.

'Gek,' merkt Cooper op. 'Het lijkt alsof ze niet veel last heeft van die pijn.'

Ik kijk hem verwonderd aan, en dan herinner ik me dat hij het heeft over iets wat ik hem een hele tijd geleden heb verteld, toen ik net bij hem was komen wonen.

'Natuurlijk niet,' zeg ik. 'Omdat ze onder de pijnstillers zit. Coop, ik kan je wel vertellen dat als je zo veel plastische chirurgie hebt ondergaan, je niet kunt verwachten verder pijnloos door het leven te gaan. Ze is echt helemaal verbouwd. Eigenlijk heeft ze maat 48.'

'Nou, oké,' zegt Cooper. 'Het ziet ernaar uit dat mijn broertje nu in goede handen is. Zullen we?'

We gaan.

En geen minuut te vroeg, als je het mij vraagt.

19

Shout out to my
Homegirls
Shout out to my
Friends

Shout out to the
Ones who love me
On those I can depend

Shout out to the
Girls out there
Who buy their own
Damned diamond rings

Shout out to your sisters
I'm with you to the end

'Shout Out'
Zang: Heather Wells
Tekst: Dietz/Ryder
Van het album: *Summer*
Cartwright Records

De eerste persoon in het Zesde District die ik mijn verhaal vertel, is een vermoeid uitziende vrouw aan de balie. Ze heeft haar lange zwarte haar in een knot. Ik denk dat dat bij de politie de voorgeschreven haardracht is voor vrouwen.

Ik maak in gedachten even een aantekening dat ik niet strafrecht als hoofdvak moet kiezen.

De vrouw verwijst ons naar een dikkige man aan een bureau tegen wie ik mijn verhaal nog een keer afsteek. Hij kijkt net zo verveeld als de receptioniste...

Totdat ik over Jordan begin. Iedereen is altijd plotseling een en al aandacht wanneer de naam Easy Street valt.

De dikkige man laat ons een paar minuten wachten en dan gaat hij ons voor naar een keurig kantoortje. We nemen plaats aan een ontzettend opgeruimd bureau, waarna binnen een paar minuten de eigenaar van het kantoor komt binnenlopen en ik zie dat het niemand minder is dan de sigaarkauwende inspecteur Canavan.

'U!' schreeuw ik bijna tegen hem.

'Jij!' schreeuwt hij bijna terug. Hij heeft een plastic bekertje koffie in zijn handen – en raad eens – een donut. Krispy Kreme, met glazuur zo te zien. Bofkont.

'Waaraan heb ik deze keer de eer te danken, juffrouw Wells?' vraagt hij. 'Wacht even, niets zeggen. Het gaat toch niet toevallig over een Backstreet Boy die iets op zijn hersenpan heeft gekregen?'

'Easy Street,' verbeter ik hem. 'En ja, toevallig gaat het daar wel over.'

Inspecteur Canavan gaat achter zijn bureau zitten, haalt een onaangestoken sigaar uit zijn mond, breekt een stukje van zijn donut af en doopt dat in de koffie. Vervolgens stopt hij het stukje met koffie doordrenkte donut in zijn mond, kauwt, slikt en zegt: 'Doe mij een lol, en vertel me wat je op je hart hebt.'

Ik kijk even naar Cooper, die allebei de keren dat ik mijn verhaal heb verteld, niets heeft gezegd, en zie dat ik ook nu geen hulp van hem mag verwachten. Dus doe ik alles voor de derde keer uit de doeken, terwijl ik me niet voor het eerst afvraag wat ik toch zo aantrekkelijk aan Cooper vind, omdat hij soms geen mond opendoet. Dan schiet me weer te binnen dat hij zo ontzettend lief is, en zo aardig was me een woning aan te bieden terwijl hij dat helemaal niet hoefde, en dan weet ik weer wat ik in hem zie.

Inspecteur Canavan vouwt zijn handen achter zijn hoofd terwijl hij luistert, en leunt zo ver mogelijk achterover op zijn stoel. Waarschijnlijk is hij zijn deodorant vergeten of transpireert hij gewoon heel erg, want er zitten grote zweetplekken onder zijn oksels. Niet dat hij zich daar iets van zou aantrekken, trouwens.

'Dus je denkt,' zegt inspecteur Canavan tegen de vochtkringen op het plafond wanneer ik ben uitgepraat. 'Je denkt dat de zoon van de president van het New York College een moordenaar is.'

'Nou ja,' zeg ik aarzelend. Omdat het op de manier waarop hij het zegt zo stom klinkt. 'Ik geloof het wel.'

'Maar je hebt geen bewijs. Goed, die gast heeft een condoom achtergelaten. Een condoom waarvan we waarschijnlijk kunnen bewijzen dat het van hem is. Maar dat is geen rechtmatig verkregen bewijsstuk. Je hebt trouwens geen enkel bewijs dat er een misdrijf is gepleegd, behalve dat er een plantenbak van het terras is gevallen, wat net zo goed een ongeluk kan zijn geweest...'

'Maar die plantenbakken staan daar al jaren,' val ik hem in de rede. 'En tot vandaag is er nog nooit eentje naar beneden gevallen.'

'Het autopsierapport heeft uitgewezen dat de meisjes door een ongeluk om het leven zijn gekomen.' Inspecteur Canavan wendt zijn blik af van het plafond en kijkt me aan. 'Luister, juffrouw... is het nog steeds juffrouw?'

Ik voel dat ik rood word. Als Tania Trace er niet was geweest, was ik waarschijnlijk nu mevrouw. Alhoewel ik betwijfel of dat lang had geduurd.

'Juffrouw,' zeg ik dapper.

Inspecteur Canavan knikt. 'Mijn vrouw heet inmiddels ook geen mevrouw Canavan meer. Maar luister even, juffrouw Wells. Jongeren van die leeftijd zijn volslagen maf. Ongelukken zijn doodsoorzaak nummer één onder jongeren in de leeftijd van zeventien tot vijfentwintig. Ze nemen af en toe ongelooflijke risico's...'

'Maar deze meisjes niet,' zeg ik gedecideerd.

'Kan zijn. Maar, juffrouw Wells, je hebt geen poot om op te staan wat die knul betreft. Je hebt niet eens een echte moord om hem in de schoenen te schuiven. Als die Backstreet Boy doodgaat, heb je misschien iets. Maar de lijkschouwer kan net zo makkelijk tot de conclusie komen dat dit ook een ongeluk was.'

'O,' zeg ik, en ik voel met volkomen verslagen. Ik moet toegeven dat inspecteur Canavan me deze keer dan weliswaar niet keihard in mijn gezicht heeft uitgelachen, maar hij heeft ook helemaal nergens een notitie van gemaakt. Ik pak mijn rugzak op.

'Neem me niet kwalijk dat ik uw tijd heb verspild. Voor de zoveelste keer.' Ik sta op, en inspecteur Canavan kijkt me aan alsof ik niet goed snik ben.

'Wat ga je doen?' vraagt hij. 'Ga zitten. Ik ben nog niet klaar.'

Verbijsterd ga ik weer zitten.

'Wat heeft dat voor zin?' vraag ik inspecteur Canavan onvriendelijker dan misschien nodig is. 'U denkt blijkbaar dat ik gestoord ben. Waarom zou ik hier dan nog langer blijven zitten? Als ik wil worden uitgelachen, kan ik net zo goed bij mijn vrienden terecht.' Ik doe mijn best Cooper niet aan te kijken. 'Daarvoor heb ik de politie niet nodig.'

Inspecteur Canavan eet de rest van zijn donut op, pakt zijn sigaar en kijkt naar Cooper.

'Dat is me er eentje,' merkt hij op, en hij knikt in mijn richting.

'Reken maar,' beaamt Cooper ernstig.

'Zeg, hé.' Ik kijk van de een naar de ander en begin nattigheid te voelen. 'Kennen jullie elkaar?'

Cooper haalt zijn schouders op. 'Ik zie hem wel eens in de buurt,' zegt hij.

'Je kunt geen poot verzetten zonder dat je deze gast tegenkomt achter een geparkeerde auto of een brievenbus, terwijl hij foto's maakt voor een of andere schlemiel die door zijn vrouw wordt bedonderd,' zegt inspecteur Canavan.

'Tjongejonge,' zeg ik. Ik heb me nog nooit zo onbeholpen gevoeld. 'Echt geweldig. Ik wens jullie nog veel plezier met mij uit te lachen.'

'Zie ik eruit alsof ik lach?' vraagt inspecteur Canavan. 'Zie je als je naar me kijkt ook maar iets wat op een lach lijkt? En je vriendje hier zit ook niet echt te schateren.'

'Ik zou niet weten wat er leuk is aan deze situatie,' zegt Cooper.

Ik kijk hem aan. Hij lacht niet. En ik merk ook dat hij het niet erg vindt dat hij mijn vriendje wordt genoemd. Ik kijk weer naar inspecteur Canavan.

'Hij is mijn vriendje niet,' verduidelijk ik hardop – waarom mag Joost weten. Maar ik weet wel zeker dat ik knalrood zie.

Inspecteur Canavan knikt naar me alsof ik iets heb gezegd in de trant van 'de lucht is blauw'.

'Zo, juffrouw Wells,' zegt hij. 'We krijgen hier inderdaad zeer veel "gestoorden", zoals jij het noemt die misdrijven komen aangeven die al dan niet hebben plaatsgevonden. Sommige van deze zogenaamde gestoorden zijn fatsoenlijke burgers die de politie willen helpen bij hun werk. Volgens mij val jij in deze categorie. Je hebt je plicht gedaan door me je bevindingen te melden in deze aangelegenheid, en te zijner tijd zal ik dat allemaal onderzoeken.'

'Echt waar?' Ik ga rechtop zitten. 'Gaat u dat echt doen? Gaat u Chris ondervragen?'

'Jazeker.' Inspecteur Canavan stopt de sigaar terug in zijn

mond. 'Onopvallend. Dat is mijn werk. Dus niet het jouwe. Juffrouw Wells, ik raad je ten zeerste aan je niet langer met deze zaak te bemoeien.'

'Omdat u denkt dat Christopher Allington mij ook probeert te vermoorden?' vraag ik ademloos.

'Omdat ik denk dat Christopher Allington je een proces zal aandoen wegens smaad, en dat hij dan behoorlijk sterk zal staan.' Inspecteur Canavan negeert mijn teleurgestelde blik. 'Wat je oppert, juffrouw Wells, is dat Christopher Allington niet alleen een seriemoordenaar is, maar een moordenaar die zo gewiekst en slim is dat hij niet alleen geen enkel voor hem belastend bewijs achterlaat – behalve dan dat bewuste condoom – maar zelfs geen spoor dat er ooit een misdrijf heeft plaatsgevonden. Ik vind het heel naar om je te moeten teleurstellen, maar naar mijn ervaring zijn moordenaars niet zo slim. In feite zijn het opvallend domme mensen. Daarom hebben ze namelijk iemand vermoord: ze hebben zo'n beperkt verstand, dat ze niets anders konden verzinnen.'

Inspecteur Canavan fronst nadenkend zijn donkergrijze wenkbrauwen als hij verdergaat: 'En ondanks alle heisa van de media moet ik nog steeds mijn eerste seriemoordenaar tegenkomen, en ik heb toch honderden moordzaken onderzocht. Dus ik raad je aan je wat Christopher Allington betreft heel erg op de achtergrond te houden, juffrouw Wells, ik zou niet graag zien dat je hierdoor je baan kwijtraakt.'

Ik kan mijn teleurstelling echt niet verbergen. Mijn schouders zakken naar beneden en mijn hoofd verdwijnt er zowat tussen. 'Dank u wel, inspecteur,' mompel ik.

Inspecteur Canavan geeft me zijn kaartje en zegt dat ik hem moet bellen als ik iets heb te melden wat hem bij zijn onderzoek kan helpen. Nadat hij Cooper een paar vragen heeft gesteld over een zaak waar hij hem mee bezig heeft gezien in de buurt, kunnen we gaan.

Cooper houdt een taxi aan en is de hele weg naar huis bloedserieus. Het lijkt alsof hij zich mijn beschuldiging – dat hij me als een tienersterretje ziet – heeft aangetrokken, en hij probeert me uit alle macht ervan te overtuigen dat dat niet waar is. Hij vertelt me in de taxi ook dat hij inspecteur Canavan een prima kerel en een goede rechercheur vindt. En hij zegt dat als er iemand tot de bodem zal gaan in de kwestie Fischer Hall, dat inspecteur Canavan wel is.

Daardoor voel ik me iets beter. In ieder geval een klein beetje.

Eenmaal thuis – ik weet dat ik echt terug naar kantoor moet, maar nu ik toch thuis ben, besluit ik Lucy even snel uit te laten – blijf ik voor de vergulde spiegel in de gang staan om lipgloss op te doen, terwijl Cooper terug naar zijn kantoor gaat om zijn berichten af te luisteren. Ik heb al om me heen gekeken om te zien of de loper geen sporen vertoont van de vrijpartij van de afgelopen nacht.

Maar wanneer Cooper even later zijn kantoor uit komt en vraagt: 'Wat is er nou precies aan de hand tussen Jordan en jou?' krijg ik zo ongeveer een hartverzakking.

'Wa-wat bedoel je?' stotter ik.

'Nou, wat had hij vanmorgen bij Fischer Hall te zoeken?'

'O,' zeg ik opgelucht. 'Bedoel je dat? Niks. Gewoon, een praatje maken.'

'O ja.' Cooper leunt tegen de deurpost en zijn blauwe ogen zijn lichter dan normaal. 'Dus jij weet ook niet wie dat blondje op de foto in de *Post* was met wie hij op mijn stoep stond te zoenen.'

Ik slik bijna mijn tong in.

Dat hij het heeft gezien! Gaat er dan helemaal niets zoals ík het wil? Of heb ik al mijn geluk al opgebruikt? Je weet wel, die tien gelukkige jaren die iedereen heeft, waarover ik wel eens heb gelezen – die magische tien jaar waarin niets fout gaat... of tenminste niets ernstigs.

Zijn mijn tien gelukkige jaren al voorbij? En als dat zo is, kan ik ze dan nog een keer overdoen? Als ze me hadden gevraagd:

'Hé, Heather, wil je die tien geluksjaren tussen je veertiende en je vierentwintigste, of tussen je vierentwintigste en je vierendertigste?' dan zou ik het laatste hebben gekozen. Zeker weten.

Waarom zou je in vredesnaam de beste jaren van je leven op de middelbare school willen doorbrengen?

Ik denk dat de verbijstering op mijn gezicht te lezen staat, want een seconde later staat hij rechtop en zegt: 'Wat is er met je aan de hand?' Op een toon die – bijna – klinkt alsof het hem iets kan schelen.

Daardoor zou ik nu, en wel ter plekke, willen janken.

'Niks,' zeg ik. 'Helemaal niks.'

Toch is het niet niks. Ik bedoel dat iedereen het wel kan ontkennen, maar ik weet – ik weet het zeker – dat iemand me probeert te vermoorden. Ik heb seks met mijn ex gehad, die verloofd is met iemand die een veel betere carrière – en een veel kleinere kont – heeft dan ik. En als klap op de vuurpijl heeft Cooper het fotografische bewijs van mijn losbandigheid gezien; althans waartoe dat heeft geleid.

'Er klopt iets niet,' zegt Cooper die naast me voor de spiegel komt staan. 'Ontken het maar niet. Ik ben gewend mensen te observeren, dat weet je toch? Wanneer je in de war bent, krijg je een rimpeltje tussen je wenkbrauwen.' Hij wijst naar mijn spiegelbeeld.

Hallo. Hij heeft gelijk. Ik heb een zorgrimpeltje tussen mijn wenkbrauwen. Jezus, als dit zo doorgaat, ben ik op mijn dertigste een en al rimpel.

Met veel moeite probeer ik mijn gezicht te ontspannen.

'Het had niks te betekenen,' zeg ik terwijl ik mijn blik snel van mijn spiegelbeeld afwend. 'Echt niet. Ik bedoel, dat gedoe met Jordan gisteravond – het was gewoon een afscheidszoen.'

Cooper kijkt me aan. Sceptisch.

'Een afscheidszoen,' zegt hij.

'Ja. Omdat, nou ja, omdat het helemaal voorbij is tussen Jordan en mij.' Ik schraap mijn keel. 'Weet je wel, echt helemaal voorbij.'

Cooper knikt, hoewel hij nog steeds duidelijk zijn twijfels heeft.

'Zo,' zegt hij. 'Nou, als jij het zegt...'

'We zijn er nu allebei klaar voor om verder te gaan met ons leven,' val ik hem in de rede. Ik kom op dreef. 'Eindelijk. We moesten ergens een punt achter zetten, vanwege de manier waarop het allemaal is gegaan – dat ik het huis uit ben gerend en zo – dat deugde niet. Nu is alles goed tussen ons. We weten nu allebei dat het echt... voorbij is.'

'Maar als alles echt voorbij is tussen jullie, wat deed Jordan dan voor Fischer Hall, toen die plantenbak op hem viel?' vraagt Jordan.

Bats! Dat was ik helemaal vergeten.

Maar, niks aan de hand. Ik heb alles onder controle.

'O, dat?' zeg ik met een luchthartige lach. Jawel, ik ben zelfs in staat tot een luchthartige lach. Misschien is er zoals bij Britney en Mandy het geval was een carrière als filmster voor me weggelegd, en zou ik theaterwetenschappen moeten gaan studeren, net als Marnie. Misschien krijg ik ooit een Oscar die ik naast mijn Nobelprijs op de plank kan zetten. Wacht, wacht. Is de Nobelprijs een beeldje of een medaille? Dat ben ik even vergeten.

'Ja,' zeg ik, nog steeds luchthartig. 'Hij kwam een cd terugbrengen die ik had achtergelaten in ons huis. Je weet wel, toen ik bij hem wegging.'

'Een cd,' zegt Cooper.

'Precies,' zeg ik. 'Mijn, eh, soundtrack van "Tank Girl". Die is niet meer te krijgen. Heel zeldzaam.'

'Zo, zo,' zegt Cooper. Ik probeer er niet op te letten dat nu hij zijn leren jack uit heeft gedaan, zijn biceps – nauwelijks zichtbaar onder de korte mouwen van zijn effen grijze T-shirt – net zo ontwikkeld zijn als die van zijn broer.

Maar wel van het werken, en niet van het trainen op de sportschool, weet ik. Het is niet alleen maar rondsluipen met een camera wanneer je privédetective bent. Ik kan me zo voorstellen dat Cooper ook dingen moet... je weet wel, optillen. En zo. Ik vraag me af of hij wel eens erg transpireert als hij dat soort dingen doet en daardoor zijn shirt moet uittrekken omdat, nou ja, omdat hij het zo warm heeft.

Jemig. Ik moet echt weer terug naar mijn werk.

Maar door dat detectivegedoe schiet me wel iets te binnen.

'Ja,' zeg ik. Nu ik niet langer het gevaar loop in tranen uit te barsten, krijg ik iets meer lef. 'Omdat Jordan en ik nu alles achter de rug hebben, zou ik dat wel een beetje willen vieren.'

'Willen vieren,' herhaalt Cooper toonloos.

'Ja. Je weet best dat ik nooit meer uitga. Dus dacht ik: hé, waarom gaan we vanavond niet naar het, eh, Viooltjesbal.'

'Het Viooltjesbal?' Coopers blik laat mijn gezicht niet los. Ik hoop niet dat hij erachter probeert te komen of ik lieg. Ik wil echt dolgraag naar het Viooltjesbal. Alleen niet om de reden die ik hem voorspiegel.

'Ja,' zeg ik. 'Een bal ter ere van het bestuur en de mensen die een Viooltje ontvangen. Mensen die zich hebben ingezet voor het College. Rachel krijgt er ook een.'

Ik verbeeld het me niet. Maar op het moment dat Cooper de naam van mijn baas hoort, verliest hij plotseling alle interesse in het gesprek. Hij loopt zelfs naar de post die net door de brievenbus is gevallen – tot vreugde van Lucy – en na die uit haar bek te hebben getrokken, zoekt hij de post uit.

'Rachel, hè?'

'Ja,' zeg ik. 'Maar de kaarten kosten wel zo'n tweehonderd dollar. Voor het bal. En ik zweer je dat ik dat echt niet kan betalen. Maar ik dacht zo, je grootvader is toch oud-student? Dus ik durf te wedden dat je wel aan vrijkaarten kunt komen.'

'Misschien wel,' zegt Cooper, terwijl hij Lucy, die zielig jankt, een kledingcatalogus geeft om op te knauwen.

'Zou ik daar dan eentje van mogen?' vraag ik. Wat geraffineerd. Geraffineerder kan het gewoon niet.

'Zodat je Christopher Allington kunt bespioneren?' Cooper kijkt niet eens op van de post. 'Geen sprake van.'

Mijn mond valt open.

'Maar...'

'Heather, is er dan helemaal niets tot je doorgedrongen van wat die inspecteur heeft gezegd? Hij zal erin duiken. Onopvallend. En verder bemoei jij je er niet mee. Het enige wat je ermee zult bereiken, is dat je wordt aangeklaagd, op zijn minst.'

'Ik zweer dat ik niet met hem zal praten,' dring ik aan, en ik steek mijn rechterhand op om mijn padvinderserewoord met drie vingers te geven. Maar ik heb natuurlijk nooit bij de padvinderij gezeten, dus telt dat niet. 'Ik blijf bij hem uit de buurt.'

'Even voor alle duidelijkheid,' zegt Cooper, 'je bent er toch van overtuigd dat hij je vandaag wilde vermoorden?'

'Nou ja, daar probeer ik tenminste achter te komen,' zeg ik. 'Toe nou, Cooper, wat kan er dan in vredesnaam op het Viooltjesbal gebeuren? Met al die mensen in de buurt zal hij me heus niet proberen iets aan te doen...'

'Nee, inderdaad niet,' zegt Cooper. 'Want ik zal je geen moment uit het oog verliezen.'

Ik knipper met mijn ogen. Wat zei hij nou?

'Wil... wil je met me mee?'

'Alleen maar om een oogje op je te houden zodat er bij een eventuele volgende keer niet weet ik veel wat op je hoofd valt.' Cooper legt de post neer. Zijn doordringende blauwe ogen boren zich als koplampen in de mijne. 'En omdat ik aan die blik in je ogen kan zien dat je hoe dan ook een kaartje zult weten te bemachtigen, ook al zou je er desnoods een of andere naïeve boerenkinkel van de geologieopleiding voor moeten verleiden.'

Ik sta perplex. Cooper neemt me mee naar het Viooltjesbal! Cooper Cartwright neemt me mee uit. Het lijkt wel...

Nou ja, een date.

'O, Cooper,' zeg ik ademloos. 'Dank je wel. Je weet niet wat dit voor me betekent.'

Cooper loopt inmiddels hoofdschuddend terug naar zijn kantoor. Hij houdt zijn gedachten voor zich, maar ik weet bijna zeker dat hij niet zoals ik als een gek probeert te verzinnen wat hij moet aantrekken.

Mannen hebben het zo gemakkelijk.

20

> *Misconstrued*
> *Everything I say to you is*
> *Misconstrued*
> *Why else do you do*
> *The things you do?*
> *Misconstrued*
> *You think that I lie to you*
> *Misconstrued*
> *Truth is that it's*
> *Really you*
> *That's*
> *Misconstrued*
>
> 'Misconstrued'
> Zang: Heather Wells
> Tekst: Dietz/Ryder
> Van het album: *Summer*
> Cartwright Records

Mijn werkdag kan niet snel genoeg voorbijgaan.

Iedereen vraagt hoe het met Jordan gaat, en ik voel me schuldig wanneer ik besef dat ik helemaal niet weet hoe het met hem gaat, omdat ik sinds mijn vertrek uit het ziekenhuis een klein beetje ben afgeleid. Dat krijg je ervan wanneer je inspecteurs ontmoet en mee uit wordt gevraagd (nou ja, zoiets) door de man van je dromen, en moet verzinnen wat je zult aantrekken naar het Viooltjesbal.

Dus bel ik St. Vincent, en omdat Jordan een ster is en zijn privacy wordt beschermd, word ik een miljoen keer doorverbonden voordat ik eindelijk iemand aan de lijn krijg die me vertelt dat net is geconstateerd dat het goed gaat met Jordan en dat de dokters verwachten dat hij volledig zal herstellen. Maar dit gebeurt allemaal niet zonder dat ik hem heb verzekerd dat ik niet van de pers ben, en ik zelfs een paar maten van 'Sugar Rush' heb gezongen om te bewijzen dat ik echt ben wie ik beweer te zijn.

Wanneer ik dit aan Rachel vertel, zegt ze: 'O, wat fijn. Ik maakte me zó'n zorgen. Nog een geluk, Heather, dat die bloembak hem heeft geraakt en niet jou. Het had toch maar een haartje gescheeld of jij was ook gewond geraakt.'

Magda is niet zo blij met Jordans vooruitzichten.

'Jammer!' zegt ze plompverloren. 'Ik hoopte dat hij dood zou gaan.'

'Magda!' roep ik vol afschuw.

'Kijk nou naar mijn schitterende filmsterretjes,' zegt Magda over een groep studenten die zijn gekomen voor een vroege avondmaaltijd en nu met hun eetkaarten staan te zwaaien. Ze pakt de kaarten en haalt ze door de scanner. 'Nou, ik vind dat het zijn verdiende loon is om een klap voor zijn harses te krijgen, na hoe hij jou heeft behandeld.'

Magda is een gelukkig iemand. Voor haar is alles zwart-wit. Amerika is geweldig, wat anderen er ook over zeggen. En leden van boybands die hun vriendin bedriegen? Die verdienen het een plantenbak op hun kop te krijgen. Punt uit.

Als ik Patty bel, is ze opgelucht me te horen. Ze was zich gek geschrokken toen ze het park uit liep en al dat bloed op de stoep voor Fischer Hall zag. Ze wist zeker dat er iets met mij was gebeurd. Een kwartier lang had ze met haar hoofd tussen haar knieën in de kantine gezeten – en twee Doverepen gegeten die Magda haar had toegestopt – voordat ze in staat was een taxi aan te houden en naar huis te gaan.

'Weet je heel zeker dat je wilt gaan studeren, Heather?' vraagt ze bezorgd. 'Want ik ben ervan overtuigd dat Frank een afspraak voor je kan regelen met mensen van zijn label...'

'Dat zou mooi zijn,' zeg ik. 'Alleen weet ik niet hoe onder de indruk Franks label zal zijn als ze horen dat de meeste van mijn vroegere concerten in winkelcentra plaatsvonden.'

'Dat maakt ze niets uit,' roept Patty. Dat is heel erg lief van haar, en zo. Maar ik ben er inmiddels wel achter dat dit nu uitgerekend iets is wat platenmaatschappijen heel erg uitmaakt.

'Misschien kunnen we een rol in een musical voor je regelen, iets op Broadway,' zegt Patty. 'Debbie Gibson doet het ook. Heel veel sterren zijn...'

'Ster, zeg dat wel, dat ben ik dus niet,' probeer ik haar duidelijk te maken.

'Ik vind gewoon dat je niet meer in die studentenflat moet werken, Heather,' zegt Patty bezorgd. 'Het is veel te gevaarlijk. Meisjes die doodgaan. Vallende plantenbakken die op mensen terechtkomen...'

'O, Patty,' zeg ik, ontroerd door haar bezorgdheid. 'Maak je geen zorgen om mij.'

'Ik meen het, Heather. Cooper en ik hebben het er nog over gehad, en we vinden allebei...'

'Hebben Cooper en jij het over mij gehad?' Ik hoop dat ik niet al te gretig klink. Waar hebben ze het over gehad, vraag ik me af. Heeft Cooper Patty onthuld dat hij een diepe en blijvende liefde voor me koestert, maar dat hij die niet durft te uiten omdat ik de ex van zijn broer ben en ook een soort werknemer van hem?

Maar als dat het geval was, had ze me dat toch meteen verteld?

'Cooper en ik vinden gewoon – en Frank is het er ook mee

eens – dat als, nou ja, als die hele moordgeschiedenis waar mocht blijken te zijn, jij jezelf in gevaar brengt.'

Dit komt niet op mij over alsof Cooper het over een koesterende, diepe en blijvende liefde voor mij heeft gehad. Geen wonder dat Patty me niet meteen heeft opgebeld.

'Patty,' zeg ik, 'het is allemaal in orde. Ik heb de beste bodyguard van de wereld.' Vervolgens vertel ik haar over het Viooltjesbal en dat Cooper met me meegaat.

Patty klinkt niet zo opgewonden als ik had verwacht. O, zegt ze, en dat ik haar jurk mag lenen – de rode Armani die ze aanhad op de uitreiking van de Grammy Awards. Ze was toen zeven maanden zwanger van Indy, waardoor ik hoop dat die me wel zal passen. Maar ze heeft niets van: 'O, hij heeft je mee uit gevraagd!'

Omdat hij dat ook eigenlijk niet heeft gedaan. Misschien is het wel geen echte date wanneer iemand met je meegaat omdat hij er zeker van wil zijn dat je niet wordt vermoord.

Jezus. Sinds wanneer is Patty volwassen geworden?

'Nou, beloof me dan dat je voorzichtig zult zijn, oké, Heather?' Patty klinkt nog steeds bezorgd. 'Cooper zegt dat dit hele gedoe met die moorden een beetje... onwaarschijnlijk is. Maar ik weet het nog niet zo zeker. En ik zou niet willen dat jij de volgende bent.'

Ik doe mijn best Patty ervan te overtuigen dat ik echt geen gevaar loop – hoewel ik ervan overtuigd ben dat het tegenovergestelde het geval is. Iemand in Fischer Hall heeft het op mijn leven gemunt.

Wat inhoudt dat ik met mijn theorie dat Elizabeth Kellogg en Roberta Pace zijn vermoord, op het goede spoor zit.

Pas als ik heb opgehangen, voel ik dat iemand naar me kijkt. Ik kijk op en zie Sarah aan haar bureau zitten, die Tootsie Rolls in plastic zakjes stopt, als verrassing voor alle student-assistenten, die volgens haar wel een opkikkertje kunnen gebruiken na de turbulente start van het semester, met die dode meisjes en zo.

Ik kan er niets aan doen dat ik merk dat Sarah is opgehouden met zakjes vullen, en in plaats daarvan door haar dikke brillenglazen als een uil naar me zit te staren. Contactlenzen draagt ze alleen bij speciale gelegenheden zoals bij inschrijvingen (een kans om leuke single vaders te ontmoeten) of poëzievoordrachten in St. Mark's Church (een kans om leuke, berooide dichters te ontmoeten).

'Het was niet mijn bedoeling jullie gesprek af te luisteren,' zegt Sarah. 'Maar hoorde ik dat je denkt dat iemand je probeert te vermoorden?'

'Nou,' zeg ik. Hoe kan ik dit zo inkleden dat ze niet onnodig schrikt? Het is wel zo dat ik elke avond naar huis kan gaan, en dat Sarah hier moet blijven. Die zal zich toch echt niet meer veilig voelen bij het idee dat er een gevaarlijke psychopaat door Fischer Hall doolt?

Maar Sarah is als eerstejaars tijdens de vakantie in een kibboets in Israël ontmaagd – tenminste dat heeft ze me verteld – dus is ze niet echt een potentieel slachtoffer.

Ik haal mijn schouders op en zeg: 'Ja.'

Omdat Rachel boven is in haar appartement en zich verkleedt voor het bal (ze is erin geslaagd iets te vinden om aan te trekken, maar ze wilde het ons niet laten zien omdat anders 'de verrassing eraf is'), vertel ik Sarah mijn vermoeden over Chris Allington en de dood van Elizabeth Kellogg en Roberta Pace.

'Heb je dit ook aan Rachel verteld?' vraagt Sarah wanneer ik klaar ben met mijn verhaal.

'Nee,' zeg ik. 'Rachel heeft al genoeg aan haar hoofd, vind je niet?' Bovendien – en dit zeg ik weer niet tegen Sarah – als blijkt dat ik het mis heb, staat dat niet al te fraai op mijn halfjaarlijkse beoordeling. Zo van dat ik de zoon van de president van het College verdenk van een dubbele moord.

'Gelukkig,' zegt Sarah. 'Niet doen. Want is het niet bij je opgekomen dat dit hele geval – nou ja, dat je denkt dat Elizabeth en Roberta zijn vermoord – een uiting kan zijn van je eigen onzekerheid omdat je door je moeder verraden en in de steek gelaten bent?'

Ik knipper slechts met mijn ogen. 'Watte?'

'Nou,' zegt Sarah, en ze duwt haar bril langs haar neus omhoog. 'Je moeder heeft al je geld gestolen en is het land uit gevlucht met je manager. Dat moet wel de meest traumatische ervaring van je leven zijn geweest. Ik bedoel, je was alles kwijt – je spaargeld, plus de mensen van wie je dacht dat je op hen kon bouwen. Je vader heeft tenslotte een groot deel van je leven geen rol gespeeld omdat hij jarenlang vastzat wegens het uitgeven van valse cheques. Maar als iemand erover begint, doe je net alsof het niet belangrijk is.'

'Dat doe ik niet,' zeg ik. Dat is ook zo. Of tenminste, ik denk dat dat zo is.

'Dat doe je wel,' zegt Sarah. 'Je praat zelfs nog steeds met je moeder. Laatst hoorde ik nog dat je haar aan de telefoon had. Je had het er met haar over wat jullie je vader voor zijn verjaardag moesten geven. In de bak. Dat mens, dat al je geld heeft gestolen en naar Argentinië is gevlucht.'

'Nou zeg,' reageer ik een beetje defensief. 'Ondanks alles blijft ze toch mijn moeder.'

Ik weet nooit hoe ik moet uitleggen hoe het zit met mijn moeder. Toen het allemaal niet meer zo gesmeerd liep – toen ik Cartwright Records liet weten dat ik alleen maar mijn eigen teksten wilde zingen en Jordans vader me vervolgens zonder pardon van het label haalde – niet dat de verkoop van mijn platen zo geweldig meer was – smeerde mijn moeder 'm.

Maar dat is gewoon hoe ze is. Natuurlijk was ik wel even kwaad op haar.

Maar je kunt net zo goed kwaad zijn op mijn moeder als op het weer. Ze kan er niets aan doen, net zomin als de wolken of de wind.

Wanneer Sarah dit zou horen, zou ze zeggen dat ik het ontken, of nog erger.

.

'Zou het niet kunnen dat je de vijandigheid die je voor je moeder voelt vanwege hetgeen ze je heeft aangedaan, projecteert op die arme Chris Allington?' wil Sarah weten.

'Hoor nou even,' zeg ik. Ik ben het een beetje zat om mezelf steeds maar te herhalen. 'Die plantenbak kwam niet uit de lucht vallen, hoor. Nou ja, feitelijk wel, maar niet vanzelf dus.'

'En is het ook niet mogelijk dat je de aandacht mist die je vroeger van je fans kreeg, waardoor je elke gelegenheid aangrijpt om jezelf tot middelpunt te maken? Bijvoorbeeld door een misdrijf te verzinnen dat je moet oplossen, terwijl dat in werkelijkheid helemaal niet bestaat?'

Met een schok herinner ik me wat Cooper in de dienstlift tegen me heeft gezegd. Kwam dat niet ongeveer op hetzelfde neer? Dat ik weer de kick wilde hebben van mijn gloriedagen in de Amerikaanse winkelcentra?

Maar erachter willen komen wie er verantwoordelijk is voor de moorden op je werkplek, is toch echt wel iets anders dan staan zingen voor een winkelend publiek.

Dat is toch zo, of niet soms?

'Nou,' geef ik als antwoord op Sarahs aantijging. 'Zou kunnen. Ik heb geen idee.'

Ik vind alleen maar dat Sarah heeft geboft dat ze Yael tegenkwam. Die gast uit de kibboets, bedoel ik. Anders zou ze namelijk precies het soort meisje zijn waar Chris op valt.

Nou ja, afgezien van die gewoonte om voortdurend mensen te analyseren. Ik kan me voorstellen dat dat reuze vervelend kan zijn.

Ik ben al in geen tijden naar een echt feest geweest, dus wanneer ik 's avonds eindelijk uit mijn werk kom, moet ik nog een heleboel doen. Eerst moet ik naar Patty voor die jurk – die godzijdank past, maar wel behoorlijk krap aan.

Dan verzorg ik de nagels van mijn handen en voeten, want ik heb geen tijd meer om naar een nailstudio te gaan. Vervolgens moet ik mijn haar wassen en er conditioner in doen, mijn benen scheren (en mijn oksels, want de jurk van Patty is strapless) en voor alle zekerheid neem ik toch ook nog maar even mijn bikinilijn mee, want hoewel ik denk dat het zeer onwaarschijnlijk is dat ik twee keer geluk heb in twee dagen, weet je maar nooit. Dan neem ik een vochtinbrengend masker, waarna ik mijn wenkbrauwen epileer, mijn haar droog en in model breng, make-up opdoe en een geurtje opspuit.

Vervolgens kom ik tot de ontdekking dat mijn rode pumps schade hebben opgelopen en een metrorooster, dus moet ik ze met een rode viltstift bijwerken.

En natuurlijk neem ik tijdens al deze activiteiten af en toe pauze om een dubbele Oreo in mijn mond te stoppen, om te voorkomen dat ik me een beetje flauw ga voelen. Ik heb namelijk vanaf vanmiddag alleen maar een Rueben gegeten die Magda voor me uit de kantine had meegepikt.

Op het moment dat Cooper op mijn deur klopt, worstel ik net met de ritssluiting van Patty's jurk, terwijl ik me afvraag hoe het kan dat die twee uur eerder nog paste, maar nu niet meer.

'Ik kom zo,' roep ik, terwijl ik me afvraag wat ik in vredesnaam aan moet als ik Patty's jurk niet dicht krijg.

Eindelijk komt er beweging in de ritssluiting, ik grijp mijn stola en handtas en ren de trap af. Wat jammer dat er nu niemand is om de deur voor me te openen om mijn komst aan te kondigen, waardoor ik een overweldigende entree kan maken, iets als Roy Gilmore of zo. In mijn geval moet ik Lucy met mijn voet opzij schuiven om bij de deur te kunnen.

Tot mijn spijt moet ik bekennen dat ik niet weet wat Coopers reactie op mijn verschijning is – misschien had hij wel geen reactie, maar dat betwijfel ik toch – omdat ik volkomen overdonderd ben door zijn uiterlijk. Cooper heeft dus toch een smoking, en nog wel een heel mooie.

En hij ziet er op zijn zachtst gezegd nogal sexy in uit.

Wat is dat toch met mannen en smokings? Waarom staat mannen een smoking altijd zo ontzettend goed? Misschien omdat hun schouders en borstkas breder lijken. Misschien is het wel het contrast tussen het hagelwitte overhemd en de elegante zwarte revers.

Hoe dan ook, ik heb nog nooit een vent in een smoking gezien die er niet goed uitzag. Maar Cooper is een uitzondering. Hij ziet er niet goed uit.

Hij ziet er geweldig uit.

Ik ben zo druk bezig hem te bewonderen dat ik bijna vergeet dat ik naar dit feest ga om een moordenaar te pakken. Heel eventjes – echt maar heel eventjes – houd ik mezelf voor de gek door te denken dat Cooper en ik een date hebben. Vooral wanneer hij zegt: 'Je ziet er prachtig uit.'

Ik kom weer bij mijn positieven als hij op zijn horloge kijkt. 'Zullen we maar gaan?' zegt hij afwezig. 'Ik heb later nog een afspraak, dus als we dit allemaal willen halen, moeten we opschieten.'

Ik voel een steek van teleurstelling. Een afspraak? Met wie? Met wie moest hij zo nodig afspreken? Een klant? Een tipgever?

Of een vriendin?

'Heather?' Cooper trekt een wenkbrauw op. 'Gaat het een beetje?'

'Ja, hoor,' zeg ik zwakjes.

'Mooi zo,' zegt Cooper, en hij pakt me bij mijn elleboog vast. 'Laten we gaan.'

Ik ga met hem de trap af en de deur uit, terwijl ik mezelf voorhoud dat ik gek ben. Voor de zoveelste keer. Wat nou, als hij een afspraak heeft? Wat kan mij dat schelen? Dit is toch geen date. Geen date. Tenminste niet met hem. Als ik vanavond al een date heb, dan is dat een date met de moordenaar van Elizabeth Kellogg en Roberta Pace.

De hele weg door het park blijf ik dit voor mezelf herhalen; wanneer we langs het monument op Washington Square komen en zelfs als we de straat oversteken naar de bibliotheek, waar het bal plaatsvindt. De ruimte is voor deze gelegenheid door middel

van op strategische plekken aangebrachte spiegels en rode tapij-
ten, gekleurde lampen en vlaggetjes, in een balzaal omgetoverd.

We moeten een paar limousines ontwijken en een groepje
geüniformeerde campusbewakers. (Pete is gevraagd een dubbele dienst te draaien, maar hij heeft nee gezegd omdat zijn dochter vanavond naar een wetenschapsbeurs moest.) De bewakers
dragen allemaal witte handschoenen en hebben fluitjes in hun
mond, alleen maar om zich in de buurt van het enorme, klei-
kleurige gebouw te kunnen bewegen. Er is een afzetting met
rode koorden om al het tuig buiten de deur te houden; alleen is
er bijzonder weinig tuig te zien dat het feest zou willen versto-
ren, alleen een paar studenten die geërgerd aan hun rugzakken
staan te friemelen omdat ze vanwege het feest even moeten
wachten om naar hun kamer te kunnen.

Cooper laat zijn kaarten aan een man bij de deur zien, en dan
worden we naar binnen geloodst waar we onmiddellijk worden
bestormd door kelners die ons drankjes en met krab gevulde
champignons willen opdringen. Niet dat het allemaal niet lekker is. Maar onder mijn panty met buikversteviging voel ik de
Oreo's zitten.

Cooper pakt twee glazen voor ons – geen champagne, maar
mineraalwater met bubbels.

'Nooit drinken tijdens het werk,' raadt hij me aan.

Ik denk aan Nora Charles en de vijf martini's die ze dronk in
The Thin Man om gelijk op te kunnen gaan met Nick. Kun je
nagaan, hoeveel moorden ze had kunnen oplossen wanneer ze
Coopers raad had opgevolgd en nuchter was gebleven.

'Op de moordbrigade,' zegt Cooper en hij klinkt met me. Zijn
blauwe ogen schitteren en benemen me bijna de adem, zoals
gewoonlijk, trouwens.

'Proost,' antwoord ik, en ik neem een slokje terwijl ik om me
heen kijk of ik bekende gezichten zie.

Bij de afdeling naslagwerken speelt de band een jazzversie van
'Moon River'. Voor de liften staan tafels waar de jumbogarnalen

in een razend tempo van verdwijnen. Mensen draaien om elkaar heen en reageren overdreven geamuseerd op elkaars opmerkingen. Ik zie meneer Flynn druk in gesprek met de studentendecaan, een vrouw met een glazige blik in haar ogen, veroorzaakt door drank of verveling – dat kan ik niet goed beoordelen.

Ik zie een aantal beheerders op een kluitje staan onder een gouden vaandel van het New York College, als een familie van vluchtelingen die net is aangekomen op Ellis Island, bijeen gepakt onder het Vrijheidsbeeld. Ik heb gemerkt dat op het College zowel de studenten als de docenten niet veel respect hebben voor de beheerders. Voor het grootste deel worden de beheerders van het New York College ook voornamelijk als een soort zomerkampleiders beschouwd, en meneer Jessup en zijn team van coördinators en universiteitsmanagers worden ook niet erg hoog geacht. Dat is niet eerlijk, want ze werken allemaal superhard – veel harder dan de meeste docenten, die één keer per week aan komen waaien om een uurtje les te geven, en de rest van hun tijd verdoen met het in literaire tijdschriften neersabelen van collega's.

Wanneer Cooper met een bestuurslid in gesprek verzeild is geraakt – een oude vriend van de familie Cartwright – houd ik over de rand van mijn glas mijn coördinator in de gaten. Meneer Jessup voelt zich overduidelijk slecht op zijn gemak in zijn smoking. Naast hem staat een rijzige vrouw die naar ik aanneem zijn echtgenote is, want ze maakt grapjes met een vrouw die zo te zien alleen maar de wederhelft van meneer Flynn kan zijn. Allebei de vrouwen zijn slank en mooi in hun glanzende, nauwsluitende jurken.

Maar niemand ziet er zo goed uit als Rachel. Rachel staat naast meneer Jessup, en haar ogen sprankelen net zo erg als de champagne in het glas dat ze vasthoudt. Ze is ronduit schitterend in de zijden jurk die haar als een handschoen past. Het nachtblauw van haar japon vormt een fraai contrast met haar porseleinen huid, die op zijn beurt straalt tegen de achtergrond van het donkere haar dat ze heeft opgestoken met fonkelende haarspelden.

Voor iemand die verkondigde dat ze 'helemaal niets had om aan te trekken', heeft Rachel het er aardig van afgebracht.

En wel zo aardig, dat ik er niets aan kan doen dat ik me er nogal van bewust ben dat ik bijna uit Patty's jurk knap.

Het duurt even voordat ik het vermaarde opperhoofd van het College in het vizier krijg, maar eindelijk zie ik hem bij een van de uitleenbalies van de bibliotheek. Meneer Allington heeft voor deze keer zijn tanktop maar thuisgelaten, en waarschijnlijk kon ik hem daardoor zo moeilijk traceren. Hij draagt ook een smoking, en die staat hem verrassend goed.

Jammer genoeg kan ik niet hetzelfde over mevrouw Allington zeggen, in haar zwartvelours broekpak met uitlopende pijpen. De wijde mouwen vallen helemaal terug wanneer ze haar glas naar haar mond brengt, en dat doet ze vaak en met zeer veel animo, moet ik zeggen.

Maar ik vraag me af waar de telg van de Allingtons is, die gladjanus van een Chris/Todd/Mark. Ik zie hem nergens, hoewel ik zeker weet dat hij zal komen opdagen, als aantrekkelijke knul van twintig. Welke aantrekkelijke knul van twintig kan een feest als dit negeren? Wat denk je nou, met gratis bier en zo.

Cooper heeft het over lipstick-camera's of iets dergelijks met een oudere heer, die me met juffrouw aanspreekt en me complimenteert met mijn jurk (en wel zo oprecht dat ik naar beneden kijk om te controleren of mijn rits het nog wel houdt). Dan verschijnt er plotseling een heel slanke, heel aantrekkelijke, helemaal in het zwart geklede vrouw, die op ons af komt lopen en op verraste toon Coopers naam noemt.

'Cooper?' De vrouw die het voor elkaar heeft gekregen er aantrekkelijk, maar toch ook als een professor uit te zien, pakt hem op een niet mis te verstane bezitterige manier bij de arm – alsof ze hem in het verleden wel op intiemere plekken heeft aangeraakt, en alle recht heeft hem nu bij de arm te pakken. 'Wat doe jij hier?' vraagt ze. 'Volgens mij heb ik al maandenlang niets meer van je gehoord. Waar heb je gezeten?'

Ik wil niet zeggen dat Cooper eruitziet alsof hij in paniek is, niet helemaal, in elk geval.

Maar hij lijkt wel sterk op een klein jongetje dat ontzettend graag ergens anders zou willen zijn.

'Marian,' zegt hij, en hij legt een hand op haar rug om haar een kus te geven. Op haar wang. 'Fijn om je te zien.' Dan stelt hij ons aan elkaar voor, eerst aan de oudere heer, dan aan mij.

'Heather, dit is professor Marian Braithwaite. Marian doceert kunstgeschiedenis. Marian, dit is Heather Wells. Zij werkt ook aan het New York College.'

Marian steekt haar hand uit en schudt de mijne. Haar vingers fladderen als een vogeltje dat gevangen is in mijn enorme kolenschop. Ik durf te wedden dat ze regelmatig traint in de sportschool van het College. En ook dat ze doucht en niet in bad gaat. Zo ziet ze er gewoon uit.

'O ja?' zegt Marian stralend, met haar perfecte Isabella Rosselini-lach. 'Wat doceer je?'

'Nou,' zeg ik, terwijl ik zou willen dat iemand een pot met geraniums op mijn hoofd zou gooien, zodat ik niet hoefde te antwoorden. Jammer genoeg gebeurt dat niet. 'Niets, eigenlijk. Ik ben assistent-huismeester van een van de studentenflats, ik bedoel studentenhuizen.'

'O.' Marians voorbeeldige lach wijkt niet van haar gezicht, maar ik zie aan de manier waarop ze naar Cooper kijkt dat ze niets liever wil dan hem meesleuren en al zijn kleren van zijn lijf trekken, bij voorkeur met haar tanden, in plaats van te staan kletsen met de assistent-huismeester van een studentenhuis. Ik moet bekennen dat ik het haar niet echt kwalijk kan nemen. 'Wat leuk. Zeg, Cooper, was je de stad uit? Ik kreeg steeds maar geen antwoord op mijn telefoontjes...'

Ik krijg niet de gelegenheid om de rest te horen van wat Marian zegt, want ik word plotseling zelf bij mijn arm gegrepen.

Wanneer ik me omdraai om te kijken wie dat doet, staat daar in plaats van een ex – dat zou in mijn geval ook niet kunnen, want die ligt in het ziekenhuis – een stralende Rachel.

'Hallo, Heather,' roept ze. Ze heeft twee onnatuurlijk rode blosjes op haar wangen, en ik krijg in de gaten dat ze flink aan de champagne is geweest. Heel flink. 'Ik wist niet dat je er vanavond ook zou zijn. Hoe is het met je? En met Jordan? Ik heb me zo ongerust over hem gemaakt. Hoe gaat het met hem?'

Met een licht schuldgevoel besef ik dat ik al de hele avond niet aan Jordan heb gedacht. Eigenlijk niet sinds ik de deur open-deed en Cooper zag staan. 'Nou, het gaat wel met hem,' begin ik half stotterend. 'Prima, eigenlijk. Ze gaan ervan uit dat hij er weer helemaal bovenop komt.'

'Wat een semester hebben we, hè?' Rachel port me even vriendschappelijk met haar elleboog in mijn zij. 'We hebben allebei echt wel een paar weken vakantie verdiend, na alles wat we hebben meegemaakt. Ik kan het nog steeds niet geloven. Twee doden in twee weken!' Ze kijkt om zich heen, geschrokken dat iemand haar misschien heeft gehoord, en dempt haar stem. 'Ik kan het nog steeds niet geloven.'

Ik grijns naar haar. Rachel is hartstikke dronken. Waarschijn-lijk heeft ze niets gegeten en is de champagne haar meteen naar het hoofd gestegen. De meeste hors d'oeuvres die voorbijko-men, zoals gevulde champignons en garnalen in bladerdeeg, zien er niet uit alsof ze weinig koolhydraten bevatten, dus heeft Rachel daar waarschijnlijk niets van genomen.

Maar het is wel leuk om Rachel voor de verandering eens een keer blij te zien. Al vind ik het wel vreemd dat een in mijn ogen opgeprikte en saaie bedoening als dit voldoende is om het feest-beest in Rachel los te maken. Maar ja, ik heb ook nooit op Yale gezeten.

'Ik ook niet,' zeg ik instemmend. 'Je ziet er mooi uit, trouwens. Die jurk staat je prachtig.'

'Dank je wel!' straalt Rachel. 'Ik moest de volle mep betalen, maar hij is het waard.'

Dan valt haar blik op Cooper en beginnen haar ogen nog meer te schitteren. 'Heather,' fluistert ze opgewonden. 'Ben je hier met Cooper? Zijn jullie...'

Ik kijk achterom naar mijn 'date', die de professor blijkbaar nog steeds aan het uitleggen is waar hij de laatste paar maanden is geweest (voor zover ik weet was dat gewoon in Waverly Place. Ik vraag me af of Cooper geprobeerd heeft Marian de bons te geven. Waarom heeft hij haar niet gebeld? Hoewel ik me niet kan voorstellen waarom je een stuk als zij zou willen dumpen. Ze is succesvol, intelligent, beeldig, slank, ze doucht... Jemig, ik zou zelf wel wat met haar willen).

'Eh,' zeg ik, en ik voel mijn gezicht warm worden bij de gedachte dat Cooper en ik, nou ja. Bij elkaar horen. 'Nee, hij had een kaartje over, dus ben ik met hem meegegaan. We zijn gewoon vrienden.'

En voorbestemd dat ook te blijven. Blijkbaar.

'Net zoals Jordan en jij,' zegt Rachel.

'Ja, zoiets,' zeg ik, en ik weet een lachje tevoorschijn te toveren – al weet ik niet hoe. 'Zoals Jordan en ik.'

Ze kan er niets aan doen. Ze weet toch ook niet dat ze zout in een open wond wrijft?

'Zeg, ik ga weer verder,' zegt ze. 'Ik heb Stan beloofd om een van die krabdingetjes voor hem te bemachtigen...'

'O, ja,' zeg ik. 'Tuurlijk, dag.'

Rachel zweeft weg op haar eigen roze wolk. Ik vraag me af of het gerucht dat Peter heeft gehoord waar is, dat Rachel een vette promotie krijgt. Het zou me niets verbazen. Niemand op de campus heeft in twee weken tijd ook twee keer moeten voelen of iemands hart nog klopte. Wat zou het College anders moeten dan waardering te laten blijken door haar promotie te geven? Een Viooltje is niet genoeg, want Magda zei dat Justine een keer voor een Viooltje was genomineerd omdat ze een student haar telefoonboek had geleend.

'Hé, Blondie!'

Ik negeer de stem achter me en kijk in plaats daarvan naar Cooper. Hij praat nog steeds met Marian Braithwaite, die voortdurend in aanbidding naar hem opkijkt en om alles wat hij zegt moet lachen. Hoe hebben ze elkaar leren kennen?

Misschien heeft Marian hem ingehuurd. Misschien verdacht ze haar echtgenoot de professor van overspel, en heeft ze Cooper ingehuurd die het bewijs heeft geleverd dat er niets aan de hand was, en daarom is ze nu zó blij om hem te zien dat ze hem elke keer bij de arm pakt.

'Blondie!'

Er tikt iemand op mijn schouder, en ik draai me verrast om, in de verwachting een van de medewerkers van de president te zien, die om mijn kaartje vraagt...

En dan kijk ik in de lachende grijze ogen van zijn zoon.

21

> *Ask me*
> *I know you want to*
> *Ask me*
> *I'm waiting for you*
>
> *Ask me*
> *I'd never make you guess*
> *Ask me*
> *Baby, I might say yes*
>
> 'Ask me'
> Zang: Heather Wells
> Tekst: Roberts/Ryder
> Van het album: *Summer*
> Cartwright Records

'Hé,' zegt Chris met een lach. 'Weet je nog wie ik ben?'

Ik ben volkomen perplex en staar hem met stomheid geslagen aan.

Christopher Allington. Christopher Allington is op me afgekomen. Chris Allington heeft mijn bovenarm vast en lacht naar me alsof we oude vrienden zijn die elkaar toevallig op de bowlingbaan zijn tegengekomen of zoiets. Hij biedt me zelfs een glas champagne aan.

Nou ja, het zou onbeschoft zijn om nee te zeggen.

Ik neem de flute stilzwijgend aan terwijl mijn hart in mijn keel klopt. Christopher Allington. Christopher Allington. O, god. Hoe kun je daar een beetje staan praten alsof er niets aan de hand is. Je hebt vandaag geprobeerd me te vermoorden. Weet je wel?

'Ik kwam je gisteravond voor Fischer Hall tegen,' helpt hij me herinneren, in de veronderstelling dat ik hem niet kan plaatsen. Alsof ik dat zou kunnen vergeten! 'Dat was jij toch?'

Ik doe alsof het me plotseling weer te binnen schiet.

'O,' zeg ik vaag – hoewel er absoluut niets vaags is aan het tintelende gevoel in de arm die hij nog steeds vasthoudt. 'Natuurlijk. Hoe is het?'

Hij laat me los. Het voelde niet onaangenaam toen hij me vasthield. Helemaal niet.

Maar dat is toch idioot? Ik bedoel, dat zou toch wel moeten. Omdat hij een moordenaar is en zo.

Raar.

'Met mij is het prima,' zegt hij.

Hij ziet er ook prima uit. Zijn smoking zit veel beter dan die van zijn vader. Maar in plaats van een vlinderdas draagt hij een stropdas. En op de een of andere manier klopt dat bij hem gewoon.

'Om eerlijk te zijn, voel ik me een stuk beter nu ik jou zie,' gaat hij verder. 'Ik vind dit soort gedoe absoluut verschrikkelijk. Jij niet?'

'O, nou,' zeg ik schouderophalend. 'Het gaat wel. Zo erg is het nu ook weer niet. En er is tenminste alcohol.'

Ik sla de champagne die hij me geeft in één keer achterover, ondanks Coopers waarschuwing dat je onder het werk niet moet drinken. Na de schrik die Chris me heeft bezorgd door zomaar op me af te sluipen, heb ik dat wel verdiend, vind ik.

Chris kijkt me aan en lacht.

'Met wie ben jij hier?' wil hij weten. 'Die kaarten zijn niet goedkoop. Ben je een van de studentenvertegenwoordigers?'

Ik haal weer mijn schouders op. Inspecteur Canavan heeft gezegd dat in zijn ervaring, mensen die moorden plegen ontzettend stom zijn, en ik begin te geloven dat dit in het geval van Chris wel eens waar zou kunnen zijn. Dat ik bijna tien jaar ouder ben dan de gemiddelde afgevaardigde van het studentenbestuur, dringt blijkbaar niet tot hem door.

Wat ik overigens prima vind. Ik bedoel, omdat ik hem zo onopvallend en slinks mogelijk op een fout wil betrappen, om hem daarna alles te laten bekennen. Niet dat ik in de verste verte weet hoe ik dat moet aanpakken, natuurlijk.

In ieder geval weet Chris, anders dan de meeste mensen, wel te waarderen hoe ik eruitzie in mijn geleende jurk. Ik zie dat zijn blik verschillende keren naar mijn decolleté afglijdt. En niet omdat de rits op mijn rug is opengegaan en alles er nu uit hangt. Dat weet ik, want ik houd het in de gaten.

De band speelt een langzame melodie. Tot mijn verbazing begeven een paar stelletjes zich inderdaad naar het midden van de bibliotheek en beginnen te dansen. Chris' vader en moeder zijn ook van de partij. Ik zie dat meneer Allington zijn vrouw met een zwierige draai de dansvloer op leidt, wat hem op een applausje van de lachende bestuursleden oplevert.

Het is eigenlijk wel aandoenlijk.

In ieder geval totdat mevrouw Allington op haar broekspijpen trapt en bijna voorover op haar gezicht valt. Gelukkig draait president Allington haar in de rondte, zodat het lijkt alsof het een uitgekiende variatie was die hij net zelf had uitgevonden.

En dat is nog aandoenlijker. Misschien heeft Chris het toch niet zo slecht getroffen als ik aanvankelijk dacht. Met zijn ouders, bedoel ik.

'Hé,' zegt Chris, die me weer verrast, en dit keer door het champagneglas uit mijn hand te nemen en het op het blad van een langslopende kelner te zetten. 'Dansen?'

Ik draai mijn hoofd zo snel naar hem om dat een lange haarsliert in mijn mond terechtkomt en aan mijn lipgloss blijft plakken.

'Watte?' vraag ik terwijl ik wanhopig probeer het haar uit mijn mond te krijgen.

'Wil je dansen?' vraagt Chris. Hij lacht een beetje spottend, om me te laten merken dat hij net zo goed als ik weet dat dansen op het New York College Viooltjesbal een beetje... nou ja, behoorlijk sullig is. Maar hij wil me laten merken dat hij het toch wel aandurft.

Zijn grijns is besmettelijk. Het is de grijns van de aanvoerder van het footballteam op de middelbare school, de knapste jongen van de klas, die zo zeker is van zichzelf en zijn uiterlijk dat het niet eens bij hem zou opkomen dat een meisje voor de eer zou bedanken. Waarschijnlijk omdat geen enkel meisje dat ooit heeft gedaan.

En ik zal ook niet de eerste zijn.

En niet alleen omdat ik wil weten of Chris wel of niet degene is die Elizabeth en Roberta heeft vermoord.

Dus glimlach ik en zeg: 'Natuurlijk,' en loop achter Chris aan naar de dansvloer.

Ik ben geen kei in het dansen, maar dat geeft niet, want Chris is goed. Hij heeft waarschijnlijk op zo'n dure school gezeten waar alle jongens de eerste danspassen met de paplepel krijgen ingegoten. Hij is zo goed dat hij zelfs kan praten terwijl hij danst. Ik moet in mijn hoofd meetellen. Een-twee-drie. Een-twee-drie. Stap draai stap... Ho, wacht even, dat is een andere dans.

'Oké,' zegt Chris, terwijl hij mij tegen zich aan trekt, me vakkundig in de rondte draait en nauwelijks een spier vertrekt wanneer ik per ongeluk op zijn tenen trap. 'Wat is jouw hoofdvak?'

Ik probeer stiekem te kijken waar Cooper uithangt, want hij zou toch een oogje in het zeil houden, waar of niet?

Maar ik zie hem nergens. Ik zie geen Marian ook trouwens. Heeft hij me laten vallen voor een ex-vriendin? Na al die heisa die Cooper heeft gemaakt over dat ik mijn leven riskeerde als ik de moordenaar van Fischer Hall te pakken probeer te krijgen, laat hij me dus gewoon in de steek?

Nou ja! Fijn om te weten hoeveel hij om me geeft.

Alhoewel, wanneer je bedenkt dat ik in zijn huis woon zonder huur te betalen – min of meer, in elk geval – heb ik geen enkele reden tot klagen. Want hoeveel mensen in Manhattan kunnen vrij gebruikmaken van een was-droogcombinatie?

Als antwoord op Chris' vraag over mijn hoofdvak, zeg ik: 'Eh... dat heb ik nog niet opgegeven.'

Dat is in elk geval waar.

'O, echt waar?' Chris is echt geïnteresseerd. 'Dat is heel goed. Je moet de mogelijkheden openhouden. Ik denk dat veel te veel mensen naar de universiteit gaan met een vooropgezet plan welke carrière ze willen maken wanneer ze afstuderen. Ze blijven bij het studiepakket voor dat hoofdvak en gunnen zich niet de kans om nieuwe dingen te proberen. Ontdekken waar je echt goed in bent. Dat kan wel iets zijn waar je nooit aan hebt gedacht. Sieraden ontwerpen, bijvoorbeeld.'

Wauw. Ik wist niet dat je studiepunten kon halen voor sieraden ontwerpen. Dan zou je je eindexamenstuk echt kunnen dragen. Ontzettend praktisch.

'Welke kant zou je op willen?' vraagt Chris.

Ik sta op het punt te zeggen: medicijnen, maar op het laatste moment verander ik van gedachten.

'Strafrecht,' lieg ik om te zien hoe hij reageert.

Maar hij rent niet weg om angstig weg te duiken of zo, in plaats daarvan zegt hij opgewekt: 'O ja, strafrecht, geweldig fascinerend. Ik heb er ook over gedacht om strafrecht als richting te kiezen.'

Vast wel. 'Maar wat doet een echte rechtenstudent op het feest van een College?'

Chris heeft in elk geval het fatsoen om verlegen te worden. 'Nou ja,' zegt hij licht verontschuldigend, 'mijn ouders wonen toch hier.'

'En er wonen hier ook een heleboel aantrekkelijke studentes,' help ik hem even herinneren. Weet je nog, dat je er twee hebt vermoord?

Hij grijnst. 'Dat zou ik niet weten,' zegt hij. 'De meisjes in mijn leerplan zijn niet echt...'

Als ik over Chris' schouder kijk, vang ik eindelijk een glimp van Cooper op. Hij is druk in gesprek met professor Braithwaite. Echt waar. Bij de geïmproviseerde bar zijn ze zo te zien in een verhitte discussie verwikkeld. Ik zie dat Cooper een blik in mijn richting werpt.

Hij is het dus niet vergeten. Hij houdt nog steeds een oogje op me.

En heeft ook nog ruzie met zijn ex.

Maar toch houdt hij mij ook in de gaten.

Omdat hij niet weet hoe Chris eruitziet, weet hij natuurlijk ook niet dat ik met mijn hoofdverdachte aan het dansen ben. Dus wijs ik naar Chris' rug en mime: 'Dit is Chris' naar hem.

Maar dat werkt niet zoals ik had gewild. O zeker, Cooper krijgt de boodschap door, absoluut.

Net als Marian, die op het moment dat ze merkt dat ze niet meer de volle aandacht krijgt, Coopers blik volgt en mij ziet.

Omdat ik niet weet wat ik anders moet doen, zwaai ik maar een beetje slap naar ze. Marian keert ijzig haar hoofd af.

Oei. Sorry.

'De meisjes van de rechtenfaculteit...'

Ik draai mijn hoofd een slag en merk dat Chris aan het praten is. Tegen mij.

'Laten we zeggen dat ze het het fijnste vinden om tot middernacht in de bibliotheek te zitten,' zegt hij met een knipoog.

Waar heeft hij het over?

Dan herinner ik het me weer. Rechtenstudenten. Collegestudenten versus faculteitsstudenten. O ja. Het onderzoek naar de moorden.

'Aha,' knik ik begrijpend. 'Faculteitsmeisjes. Dat is heel wat anders dan de eerstejaars op Fischer Hall die zo van de boerderij komen, hè?'

Hij barst in lachen uit.

'Je bent behoorlijk geestig,' zegt hij. 'Hoe oud ben je eigenlijk?'

Ik haal alleen mijn schouders op en probeer eruit te zien alsof het niet, eh, even kijken, zeven jaar geleden was dat ik voor het eerst in het openbaar alcohol mocht drinken.

'Zeg dan tenminste hoe je heet,' dringt hij aan, met het soort zware stem waarvan een vorig vriendinnetje volgens mij ooit heeft gezegd dat die sexy was.

'Je kunt me ook gewoon Blondie blijven noemen,' spin ik. 'Op die manier kun je me onderscheiden van al je andere vriendinnetjes.'

Chris trekt een wenkbrauw op en grijnst. 'Wat voor andere vriendinnetjes?'

'Nou, zeg,' roep ik, en ik geef hem een zeer damesachtig klapje op zijn arm. 'Ik heb heus wel over je gehoord, hoor. Ik was bevriend met Roberta, weet je.'

Hij kijkt me aan alsof ik niet helemaal goed snik ben. Er staat een rimpel tussen zijn wenkbrauwen. 'Wie?'

Jee, hij is echt goed. Er is geen spoortje schuldgevoel in die zilvergrijze ogen te bekennen.

'Roberta,' herhaal ik. Ik moet wel zeggen dat mijn hart tekeergaat vanwege mijn lef. Ik doe het. Speurwerk. Ik doe het echt. 'Roberta Pace.'

'Ik weet niet over wie je het hebt.'

Deze gast is echt niet te geloven. 'Bobby,' zeg ik.

Opeens schiet hij in de lach. 'Bobby? Ben jíj bevriend met Bobby?'

Zowel de klemtoon op jij als het gebruik van de tegenwoordige tijd valt me op. Tenslotte ben ik een ervaren detective. Nou ja, ik voer gegevens in voor eentje.

'Ik was bevriend met Roberta,' zeg ik. Ik lach niet en doe niet meer of ik jonger dan eenentwintig ben. Ik kan namelijk niet geloven dat iemand zo koelbloedig kan zijn. Zelfs geen moordenaar. 'Tot ze van het dak van de lift afviel, vorige week.'

Chris blijft staan. 'Ho, even,' zegt hij. 'Wat?'

'Je hoorde toch wat ik zei?' zeg ik. 'Bobby Pace en Beth Kellogg. Ze zijn allebei dood, zogenaamd door het liftsurfen. En je bent met hen allebei naar bed geweest, vlak voordat ze dat hebben gedaan.'

Het was niet mijn bedoeling dit er zomaar uit te flappen. Ik ben er voor honderd procent van overtuigd dat Cooper dit geraffineerder zou hebben aangepakt. Maar ik... nou ja, ik werd gewoon kwaad, denk ik. Omdat hij er zo luchthartig over deed. Over Roberta's en Elizabeth' dood, bedoel ik.

Ik denk dat een echte detective nooit kwaad wordt. Een echte detective houdt zijn hoofd koel.

Ik denk dat ik uiteindelijk toch niet zo geschikt ben als partner in Coopers bedrijfje.

Het lijkt alsof Chris helemaal verstijfd is, met zijn voeten vastgevroren aan een witte en een zwarte tegel.

Maar de greep om mijn pols is niet verslapt. Integendeel, die wordt alleen maar sterker tot we heup aan heup staan.

'Wat?' vraagt hij, en zijn ogen zijn zo groot geworden dat het lijkt alsof zijn blauwgrijze irissen in twee plasjes melk drijven. 'Wat?' vraagt hij weer. Zelfs zijn lippen zijn nu kleurloos.

Mijn gezicht is maar een paar centimeter onder het zijne. Ik zie het ongeloof in zijn ogen, dat gepaard gaat met – al ben ik nog zo'n snert-detective, dit kan ík zelfs zien – een langzaam opkomend afgrijzen.

En dan dringt het in een flits tot me door:

Hij wist het niet. Echt waar. Chris wist absoluut niet – niet, totdat ik het hem daarnet vertelde – dat de twee dode meisjes in Fischer Hall dezelfde waren als de meisjes met wie hij een aantal dagen daarvoor een, eh, herdersuurtje heeft gehad. Is hij echt zo'n grote versierder dat hij alleen maar de voornamen kent – de roepnamen – van de vrouwen die hij heeft verleid?

Daar lijkt het wel op.

De uitwerking die mijn woorden op Chris hebben, is niet mis. Hij knijpt met verkrampte vingers in mijn middel en begint met zijn hoofd te schudden, net zoals Lucy wanneer ze een grondige wasbeurt heeft gehad.

'Nee,' zegt hij. 'Het is niet waar. Dat kan niet.'

En opeens besef ik dat ik een afschuwelijke vergissing heb begaan.

Vraag me niet waarom. Ik heb hier echt niet zo veel ervaring mee, weet je.

Maar toch weet ik het. Ongeveer op de manier waarop ik weet hoeveel vet er in een Milky Way zit.

Christopher Allington heeft die meisjes niet vermoord.

O, hij is wel degelijk met ze naar bed geweest. Maar hij heeft ze niet vermoord. Dat heeft iemand anders gedaan. Iemand die veel en veel gevaarlijker is.

'Oké,' zegt een diepe stem achter me. Er wordt een zware hand op mijn blote schouder gelegd.

'Sorry, Heather,' zegt Cooper. 'Maar we moeten nu echt weg.'

Waar komt hij in vredesnaam vandaan? Ik kan niet weg. Niet nu.

'Eh,' zeg ik. 'Ja, twee tellen, oké?'

Maar Cooper heeft duidelijk geen zin om te wachten. Hij ziet er eerlijk gezegd eerder uit als iemand die voor zijn leven moet rennen.

'We moeten gaan,' zegt hij weer. 'Nu meteen.'

Hij pakt me bij de arm en trekt me mee.

'Cooper,' zeg ik, en ik probeer me los te wurmen. Ik zie dat Chris nog steeds helemaal van de kaart is. Het zou heel goed kunnen dat als ik nog even blijf, van alles uit hem zal weten te krijgen. Ziet Cooper dan niet dat ik hier met een uiterst belangrijke ondervraging bezig ben?

'Waarom ga je niet iets te eten halen?' stel ik Cooper voor. 'Dan zie ik je over een paar minuten bij het buffet...'

'Nee,' zegt Cooper. 'Laten we gaan. Meteen.'

Ik begrijp best waarom Cooper zo graag weg wil. Echt wel. Tenslotte rekent niet iedereen met zijn ex af door een potje te vrijen op de vloer van de gang.

Maar toch heb ik het gevoel dat ik nog niet kan weggaan. Niet na deze doorbraak. Chris is echt in de war – en wel dusdanig in de war dat hij niet eens merkt dat er een privédetective achter zijn danspartner is opgedoemd. Hij heeft zich omgedraaid en verdwijnt half struikelend van de dansvloer in de richting van de liften.

Waar gaat hij naartoe? Naar de twaalfde verdieping, waar zijn vaders kantoor is om een fles sterke drank soldaat te maken – of gewoon om te bellen? Of naar het dak om ervan af te springen? Ik heb het gevoel dat ik achter hem aan moet gaan, alleen al om er zeker van te zijn dat hij niet iets stoms doet.

Maar als ik achter hem aan wil gaan, houdt Cooper me tegen.

'Cooper, ik kan echt nog niet weg,' zeg ik terwijl ik me aan zijn greep probeer te ontworstelen. 'Ik moet hem zover zien te krijgen dat hij toegeeft dat hij ze kende! Roberta en Elizabeth. En weet je, ik geloof niet dat hij ze heeft vermoord. Ik denk dat hij niet eens wist dat ze dood waren.'

'Heel fijn,' zegt Cooper. 'En laten we nu gaan. Ik heb je toch gezegd dat ik een afspraak heb. Nou, ik ben nu al te laat.'

'Een afspraak? Een afspraak?' Ik kan mijn oren bijna niet geloven. 'Cooper, snap je het dan niet? Chris zei...'

'Ik heb het wel gehoord,' zegt Cooper. 'Gefeliciteerd. Kom mee. Ik heb gezegd dat ik je hier mee naartoe zou nemen. Ik heb niet gezegd dat ik de hele avond kon blijven. Ik heb ook nog klanten die wél betalen, weet je.'

Ik besef dat het zinloos is. Zelfs als Cooper van gedachten zou veranderen en me liet gaan, weet ik nog niet waar Chris is gebleven. En zou het wel verstandig zijn als ik achter hem aan ging? Gezien wat er is gebeurd met de laatste paar meisjes waarmee hij, hoe zei ik dat ook weer – o ja, een herdersuurtje heeft gehad.

Hé, misschien moet ik toch maar literatuurgeschiedenis als hoofdvak nemen. Romanschrijfster EN arts. EN detective. EN sieradenontwerpster...

Cooper en ik glippen naar buiten. Ik krijg niet eens de kans iemand gedag te zeggen of om Rachel met haar Viooltje te feliciteren. Ik heb nog nooit iemand zo veel haast zien hebben om ergens weg te komen.

'Niet zo snel,' zeg ik terwijl Cooper me naar de stoeprand sleurt. 'Ik heb hoge hakken aan, hoor.'

'Sorry,' zegt Cooper en hij laat mijn arm los. Dan stopt hij zijn vingers in zijn mond en fluit naar een taxi die over West Fourth rijdt.

'Waar gaan we naartoe?' vraag ik nieuwsgierig wanneer de taxi met piepende remmen op de hoek stopt.

'Jij gaat naar huis,' zegt Cooper. Hij doet een van de achterportiers open, gebaart dat ik moet instappen en geeft de chauffeur vervolgens het adres van zijn huis.

'Hé,' zeg ik terwijl ik voorover leun. 'Het is vlak om de hoek. Dat had ik best kunnen lopen...'

'Niet in je eentje,' zegt Cooper. 'En ik moet de andere kant op.'

'Waarom?' Het ontgaat me niet dat Marian de Kunsthistorica achter ons de bibliotheek uit komt.

Maar in plaats van zich bij Cooper op de stoeprand te voegen, werpt ze hem een uitermate onvriendelijke blik toe, en haast zich vervolgens in de richting van Broadway.

Cooper, die met zijn rug naar de bibliotheek staat, ziet niets van de professor of haar giftige blik.

'Ik moet iemand spreken,' is alles wat Cooper aan me kwijt wil, 'over een hond. Hier.' Hij steekt me een biljet van vijf dollar toe. 'Je hoeft niet op te blijven.'

'Wat voor hond?' De taxi komt in beweging. 'Cooper, wat voor hond? Neem je een andere hond? En Lucy dan? Wat mankeert er aan Lucy?'

Maar we mengen ons al in het verkeer. Cooper heeft zich

omgedraaid en beent in de richting van West Third Street. Algauw kan ik hem niet meer zien.

Wat heeft dit nu weer te betekenen? Ik weet dat Coopers cliënten heel belangrijk voor hem zijn en zo. En ik weet dat hij denkt dat dat hele gedoe van mij met die moorden in Fischer Hall een hersenspinsel is of iets dergelijks.

Maar toch. Hij had op z'n minst naar me kunnen luisteren.

Op dat moment zegt de taxichauffeur, die een Indiër blijkt te zijn, behulpzaam: 'Ik denk dat dat een uitdrukking is.'

Ik kijk naar zijn spiegelbeeld in de achteruitkijkspiegel. 'Hoe bedoel je, een uitdrukking?'

'Iemand over zijn hond moeten spreken,' zegt de taxichauffeur. 'Dat is een Amerikaanse uitdrukking. Zoiets als: een rollende steen vergaart geen mos. Weet je wel?'

Ik zak achterover in mijn stoel. Nee, dat wist ik niet. Ik weet blijkbaar helemaal niets.

Maar dat wist ik toch? Ik bedoel, daarom werk ik toch aan het New York College? Om een opleiding te krijgen?

Nou, die krijg ik trouwens al. En ik volg nog niet eens college.

22

Nadat Cooper en ik – en Chris Allington – het Viooltjesbal hadden verlaten, kreeg Rachel Walcott het Viooltje uitgereikt wegens bijzondere verdiensten voor het College.

De volgende ochtend laat ze me met een trotse blik in haar mooie bruine ogen een speldje in de vorm van een bloem zien. Ze draagt het speldje op de revers van haar zwartlinnen jasje alsof het een soort eremedaille is.

Misschien is het dat ook wel. Ze heeft tenslotte in één enkel semester meer drama's meegemaakt dan de meeste huismeesters in hun hele loopbaan.

Ik heb in mijn hele leven nog nooit iets gewonnen. Nou ja, een platencontract, maar dat is dan ook alles. Ik weet ook wel dat ze geen Grammy's uitreiken voor liedjes als 'Sugar Rush'. Maar hallo, ik heb ook nooit een publieksprijs gekregen. Niet eens een tienerpublieksprijs.

En ik was toch echt wel dé tienerster. Totdat ik dat niet meer was, natuurlijk.

Maar ik probeer Rachel niet te laten merken dat ik jaloers ben op haar onderscheiding. Niet dat ik nou zo jaloers ben. Maar toch.

Ik was wel degene die alle dozen uit de kelder heeft gesjouwd. De dozen waar we Roberta's en Elizabeth' spullen in hebben gestopt. Ik heb die dozen trouwens ook ingepakt. En ik heb die dozen ook naar het postkantoor gesleept en verstuurd. Daar zou ik toch in elk geval iets voor moeten krijgen. Misschien dan geen Viooltje, maar een Paardenbloem bijvoorbeeld.

Nou ja. Als ik het voor elkaar krijg te bewijzen dat de meisjes werden vermoord en dat hun dood geen ongeluk was, en achter de identiteit van de moordenaar kom, krijg ik misschien wel de stadssleutels of zo. Toch? En die worden dan hoogstpersoonlijk door de burgemeester uitgereikt, en dat wordt allemaal op New York One uitgezonden. Wanneer Cooper dat allemaal ziet, beseft hij dat ik dan wel geen professor in de geschiedenis ben of een maatje 34, maar dat ik wel slim en leuk ben, en dan vraagt hij me mee uit en dan gaan we trouwen en krijgen we Jack, Emily en Charlotte Wells-Cartwright...

Zeg, een meisje mag toch wel dromen, of niet soms?

En ik gun het Rachel heus wel. Ik feliciteer haar, en ik drink een kop koffie terwijl ze beschrijft hoe het voelde om ten overstaan van al haar collega's een belangrijke onderscheiding te krijgen. Ze vertelt dat meneer Jessup haar heeft omarmd en dat meneer Allington haar persoonlijk heeft bedankt voor alles wat ze heeft gedaan. Ze kletst opgewonden door dat ze de eerste huismeester van het New York College is die zeven afzonderlijke nominaties voor de onderscheiding heeft gekregen, de meeste die iemand ooit heeft ontvangen – en dat allemaal in de eerste vier maanden dat ze hier werkt! Ze zegt dat ze ontzettend blij is dat ze naar het hoger onderwijs is gegaan en niet voor het zaken-leven of de advocatuur heeft gekozen, zoals zo veel mensen die aan Yale zijn afgestudeerd.

'Het geeft gewoon een ontzettend goed gevoel dat je zo veel voor mensen kunt betekenen, toch, Heather?' vraagt ze me.

'Eh,' zeg ik. 'Zeker wel.'

Hoewel ik weet dat de mensen voor wie ik iets beteken – de werkstudenten – ontzettend graag zouden willen dat Justine weer terugkwam.

Terwijl Rachel heel langzaam weer uit haar Viooltjesroes bij-komt, pak ik de telefoon en regel een paar dingetjes die ik nog moest doen.

Eerst bel ik Amber op haar kamer. Wanneer haar slaperige stem door de telefoon klinkt met 'Ja?' leg ik de hoorn weer voor-zichtig op de haak. Oké, Amber leeft nog. Ziezo.

Dan bel ik St. Vincent om te vragen hoe het met Jordan is. Ze zeggen dat hij vooruitgaat, maar dat ze hem nog een nachtje ter observatie willen houden. Ik heb er eigenlijk niet zo veel zin in, maar vind toch dat ik even met hem moet praten – het is ten-slotte in wezen mijn schuld dat hij gewond is geraakt.

Maar als ik word doorverbonden naar zijn kamer, neemt een vrouw op: Tania. Het is nog te vroeg voor me om met verloofdes te converseren, dus hang ik op. Toch voel ik me schuldig en daar-om bestel ik bij een bloemist vijf ballonnen met 'beterschap' erop, en vraag ze die te bezorgen bij St. Vincent met een per-soonlijk briefje erbij met: Word maar gauw beter, Jordan, Hea-ther. Ze zullen wel verdwijnen tussen al die andere cadeautjes die zijn fans hem ongetwijfeld sturen – er heeft al een nachtwake met waxinelichtjes plaatsgevonden voor de eerstehulpafdeling van St. Vincent – maar ik kan in ieder geval zeggen dat ik mijn best heb gedaan.

Wanneer ik denk aan Jordan en zijn gewonde hoofd, moet ik ook aan Christopher Allington denken. Een echte detective zou natuurlijk ons gesprek van de vorige avond willen voortzetten. Dus neem ik het besluit hem opnieuw te benaderen. Ik zeg tegen Rachel dat ik naar de wc ga. Maar in plaats daarvan ga ik met de lift naar de twintigste verdieping.

Afgezien van de Allingtons en hun gasten mag niemand op de twintigste verdieping komen, en daarom is het tapijt in de gang voor hun penthouse één grote bewegingsverklikker die aangaat wanneer iemand erop stapt, inclusief de Allingtons. Dit alarm stelt een bewakingscamera in werking bij de balie in de hal.

Maar omdat Pete vandaag dienst heeft als bewaker, maak ik me niet al te veel zorgen om voor de woning van de president in mijn kraag te worden gegrepen.

Ik stap voortvarend op het tapijt en druk met mijn vinger op de deurbel van Allingtons appartement. Ik hoor een vreemd soort gefluit van onder de deur komen en besef dat dat mevrouw Allingtons vogels moeten zijn, de kaketoes waar ze zich zo druk over maakt wanneer ze te veel heeft gedronken. Wanneer ik aanbel verandert het gefluit in een oorverdovend gekrijs. Even raak ik in paniek en vergeet helemaal mijn missie als detective slash romanschrijfster slash arts slash sieradenontwerpster, en wil naar de lift terug rennen.

Maar voor ik de kans krijg me uit de voeten te maken, zwaait de deur open en staat mevrouw Allington, gekleed in een kaftan van groen velours, wazig naar me te knipperen.

'Ja?' vraagt ze op uiterst onvriendelijke toon, wat ik een beetje gek vind omdat ik nog geen twee weken geleden haar hand heb vastgehouden terwijl ze in een plantenbak stond te kotsen. Achter haar vang ik een glimp op van een bijna twee meter hoge vogelkooi waarin twee grote witte vogels naar me zitten te krijsen.

'Eh, hallo,' zeg ik stralend. 'Is Christopher thuis?'

Mevrouw Allington trekt heel even haar gezwollen oogleden op. 'Wat zeg je?'

'Chris,' herhaal ik. 'Uw zoon, Christopher, is hij hier?'

Mevrouw Allington kijkt me pisnijdig aan. Even denk ik dat dat komt omdat ik haar wakker heb gemaakt, maar dat is maar voor een deel het geval.

Nee, ik heb mevrouw Allingtons gevoel voor fatsoen geschoffeerd.

Wist ik veel dat ze dat had. Maar het blijkt nu van wel.

Duidelijk articulerend alsof ik een buitenlander ben, zegt ze: 'Nee, Chris is niet thuis, Justine. En als je iets van een opvoeding had genoten, zou je weten dat het voor een jonge vrouw hoogst ongepast is om zo openlijk achter jongens aan te zitten.'

Vervolgens slaat ze de deur keihard voor mijn neus dicht, waardoor de vogels van schrik nog harder beginnen te krijsen.

Ik blijf even naar de dichte deur staan kijken. En ik moet toegeven dat ik me een beetje gekwetst voel. Tenslotte dacht ik dat mevrouw Allington en ik min of meer close waren.

En toch zegt ze nog steeds Justine tegen me.

Eigenlijk zou ik gewoon weg moeten gaan. Maar ik wil nog steeds weten waar Chris is.

Dus bel ik weer aan. De vogels gaan als een gek tekeer, en wanneer mevrouw Allington opnieuw de deur opendoet, ziet ze er niet zozeer pisnijdig uit, maar meer alsof ze een moord zou kunnen begaan.

'Wat moet je?' vraagt ze.

'Neemt u me niet kwalijk,' zeg ik zo beleefd mogelijk. 'Het was niet mijn bedoeling u lastig te vallen. Maar kunt u me misschien vertellen waar Chris is?'

Mevrouw Allingtons gezicht is een beetje uitgezakt. Ze zou hier en daar best een faceliftje kunnen gebruiken, maar ik denk niet dat ze het type is voor plastische chirurgie. Ze is meer eentje van 'nooit je mond bewegen wanneer je praat', een beetje van het type oud geld uit New England. Zoiets als mevrouw Cartwright. Maar dan enger.

Hoe dan ook, dat slappe vel onder haar kin trilt een beetje terwijl ze me woedend aankijkt.

'Waarom kunnen jullie meisjes hem niet gewoon met rust laten?' zegt ze. 'Jullie zitten voortdurend achter hem aan, en dat geeft alleen maar problemen. Kun je niet achter iemand anders aan gaan? Er zijn er toch genoeg in de studentenflat?'

'Studentenhuis,' verbeter ik haar.

'Wat krijgen we nou?'

'Het is studentenhuis,' zeg ik nog een keer. 'U zei studentenflat, maar het is eigenlijk...'

'Sodemieter op,' zegt mevrouw Allington, en ze slaat weer de deur voor mijn neus dicht.

Wauw. Over onvriendelijk gesproken. In plaats van mij de hele dag te analyseren, zou Sarah beter haar aandacht op de Allingtons kunnen richten. Die hebben echt wel wat meer problemen.

Met een zucht druk ik op het knopje van de lift. Ik weet het niet helemaal zeker, maar volgens mij heeft mevrouw Allington weer aan de fles gezeten. En het is nog niet eens tien uur 's ochtends. Ik vraag me af of ze altijd al zo vroeg teut is, of dat dit een uitzondering is. Bijvoorbeeld om te vieren dat Rachel een Viooltje heeft gekregen.

Als ik weer beneden ben, bots ik in de gang bijna tegen een mager meisje op. Ze loopt in de richting van Rachels kantoor, dus vraag ik haar of ik iets voor haar kan doen. Als ze zich omdraait, zie ik dat het Amber is.

Precies.

Chris Allingtons Amber uit Idaho, die ik net wakker heb gemaakt.

'O,' zegt ze als ze me herkent. 'Hoi.' De manier waarop ze hoi zegt klinkt niet erg enthousiast. Dat komt omdat ze nog niet helemaal wakker is. Ze heeft zelfs haar pyjama nog aan. 'Je bent toch niet de huismeester, hè?'

'Nee,' zeg ik. 'Ik ben haar assistent. Hoezo?'

'Omdat ik net werd gebeld dat ik me vanmorgen moest melden voor een gesprek met Rachel Walcott...'

Op dat moment komt Rachel aangetrippeld uit haar kantoor, met een ordner tegen haar borst gedrukt.

'O, Heather, daar ben je,' zegt ze stralend. 'Cooper is hier.'

Ik maak denk ik een verrast geluidje, want Rachel kijkt me nieuwsgierig aan. 'Ja, hij is er echt, hoor,' zegt ze. Vervolgens richt ze zich tot het meisje dat naast me staat. 'Amber?' vraagt Rachel.

'Ja, mevrouw.' Amber klinkt nogal timide. Maar welke achttienjarige eerstejaars zou niet timide klinken wanneer die 's morgens om tien uur uit bed wordt getrommeld voor een gesprek met de huismeester?

'Deze kant op, Amber,' zegt Rachel terwijl ze Ambers elleboog vastpakt. 'Heather, zou je even geen telefoontjes aan me willen doorgeven?'

'Tuurlijk,' zeg ik, en ik ga ons kantoor binnen. Daar tref ik inderdaad Cooper, die hoofdschuddend naar de bak met condooms op mijn bureau staat te kijken.

'Hoi, Cooper,' zeg ik nogal voorzichtig. Volgens mij is dat wel een beetje begrijpelijk, omdat de laatste keer dat hij op kantoor verscheen, hij met de boodschap kwam dat mijn ex verloofd was met een ander. Wat zou er nu aan de hand zijn?

Met een schok van paniek denk ik aan Marian Braithwaite. O god. Cooper en zij hebben het weer goedgemaakt. Het is weer aan en ze gaan trouwen, en Cooper is hier om me te zeggen dat hij het appartement terug wil, omdat ze dat nodig hebben voor het kindermeisje.

'Hoi, Heather,' zegt Cooper, die er in zijn spijkerbroek en leren jack veel meer als zichzelf uitziet dan in een smoking. 'Heb je even?'

Hoi, Heather, heb je even? Hoi, Heather, heb je even? Wat is DAT voor een manier om een gesprek te beginnen? Bestaan er drie woorden waarvan je je nog meer te pletter schrikt dan: Heb je even? Nee, nee, ik heb niet EVEN. Niet wanneer je me gaat vertellen wat ik denk dat je gaat zeggen. Waarom zij? WAAROM? Alleen maar omdat ze slim en succesvol en slank is?

'Natuurlijk,' zeg ik op een toon die naar ik hoop zelfverzekerd en kalm klinkt, maar die volgens mij meer lijkt op een soort angstig gepiep. Ik maak een gebaar dat Cooper kan gaan zitten en duik in mijn bureaustoel, met het hartstochtelijke verlangen naar een fles met weet-ik-veel waaraan mevrouw Allington al de hele ochtend heeft zitten lurken.

'Moet je horen, Heather,' zegt Cooper. 'Even over gisteravond...'

Nee! Drie woorden die nog erger zijn dan: Heb je even? kunnen natuurlijk alleen maar: Even over gisteravond, zijn...

En nu heb ik ze alle zes gehad, vlak achter elkaar. Wat een rotstreek.

En wat is er gisteravond gebeurd? Helemaal niets. Ik ben uit de taxi gestapt die Cooper voor me had aangehouden, en meteen naar bed gegaan.

Oké, het zou kunnen dat ik nog een uurtje ben opgebleven om aan een liedje te werken.

En het zou kunnen dat dat liedje over hem ging.

Maar dat kan hij nooit hebben gehoord. Ik heb superzacht gespeeld. En ik heb hem niet eens thuis horen komen.

O, dat heb ik weer. WAAROM IK?

'Ik ben je een verklaring schuldig, denk ik,' klinkt het totaal onverwacht.

Maar wacht eens eventjes. Ik ben je een verklaring schuldig? Dat klinkt niet als een inleiding tot een verzoek of ik maar wil verkassen. Het lijkt meer op een verontschuldiging. Maar waar moet Cooper zich in vredesnaam voor verontschuldigen?

'Gisteravond ben ik na het bal naar een kennis gegaan die op het kantoor van de lijkschouwer werkt,' begint hij. 'En zij zei...'

Wacht even. Zíj zei? Cooper heeft me laten zitten voor een ander meisje?

'O, dus daar ging je naartoe?' flap ik eruit voordat ik het weet. 'Had je een afspraak met een méísje?'

O god. Wat mankeer ik? Waarom kan ik niet zo beheerst en

zelfverzekerd zijn als... nou bijvoorbeeld Rachel? Waarom doe ik toch de hele tijd zo spastisch?

Maar omdat Cooper gelukkig geen flauw benul heeft van mijn plannen met hem (zoals het feit dat hij met me gaat trouwen en de vader van mijn drie nog ongeboren kinderen zal worden, alsmede de inspiratiebron voor mijn met een Nobelprijs bekroonde medische loopbaan) merkt hij niet dat ik jaloers ben. Hij denkt blijkbaar dat ik nog steeds boos ben omdat ik gisteravond al zo vroeg van dat feest weg moest.

'Ik wilde je er van tevoren niets over zeggen,' zegt hij. 'Gewoon, voor het geval ze me niets had te melden. Maar nu blijkt dat er wel degelijk iets vreemds was met de lichamen van die meisjes.'

Ik staar hem alleen maar aan. Omdat ik het niet kan geloven. Niet dat zijn 'kennis' iets vreemds heeft ontdekt aan Roberta's en Elizabeth' lichamen. Maar dat hij allereerst om mij een plezier te doen de moeite heeft genomen haar te raadplegen.

'M-maar,' stotter ik. 'Ik dacht dat jij dacht... dat ik het allemaal maar verzon. Omdat ik de kick van het optreden miste...'

'Dat is ook zo,' zegt Cooper schouderophalend. 'Ik bedoel, dat dacht ik. Maar ik dacht ook dat het geen kwaad kon om het een en ander na te trekken.'

'En?' Ik leun geestdriftig naar voren. 'Wat dan? Drugs? Hadden ze drugs gebruikt? Inspecteur Canavan zei dat er geen sporen van verdovende middelen in hun lichaam zijn gevonden.'

'Dat klopt ook,' zegt Cooper. 'Geen drugs. Maar wel brandplekken.'

Ik kijk hem aan. 'Brandplekken? Wat voor brandplekken? Van sigaretten of zo?'

'Nee,' zegt Cooper. 'Angie weet het nog niet helemaal zeker.' Angie? Cooper kent iemand bij de lijkschouwer die Angie heet. Angie? Hoe heeft hij die Angie eigenlijk leren kennen? Angie klinkt niet echt als de naam van een lijkschouwer. Een stripteasedanseres misschien. Maar geen arts.

'Je moet er natuurlijk rekening mee houden,' gaat Cooper verder, 'dat die lichamen nogal, eh, beschadigd waren. Maar Angie zegt dat ze op de rug van allebei de meisjes toch brand-plekken heeft gevonden, littekens die ze niet kan thuisbrengen. Het is niet voldoende om het rapport van de lijkschouwer te ver-anderen – en te verklaren dat de dood van de meisjes geen onge-luk was. Maar het is wel vreemd.'

'Vreemd,' herhaal ik.

'Ja,' zegt Cooper. 'Vreemd.'

'Dus...' Ik kan hem niet in de ogen kijken, omdat ik het niet kan geloven dat hij me echt serieus neemt. Mij, Heather Wells, bekend van 'Sugar Rush'.

En daar waren alleen maar een paar moorden voor nodig.

'Dus misschien heb ik het toch allemaal niet verzonnen uit misplaatste agressie ten opzichte van mijn moeder?' vraag ik.

Cooper lijkt even van zijn stuk gebracht. 'Dat heb ik nooit beweerd.'

O, dat is waar ook, dat was Sarah.

'Maar geloof je me nu?' dring ik aan. 'Ik ben dus niet alleen maar dat gekke ex-vriendinnetje van je kleine broertje, maar misschien wel een verstandig iemand?'

'Ik heb je nooit anders gezien,' zegt Cooper met een flits van ergernis in zijn blauwe ogen. Maar als hij mijn gezichtsuitdruk-king ziet, zegt hij: 'Nou, misschien wel gek. Maar nooit onzinnig. Echt, Heather, ik weet niet waar je het allemaal vandaan haalt. Ik vond je altijd een van de...'

Mooiste, verrukkelijkste schepseltjes die je ooit hebt ontmoet? De intelligentste, meest betoverende vrouw uit je kennissen-kring?

Maar voordat hij de kans krijgt me te vertellen wat hij altijd van me vond – of voor me knielt om te vragen of ik met hem wil trouwen (ik weet het, maar meisjes mogen best dromen), gaat jammer genoeg de telefoon.

'Onthoud waar je gebleven was,' zeg ik tegen Cooper, en ik

pak de hoorn op. 'Fischer Hall, met Heather.'

'Heather?' Het is Tina, de baliemedewerkster. 'Wacht even, Julio wil je spreken.'

Ik krijg Julio. 'O, Heddar, neemt jij mij niet kwalijk,' zegt hij. 'Maar hij weer doet.'

'Wie doet wat weer?' vraag ik.

'Die jongen, Gavin. Mevrouw Walcott, zij zegt tegen mij...'

'Oké, Julio,' zeg ik, en vanwege de laatste keer zorg ik ervoor dat Cooper niets te weten komt. 'Ik kom naar de vaste plek.' En ik hang op.

Over slechte timing gesproken! Uitgerekend op het moment dat Cooper van plan is me te vertellen wat hij van me vindt.

Alhoewel, nu ik erover nadenk, weet ik niet zeker of ik het wel wil weten. Waarschijnlijk zal het iets zijn in de trant van 'een van de beste datatypistes die ik ooit heb gekend'.

'Niet weggaan,' zeg ik tegen Cooper.

'Is er iets mis?' vraagt Cooper bezorgd.

'Niks bijzonders, dit duurt maar een monumentje,' zeg ik. Jezus, zei ik echt 'monumentje'? Nou ja. 'Ik ben zo terug.'

Voor hij iets kan zeggen vlieg ik het kantoor uit en ren naar de lift. Julio staat al op me te wachten en ik zeg tegen hem dat hij vlug de bedieningshendel moet pakken en dat we moeten gaan.

Want hoe eerder we terug zijn, hoe eerder ik erachter kan komen of ik een kans maak wat Cooper betreft, of dat ik het wat mannen aangaat wel kan schudden. Misschien heeft het New York College wel een hoofdvak waarmee je voor non kunt studeren. Dus gewoon jongens helemaal vergeten en het celibaat omarmen. Omdat het wat mij betreft wel heel erg die kant opgaat.

Als ik met Julio de tiende verdieping bereik, klim ik tegen de wand van de lift omhoog en glip door het open paneel in het plafond de liftschacht in, waar het zoals gebruikelijk warm en stil is.

Alleen hoor ik Gavin niet lachen, en dat is raar. Misschien is hij eindelijk onthoofd door een losgeschoten kabel, waarvoor Rachel hem zo vaak heeft gewaarschuwd. Of misschien is hij gevallen. O god, hij zal toch niet beneden in de liftschacht liggen...

Dit gaat allemaal door mijn hoofd – wat ik moet doen als ik alleen maar Gavins onthoofde lichaam op lift 1 aantref – terwijl de dienstlift de twee andere liften passeert, die allebei op de tiende verdieping stilstaan.

Als we boven zijn, zie ik nog steeds geen spoor van Gavin – zelfs niet zijn onthoofde lichaam. Geen lege bierflesjes, geen luidruchtig gegniffel, niks. Het is alsof Gavin daar nooit is geweest.

Het volgende moment wordt de lift heen en weer geschud door een donderende klap, die nasuist in mijn oren als het ruisen van de zee, maar dan duizend keer harder.

Ik was gaan staan – een beetje wankel – om beter te kunnen zien wat er op het dak van de liften beneden me zit, en wanneer ik de explosie onder mijn voeten voel razen, grijp ik instinctief en op de tast naar iets – wat dan ook – om me aan vast te houden.

Iets wat aanvoelt als duizend scheermesjes snijdt in mijn hand, en ik merk dat ik een staalkabel vasthoud die als een gek trilt van de explosie. Maar toch houd ik me vast aan de bewegende staaldraad, want dat is het enige wat me scheidt van het niets in de donkere schacht onder me. Omdat er een gapende leegte is onder mijn voeten. Zó sta ik op het dak van de dienstlift, en nog geen seconde later is dat dak onder me ingestort, ineengefrommeld als een doos Pringles.

Mmm. Pringles.

Grappig, waar je allemaal al niet aan denkt voordat je sterft.

Door puur geluk weet ik de neerkletterende regen van staal te ontwijken. De kabel waar ik me aan vasthoud, blijft hevig tekeergaan, maar ik klem me er met mijn handen en benen aan vast, mijn voeten over elkaar geslagen.

Er komt iets keihard tegen mijn schouder aan en schiet langs me heen, waardoor ik even mijn greep op de kabel dreig te verliezen, half verdoofd door de schok.

Dan kijk ik met wijd opengesperde ogen naar beneden en zie dat de dienstlift is verdwenen.

Nou ja, niet helemaal verdwenen. Hij klettert naar beneden als een blikje frisdrank dat je in een stortkoker gooit, met losgeslagen kabels – met uitzondering van die ene waar ik me aan vasthoud – die als linten aan een bruidssluier erachteraan slierten.

Ik mag niet vallen, is het enige dat ik kan denken. Ik heb de liftmonteur ooit een keer gevraagd of in werkelijkheid zoiets zou kunnen gebeuren als in de film *Speed*. En toen zei hij nee. Want zelfs als de kabels waaraan een lift vastzit allemaal tegelijk knappen (iets wat volgens hem nooit ofte nimmer kon gebeuren. Maar, eh, hallo), is er nog altijd een contragewicht dat in de muur is ingebouwd, en dat voorkomt dat de lift op de grond te pletter slaat.

Ik voel de oorverdovende knal van het contragewicht dat op zijn plaats valt, waardoor de lift niet op de keldervloer stort.

Er volgt een hels kabaal wanneer de gebroken kabels op het dak van de lift neerkletteren. De liftkoker trilt van de knallen. Ik probeer uit alle macht mijn greep op de resterende kabel te behouden, en ik denk bij al dat lawaai dat ik nog geen kik van Julio heb gehoord. Geen enkel geluid. Ik weet dat hij nog in de lift zit. Hoewel het contragewicht heeft voorkomen dat hij te pletter zou vallen, als een accordeon gevouwen op de betonnen keldervloer, hebben die kabels het dak van de lift letterlijk geplet. Hij zit daar onder een kluwen van staal...

God mag weten of hij nog leeft.

De stilte die volgt op het geraas van de vallende lift is zo mogelijk nog angstaanjagender dan het geknal van de knappende kabels. Ik ben altijd dol geweest op de liftschachten, omdat ze het enige deel van de studentenflat – ik bedoel studentenhuis –

zijn waar het echt stil is. Maar nu is die stilte een soort ondoordringbare koepel tussen mij en de grond. Hoe stiller het wordt, hoe groter de bubbel hysterie wordt die ik in mijn keel voel opkomen. Daarnet had ik geen tijd om bang te zijn.

Maar nu ik meer dan tien verdiepingen hoog met mijn voeten boven een afgrond bungel, ben ik verlamd van angst.

Op dat moment barst de bubbel en begin ik te gillen.

23

> *I'm falling*
> *Falling for you*
>
> *I'm falling*
> *All 'cause of you*
>
> *Catch me now*
> *I'll show you how*
>
> *I'm falling*
> *Falling for you*
>
> 'Falling'
> Zang: Heather Wells
> Tekst: Dietz/Ryder
> Van het album: *Magic*
> Cartwright Records

Voor mijn gevoel schreeuw ik urenlang, maar in werkelijkheid is het denk ik maar een minuut, en dan hoor ik in de verte een mannenstem die vanaf beneden mijn naam roept.

'Hier,' krijs ik. 'Ik ben hier. Tiende verdieping!'

De stem zegt nog iets, en aan mijn linkerkant beginnen de twee overgebleven liften naar beneden te gaan.

Als ik een beetje tegenwoordigheid van geest had gehad, was ik op de dichtstbijzijnde lift gesprongen.

Maar het is een afstand van meer dan twee meter – dezelfde afstand die Elizabeth en Roberta zouden hebben gesprongen om vervolgens de lift te missen, aangenomen dat ze ook echt bij het liftsurfen waren omgekomen – en ik ben totaal verlamd van angst.

Maar ik besef ook dat ik me niet nog veel langer kan vasthouden. Mijn schouder doet vreselijk zeer op de plek waar het ding tegenaan is gekomen, en mijn handpalmen zijn geschaafd door het hangen aan de roestige staalkabel – en ook nog eens glibberig van het bloed.

Vaag denk ik terug aan de gymnastiekles op de basisschool. Ik ben nooit goed geweest in touwklimmen – eigenlijk in geen enkele gymnastiekoefening – maar ik herinner me wel dat wanneer je aan een touw hing, het de truc was je voet in een lus van het losse eind van dat touw te steken.

Een staalkabel om mijn voet krijgen is heel wat moeilijker dan wat ik in de vijfde klas heb gedaan, maar uiteindelijk krijg ik een soort voetensteun. Ik weet dat ik dit nog steeds niet langer dan twee minuten zal volhouden. Mijn schouder en met name mijn handen doen zo'n pijn – mijn pijndrempel is altijd al laag geweest, omdat ik eigenlijk een grote baby ben – dat ik liever loslaat en doodval dan dat ik dit nog langer moet verdragen.

En dat komt niet doordat ik tot nu toe geen leuk leven heb gehad. Nou vooruit, soms ging het allemaal wat minder soepeltjes. Maar zeg, ik heb een prima jeugd gehad; tenminste, mijn ouders zorgden er altijd voor dat ik nooit met een lege maag naar bed ging.

Ik ben ook nooit misbruikt of verkracht. Ik had een succesvolle carrière – al moet ik toegeven dat die zijn hoogtepunt bereikte op mijn achttiende of zo.

Maar ik moet nog in zo veel te gekke restaurants eten.

Ik weet ook dat er voor Lucy zal worden gezorgd. Als er iets met me gebeurt zal Cooper wel voor haar zorgen.

Maar als ik aan Cooper denk, schiet me te binnen dat ik niet echt dood wil, niet nu, nu alles net zo interessant begint te worden. Dan zal ik nooit te weten komen wat hij echt van me vindt! Hij stond op het punt me dat te vertellen en nu ga ik dood en kom ik daar nooit achter.

Tenzij je natuurlijk op het moment dat je sterft alles weet wat er in het universum bestaat.

Maar als dat niet zo is? Als je gewoon alleen maar doodgaat?

Nou ja, dan maakt het natuurlijk ook niets meer uit.

Maar die liftmonteurs dan? Die hebben me verzekerd dat liftkabels niet zomaar knappen. Oké, eentje zou nog kunnen, maar niet allemaal, en zeker niet allemaal tegelijk. Deze kabels zijn niet per ongeluk geknapt. Iemand heeft ze gesaboteerd. Te oordelen naar de vuurbal die onder mijn voeten uiteenspatte, was het denk ik een bom.

Juist, een bom.

Iemand wil me vermoorden.

Alweer.

Als ik eraan denk wie het op me gemunt zou kunnen hebben, word ik eventjes afgeleid van de pijn in mijn schouder en schrijnende handen. En zelfs van Cooper en dat gedoe over wat hij van me vindt. We hebben natuurlijk Christopher Allington, die al dan niet heeft geprobeerd een bak met geraniums op mijn hoofd te keilen omdat ik hem van moord verdenk. Maar wat dit betreft kan hij maar beter een heel goed alibi hebben.

Maar hoe kon Christopher Allington weten dat ik in die lift zou zitten? Ik ga bijna nooit met de dienstlift. De enige keer dat ik de dienstlift neem, is wanneer ik achter liftsurfers aan zit.

Zou Gavin McGoren iets te maken kunnen hebben met de dood van Beth Kellogg en Bobby Pace? Dat lijkt een beetje vergezocht, maar wat zou een andere verklaring moeten zijn? Julio kan de moordenaar niet zijn. Voor zover ik weet ligt hij daar dood beneden. Waarom zou hij zichzelf en mij erbij van kant willen maken?

Plotseling komt de dichtstbijzijnde lift terug en deze keer is er iemand op het dak. Maar het is niet Gavin McGoren. Knipperend met mijn ogen vanwege de rook die in de liftschacht hangt, zie ik door de damp een verbeten kijkende Cooper op me afkomen om me te redden.

Dat zou toch betekenen dat hij me wel mag. Een beetje, in elk geval. Ik bedoel, als hij zijn leven wil riskeren om mij te redden...

'Heather,' zegt Cooper. Hij klinkt net zo beheerst en vertrouwenwekkend als altijd. 'Niet bewegen, oké?'

'Alsof ik ergens heen kan,' zeg ik. Of tenminste, dat probeer ik te zeggen. Wat ik hoor is een soort hysterisch gesnotter. Maar dat kan absoluut niet van mij komen.

'Luister goed naar me, Heather,' zegt Cooper. Hij is op het dak geklommen van lift 1, en hij hangt aan een van de kabels. Door de rook kan ik zien dat hij bleek ziet, ondanks zijn gebruinde huid. Waarom zou dat zijn, vraag ik me af. 'Je moet iets voor me doen.'

'Oké,' zeg ik. Dat probeer ik in ieder geval te zeggen.

'Ik wil dat je hiernaartoe zwaait. Niet bang zijn, ik vang je op.'

'Eh,' zeg ik, en ik bega de vergissing naar beneden te kijken. 'Nee.'

Zo, dat kwam er in ieder geval duidelijk uit.

'Niet naar beneden kijken,' zegt Cooper. 'Kom maar, Heather. Je kunt het. Het is maar een klein stukje...'

'Ik zwaai nergens naartoe,' zeg ik, en ik klamp me nog steviger vast aan de kabel. 'Ik blijf hier wachten totdat de brandweer komt.'

'Heather,' zegt Cooper, en het klinkt weer een beetje vertrouwd alsof hij zijn geduld met me verliest. 'Zet je af tegen de muur en zwaai hiernaartoe. Laat de kabel los als ik het zeg. Geloof me nou, ik vang je op.'

'Jezus, je bent echt niet goed snik.' Ik schud mijn hoofd. Mijn stem klinkt raar. Een beetje piepend. 'Geen wonder dat je familie je zonder een cent heeft laten zitten.'

'Heather,' zegt Cooper. 'De conciërge heeft gezegd dat de kabel waaraan je je vasthoudt waarschijnlijk niet deugt. Die kan elk moment knappen, net zoals de andere...'

'O,' zeg ik. Dat is andere koek.

'Doe wat ik zeg.' Cooper buigt zich zo ver als maar mogelijk is naar me toe.

'Zet je met je voet af tegen de muur en zwaai hiernaartoe. Ik vang je op, wees niet bang.'

Boven uit de liftschacht komt een soort grommend geluid. Ik weet bijna zeker dat dat niet van mij komt, maar waarschijnlijk van de kabel waaraan ik me vasthoud.

Geweldig.

Ik doe mijn ogen dicht, en trek me een stukje aan de kabel op, waardoor die naar de andere kant van de lift begint te zwaaien. Ik haal mijn voet uit het loshangende eind en trap zo hard ik als kan tegen de afgebrokkelde stenen. Als een steen uit een slinger word ik in Coopers gespreide armen geworpen...

...Maar niet dichtbij genoeg naar mijn smaak.

Toch schreeuwt hij: 'Laat los, Heather, nu loslaten!'

Dat was het dan, denk ik. Ik ben dood. Misschien maken ze nu wel een documentaire over me.

Ik laat los.

Heel even weet ik hoe Elizabeth en Roberta zich moeten hebben gevoeld, de gruwelijke angst van het door de lucht zeilen zonder vangnet of water onder je om je val te breken.

Maar in plaats van dood te vallen zoals zij, voel ik stevige handen die zich rond mijn polsen sluiten. Mijn armen worden bijna uit de kom getrokken als ik met mijn lichaam tegen de zijkant van de lift knal. Ik houd mijn ogen stijf dicht, maar ik voel dat ik langzaam omhoog word getrokken.

Ik probeer een steunpunt voor mijn voeten te vinden totdat

ik eindelijk iets stevigs onder mijn billen voel.

Dan pas doe ik mijn ogen open en zie dat Cooper erin is geslaagd me in veiligheid te brengen. We snakken allebei naar adem vanwege de inspanning en angst. Nou, ik van angst tenminste.

Maar we leven nog. Ik leef nog.

Van boven komt weer dat grommende geluid. Het volgende moment zie ik dat de kabel waaraan ik me heb vastgehouden, samen met de katrol waar hij aan vastzat, losscheurt van de draagbalk, door de schacht naar beneden valt en neerstort op het dak van de lift daaronder.

Wanneer ik in staat ben mijn blik af te wenden van de puinhoop op de bodem van de liftschacht, merk ik dat ik me vastklamp aan de voorkant van Coopers shirt, en dat hij beschermend zijn armen om me heen heeft geslagen. Zijn gezicht heeft nu de kleur van de rook om ons heen. Op zijn shirt zitten allemaal bloedstrepen op de plekken waar ik hem met mijn kapotte handen heb vastgepakt.

'O,' zeg ik, en ik laat het verfrommelde, smerige shirt los.

'Sorry.'

Cooper laat onmiddellijk zijn armen langs zijn lichaam vallen.

'Geeft niets,' zegt hij.

Zijn stem is net zoals de mijne weer een beetje normaal. Maar ik zie iets in zijn ogen, wat ik nog nooit heb gezien.

Maar voordat ik de kans krijg erachter te komen wat dat nou precies was, hoor ik vanuit de lift waar we op zitten een bekende stem komen. 'Is alles goed met haar?'

Ik kijk door het open paneel in het plafond van de lift naar binnen en zie een golf van opluchting over Petes gezicht gaan.

'We scheten allemaal bagger, Heather,' zegt hij. En ja hoor, zijn stoere Brooklyns klinkt een beetje onvast.

'Het is goed met me, hoor,' zeg ik en dat bewijs ik door trillend, maar praktisch zonder hulp van het dak te klimmen. Er schiet een pijnscheut door mijn schouder, maar omdat Pete me bij mijn elleboog vastpakt en Cooper me aan mijn riem vast heeft, verlies ik mijn evenwicht niet. Als ik eenmaal in de lift ben, moet ik vanwege mijn knikkende knieën ergens tegenaan leunen.

Maar het gaat wel als ik een beetje tegen de wand hang.

'Hoe is het met Julio?'

Cooper en Pete kijken elkaar even aan.

'Hij leeft nog,' zegt Cooper met opeengeklemde kaken.

'Een minuut geleden in ieder geval nog wel.' Pete draait de liftsleutel om in het slot. 'Maar of dat nog zo is als ze hem er eindelijk uit hebben gekregen...'

Ik word duizelig. 'Hem eruit hebben gekregen?'

'Ze moeten snijbranders gebruiken.'

Ik kijk Cooper aan om iets meer duidelijkheid, maar hij reageert niet.

En opeens ben ik er niet meer zo zeker van of ik het wel wil weten.

Voor de tweede keer in twee dagen kom ik op de eerstehulp van het St. Vincent terecht.

Alleen ben ikzelf deze keer de patiënt.

Ik lig op een brancard en wacht tot er een röntgenfoto van mijn schouder zal worden gemaakt. Cooper is op zoek gegaan naar een broodje tonijnsalade voor me, omdat ik vanwege de angst ontzettende honger heb gekregen.

Terwijl ik lig te wachten, kijk ik verdrietig naar mijn gehavende handen, die in het verband zitten en pijn doen van alle hechtingen. Volgens de irritant jonge dienstdoende arts zal het nog weken duren voordat ik ze weer normaal kan gebruiken. Ik kan bij wijze van spreken niet eens een pen vasthouden.

Mistroostig lig ik me af te vragen hoe ik in vredesnaam mijn werk moet doen als ik mijn handen niet kan gebruiken. Justine had daar wel iets op geweten. Dan verschijnt opeens inspecteur

Canavan, met een onaangestoken sigaar tussen zijn tanden geklemd. Ik weet niet zeker of het nog dezelfde sigaar is, maar het lijkt er wel op.

'Ha, juffrouw Wells,' zegt hij net zo terloops alsof we elkaar toevallig tegenkomen in Macy's of zoiets. 'Ik heb gehoord dat je een nogal enerverend ochtendje hebt gehad.'

'O,' zeg ik. 'U bedoelt toch niet dat iemand heeft geprobeerd me te vermoorden. Voor de tweede keer?'

'Precies,' zegt inspecteur Canavan, en hij haalt de sigaar uit zijn mond. 'Nou, kwaad op me?'

Een beetje wel. Maar ja, hij kon er toch ook niets aan doen. Die plantenbak had inderdaad per ongeluk van het dak kunnen vallen, en Elizabeth en Roberta hadden inderdaad kunnen verongelukken omdat ze aan het liftsurfen waren.

Alleen was die plantenbak niet per ongeluk gevallen en waren die meisjes niet verongelukt.

'Ik zou het je niet kwalijk nemen,' zegt inspecteur Canavan, voordat ik de kans krijg te antwoorden. 'We hebben nu een Backstreet Boy met een kapotte kop en iemand van de onderhoudsploeg op de intensive care.'

'En twee dode meisjes,' voeg ik eraan toe. 'Vergeet die twee dode meisjes niet.'

Inspecteur Canavan gaat op een oranje plastic stoeltje zitten dat vastzit aan de muur van de röntgenafdeling.

'Jazeker,' zegt hij. 'En twee dode meisjes. Om maar te zwijgen van een zekere assistent-huismeester die eigenlijk ook dood had moeten zijn.' Hij stopt de sigaar weer terug in zijn mond. 'We denken dat het een pijpbom is geweest.'

'Watte?' roep ik uit.

'Een pijpbom. Niet erg geraffineerd, maar wel effectief. In een gesloten ruimte zoals een stenen liftschacht kan die veel meer schade aanrichten dan bijvoorbeeld in een koffer of een auto.' Inspecteur Canavan kauwt op zijn sigaar. 'Iemand wil je ontzettend graag om zeep helpen, schat.'

Ik staar hem aan en krijg het weer koud. Zodra we in de lobby kwamen, heeft Cooper zijn jack om mijn schouders geslagen, omdat ik om de een of andere reden begon te rillen. En toen de ambulancebroeders kwamen, kreeg ik nog een deken.

Maar ik sterf van de kou, al vanaf het moment dat ik de puinhoop die ooit de dienstlift was op de bodem van de liftschacht zag liggen. De brandweer heeft met enorme tangen geprobeerd de deuren open te wrikken – de kaken des levens noemen ze die – maar het verwrongen metaal gaf geen krimp. Midden in deze ravage lag Julio, die, naar ik later hoorde, verschillende botten heeft gebroken, maar het wel zal overleven. Ik begon te trillen toen ik naar die verfrommelde lift keek, en sindsdien zijn mijn handen ijskoud.

'Een pijpbom?' herhaal ik. 'Hoe kan iemand...'

'De bom is op het dak van de lift gelegd. Makkelijk te maken als je maar weet hoe. Het enige wat je nodig hebt, is een stalen pijp met een schroefdraad aan beide uiteinden zodat je hem kunt afsluiten. Dan boor je een paar gaatjes in de zijkant voor twee lonten, je duwt een aantal voetzoekers door de gaten, stopt de gaten dicht met epoxyhars, maakt er een paar sigaretten aan vast en vult het hele geval met buskruit. Fluitje van een cent.'

Fluitje van een cent? Dit klinkt erger dan een psychotechnische test.

Wanneer hij mijn verbaasde blik ziet, haalt hij de sigaar uit zijn mond. 'Ik bedoel natuurlijk dat het een fluitje van een cent is als je weet hoe het moet. Maar in elk geval heeft iemand een paar minuten voordat jij en – hoe heet hij eigenlijk?' Hij kijkt in zijn notitieboekje. 'O ja, voordat jij en meneer Guzman – de lift namen. Maar neem me niet kwalijk dat ik het vraag, wat had u in vredesnaam op het dak van dat ding te zoeken?'

Een beetje beduusd denk ik na. Een pijpbom met twee sigaretten als lont? Ik heb geen idee hoe zo'n ding eruit zou moeten zien, maar ik weet zeker dat ik zoiets niet heb gezien toen ik op het dak van de lift stond.

Maar tussen al die apparatuur en mechanismen kun je natuurlijk makkelijk een kleine bom verstoppen.

Maar een pijpbom? Een pijpbom in Fischer Hall?

Achter de dubbele deuren naar de wachtkamer roept een verpleegster: 'Meneer, u mag daar niet naar binnen! Meneer, wacht...'

Cooper komt de deuren door gestormd met een arm vol papieren zakken. Achter hem aan komt een kwaad kijkende, aantrekkelijke verpleegster.

'Meneer, u kunt hier niet zomaar binnenvallen,' gaat ze verder. 'Anders moet ik de bewaking roepen...'

'Het is in orde,' zegt inspecteur Canavan tegen de verpleegster en hij laat zijn portefeuille met de politiepenning zien. 'Hij hoort bij mij.'

'Al was hij van het medisch tuchtcollege,' snauwt de verpleegster. 'Hij kan hier niet zomaar binnenvallen.'

'Neem een cannoli,' zegt Cooper, en hij haalt er eentje uit een zak. De verpleegster staart hem aan alsof ze met een krankzinnige te maken heeft.

'Nee, echt,' zegt Cooper. 'Neem maar. Krijg je van mij.'

Vol walging pakt de verpleegster de cannoli aan, bijt er een groot stuk af en verdwijnt kauwend door de deuren. Cooper haalt zijn schouders op en kijkt dan de inspecteur met onvervalste woede aan.

'Als we daar niet de grootste lul van de New Yorkse politie hebben.'

'Cooper!' Ik weet niet wat ik hoor. 'Inspecteur Canavan was me net aan het vertellen...'

'Heb je soms zaagsel in je kop?' Cooper lacht schamper en wijst dan naar de inspecteur die met wijd opengesperde ogen naar hem zit te kijken. 'Ik zal je één ding zeggen, Canavan, het bestaat gewoon niet dat alle zes de kabels van een lift tegelijkertijd kunnen knappen, dat kan alleen maar als iemand opzettelijk...'

'Cooper!' roep ik, maar inspecteur Canavan zit te grinniken. 'Rustig aan, Romeo,' zegt hij, en hij zwaait met zijn sigaar naar ons. 'We hebben inmiddels vastgesteld dat er nu al twee keer een moordaanslag op je vriendinnetje is gepleegd. Niemand beweert dat wat met de lift is gebeurd een ongeluk was. Hou je een beetje gedeisd, ik sta achter je.'

Cooper knippert even met zijn ogen en kijkt dan naar mij. Ik verwacht dat hij iets zal zeggen in de trant van: 'Ze is mijn vriendinnetje niet.' Maar dat doet hij niet. In plaats daarvan zegt hij: 'Die tonijnsalade zag er niet echt lekker uit, ik heb er maar eentje met salami meegenomen.'

'Wauw,' zeg ik. Cooper geeft me een stuk brood aan van ongeveer een halve meter. Niet dat daar iets mis mee is, overigens.

Inspecteur Canavan gluurt naar de enorme hoeveelheid zakken die Cooper om zich heen heeft liggen. 'Heb je ook chips meegenomen?' wil hij weten.

'Nee, helaas.' Cooper pakt mijn sandwich uit, en omdat ik niets kan vasthouden, breekt hij die in stukjes die ik zo in mijn mond kan stoppen. 'Olijven?'

Inspecteur Canavan kijkt teleurgesteld.

'Nee, bedankt. Dus, wat deed je eigenlijk op de lift?' gaat hij verder alsof hij niet is onderbroken.

Ik geef hem antwoord met een volle mond, want ik sterf van de honger en kan niet wachten. 'Ik kreeg een telefoontje van de receptie dat Gavin – een jongen die in het studentenhuis woont – weer aan het liftsurfen was, en dus ging ik met Julio hem daar weghalen.'

'O ja? En toen je eenmaal boven was, wat gebeurde er toen?'

Ik beschrijf de explosie, die op het moment kwam dat het tot me doordrong dat Gavin daar helemaal niet was.

'Wie heeft die baliemedewerker opdracht gegeven jou te bellen?'

'We weten allemaal wie het heeft gedaan,' zegt Cooper met nauwelijks onderdrukte woede. 'Waarom arresteer je hem niet,

Canavan, in plaats van hier een beetje te zitten?'

'Wie arresteren?' wil Canavan weten.

'Allington, hij is de dader. Het is wel duidelijk dat Heather hem de stuipen op het lijf heeft gejaagd.'

Canavan schudt zijn hoofd. 'Ik kan je wel vertellen dat die gozer gisteravond de stad uit is gegaan. Hij is naar dat huis van zijn ouwelui in de Hamptons. Geen sprake van dat hij die bom heeft geplaatst, niet zonder hulp tenminste. Die knul zit op drie uur met de trein hiervandaan. Iemand wil je vriendinnetje om zeep helpen, zoveel is wel duidelijk. Maar dat is niet Chris Allington.'

24

Het nemen van de röntgenfoto doet behoorlijk zeer, want de specialist draait mijn lichaam in diverse onnatuurlijke bochten om de juiste houding voor de foto's te krijgen. Maar afgezien van een paracetamolletje krijg ik niets tegen de pijn.

Ja zeg, paracetamol kun je bij de drogist kopen. Waar is de codeïne? Waar is de morfine? Wat zijn dat voor ziekenhuizen tegenwoordig?

Nadat de röntgenfoto's zijn genomen, word ik in een rolstoel naar de wachtkamer gereden, waar een heleboel andere patiënten op brancards liggen.

De meesten zijn er zo te zien veel slechter aan toe dan ik. En ze hebben blijkbaar allemaal veel betere pijnstillers.

Gelukkig mag ik mijn broodje houden. Dat is mijn enige troost. Nou ja, en natuurlijk een paar Frito's die ik uit de snoepautomaat aan het eind van de afdeling heb getrokken. En geloof maar niet dat het een pretje is om met je handen in het verband muntjes in een gleuf te stoppen.

Maar zelfs van de Frito's voel ik me niet beter. Ik bedoel maar, ik had toch eigenlijk dood moeten zijn? Ik had echt moeten doodgaan door die bom. Maar dat is niet gebeurd.

Niet zoals Elizabeth Kellogg en Roberta Pace. Wat ging er allemaal door hen heen toen ze in de lucht hingen, met zestien, veertien verdiepingen onder zich? Hebben ze zich verzet voordat ze werden geduwd? Daar zijn geen sporen van gevonden, blijkbaar alleen een paar brandplekken.

Maar wat voor soort brandplekken?

En waarom leef ik nog steeds terwijl zij dood zijn? Heeft het een reden dat ik gespaard ben gebleven? Wordt er iets van me verwacht? De moordenaar vinden, bijvoorbeeld?

Of mag ik verder leven omdat ik een ander, misschien wel hoger doel moet dienen? Zoiets als mijn eigen medische carrière beginnen, en ervoor zorgen dat toekomstige slachtoffers van pijpbommen betere pijnstillers krijgen als ze naar een buurtziekenhuis worden gebracht?

Een dokter die niet veel ouder kan zijn dan ik komt binnen als ik net mijn laatste Frito's naar binnen werk. Hij houdt de röntgenfoto's omhoog en lacht, totdat hij nog eens goed naar me kijkt.

'Ben jij niet...' Hij blijft midden in zijn zin steken en ziet er opgewonden uit.

Ik ben te moe om een spelletje te spelen.

'Ja,' zeg ik. 'Ik ben Heather Wells. En ja, ik ben de zangeres van "Sugar Rush".'

'O,' zegt hij teleurgesteld. 'Ik dacht dat je Jessica Simpson was.'

Jessica Simpson. Ik ben zo onthutst dat ik geen woord meer kan uitbrengen, zelfs niet wanneer hij me monter vertelt dat er niets ernstigs is met mijn schouder, alleen maar een kneuzing. Ik moet het bed houden, en nee, hij kan me niets tegen de pijn geven.

Ik zweer je dat ik hem 'With You' hoor neuriën wanneer hij wegloopt.

Jessica Simpson. Ik lijk in de verste verte niet op Jessica Simpson. Oké, we hebben allebei lang blond haar. Maar daar houdt het dan ook mee op.

Of niet soms?

Ik ga op zoek naar de damestoiletten. Als ik voor de spiegel boven de wastafel sta en mijn spiegelbeeld bekijk, constateer ik tot mijn opluchting dat ik totaal niet op Jessica Simpson lijk.

Maar ik lijk ook niet echt op een menselijk wezen. Mijn spijkerbroek is gescheurd en zit onder de smeer en mijn eigen bloed. Over mijn schouders hangt Coopers leren jack, met daarover een knaloranje deken. Mijn gezicht zit onder het bloed en de viezigheid, en mijn haar hangt in vettige slierten naar beneden. Op mijn lippen is geen spoortje lippenstift te bekennen.

Kortom: ik zie er niet uit.

Ik probeer zo goed en zo kwaad als het kan te redden wat er te redden valt, maar het resultaat is niet echt iets om over naar huis te schrijven.

Toch is het wel goed dat ik me een beetje heb opgekalefaterd, want op het moment dat ik terugkom in de wachtkamer, met mijn ziekenhuisrekening – van zeventienhonderd dollar die geheel wordt betaald door het New York College – in mijn achterzak, word ik bijna verblind door een enorme hoeveelheid flitslichten. Een stuk of tien mensen van wie ik er niet eentje ken, roepen: 'Heather Wells! Heather Wells, hierheen. Eén vraagje maar...' De bewaker van het ziekenhuis moet alle moeite doen om nog een horde journalisten tegen te houden die vanaf de straat de hal binnendringt.

'Heather!' Vanuit de menigte klinkt een bekende stem, maar voordat ik kan reageren krijg ik van een vrouw met een dikke laag make-up en een enorme bos haar een microfoon onder mijn neus geduwd. 'Heather Wells, is het waar dat jij en je voormalige vlam, ex-lid van Easy Street, Jordan Cartwright, weer bij elkaar zijn?' vraagt ze.

Voordat ik mijn mond open kan doen, krijg ik een andere journalist over me heen.

'Is het waar dat dit de tweede keer is in twee dagen tijd dat iemand je probeert te vermoorden?'

'Heather,' vraagt een derde journalist. 'Klopt het gerucht dat deze bomaanslag deel uitmaakt van een geraffineerd terroristisch complot om Amerika's meeste geliefde tieneridool uit de weg te ruimen?'

'Heather!'

Cooper torent boven de microfoons en camera's uit. Hij gebaart naar me en wijst naar een zijdeur waar ALLEEN VOOR ZIEKENHUISPERSONEEL op staat.

Maar voordat ik die richting op kan duiken, grijpt iemand me bij de schouder en roept: 'Heather, is het waar dat je je comeback als zangeres gaat maken tijdens de presentatie van Calvin Kleins nieuwe geurtje voor zijn herfstcollectie?'

Gelukkig verschijnt er een politieagent die door de muur van journalisten breekt en me bij mijn gezonde arm pakt. Hij sleurt me letterlijk tussen de menigte vandaan en gebruikt zijn knuppel als een soort prikstok om onze doorgang te vergemakkelijken.

'Opzij, opzij,' zegt hij herhaaldelijk met een plat Brooklyns accent, dat ik heb leren kennen en waarderen sinds ik New York City ben komen wonen. 'Laat deze dame erdoor. Even rekening houden met de patiënt, jongens, uit de weg.'

De anonieme agent neemt me mee door de ALLEEN VOOR ZIEKENHUISPERSONEEL-deur, en gaat er dan voor staan als een of andere superheld uit een Marvel-stripboek die Fort Knox bewaakt.

De gang waarin ik me nu bevind, blijkt dezelfde te zijn als waar ik Cooper en inspecteur Canavan heb achtergelaten toen ik naar de röntgenafdeling moest. Ik zie dat ze gezelschap hebben gekregen van een aantal mensen, onder wier Patty en Frank, Magda en Pete, en om de een of andere reden ook meneer Jessup.

Zowel Patty als Magda begint van ontzetting te jammeren als ze me zien. Waarom is me een raadsel. Ik dacht toch dat ik mezelf weer een beetje had opgekalefaterd.

Patty springt van haar plastic stoeltje en geeft me een stevige knuffel die ze ongetwijfeld heel lief bedoelt, maar die nogal pijn doet. Ze huilt en zegt dingen als: 'Ik heb toch gezegd dat je een andere baan moest zoeken? Die baan deugt niet voor je, veel te gevaarlijk.'

Intussen staart Magda naar mijn handen en daarbij beweegt ze haar kaak op een vreemde manier. Ik heb haar ogen nog nooit zo groot gezien.

'O, mijn god,' zegt ze steeds, en ze werpt daarbij een verwijtende blik op Pete. 'Je zei dat het erg was, maar niet dat het zó erg was.'

'Ik voel me goed, hoor,' zeg ik terwijl ik me probeer terug te trekken uit Patty's onmogelijk lange armen. 'Echt Patty, het is goed met me...'

'Kijk nou uit, Pats, je doet haar pijn.' Frank probeert zijn vrouw van me af te krijgen. Hij kijkt me bezorgd aan terwijl hij Patty's armen probeert los te maken. 'Is het echt wel goed met je, meissie? Je ziet er niet uit.'

'Ik voel me goed,' lieg ik. Ik ben nog behoorlijk van de kaart, niet zozeer vanwege die afschuwelijke toestand in de liftschacht, maar vanwege de confrontatie met die journalisten. Waar kwamen ze vandaan? En hoe zijn ze er zo snel achter gekomen dat er sprake was van een bom? Er wordt in de pers zelden over het New York College geschreven, en dan nog alleen positief. Hoe zal dit uitpakken in mijn halfjaarlijkse beoordelingsrapport? Zal het tegen me worden gebruikt?

Dan kucht meneer Jessup en iedereen kijkt zijn kant op. In zijn armen heeft hij een enorme bos zonnebloemen Voor mij. Ik krijg bloemen van meneer Jessup.

'Wells,' zegt hij met zijn bromstem. 'Je wilt ook altijd aandacht, hè?'

Ik glimlach, en ben waanzinnig ontroerd. Tenslotte heeft meneer Jessup het vreselijk druk, vanwege zijn baan als assistent van de vice-president. Ik had nooit kunnen denken dat hij de tijd zou nemen om naar het ziekenhuis te komen om mij bloemen te brengen.

Maar meneer Jessup is nog niet klaar. Hij buigt zich voorover en geeft me een kus op mijn wang. 'Ik ben blij dat je nog heel bent, Wells. Deze zijn van de afdeling.' Hij reikt me de bloemen aan, en wanneer ik mijn verbonden handen hulpeloos omhoog steek, stapt Magda naar voren en neemt de bloemen aan. Meneer Jessup ziet niet dat ze fronst, en mocht hij dat wel hebben gezien, dan negeert hij dat. Hij hoort haar ook niet mompelen: 'Hij had haar in plaats van bloemen beter een vette salarisverhoging kunnen geven...'

'Ik moet van Rachel zeggen dat het haar heel erg spijt dat ze niet kon komen, maar iemand moet het fort toch bewaken.' Meneer Jessup grijnst, en laat al zijn tanden zien. 'Ze wist natuurlijk niets van al die paparazzi. Als ze dit hoort, zal ze het wel jammer vinden dat ze het heeft gemist. Vertel eens even aan wie je het verhaal gaat verkopen. *Entertainment Tonight* of *Access Hollywood*?'

'De *Post* biedt je vast heel veel geld,' merkt Magda op, die niet in de gaten heeft dat meneer Jessup een geintje maakt. 'Of de *Enquirer*.'

'Maakt u zich maar geen zorgen,' zeg ik lachend. 'Ik praat niet met de pers.'

Meneer Jessup is niet overtuigd. De vriendelijke en bezorgde uitdrukking op zijn gezicht heeft plaatsgemaakt voor een achterdochtige blik in zijn ogen. Plotseling dringt het tot me door dat hij alleen maar naar het ziekenhuis is gekomen om te controleren of ik mijn verhaal niet naar buiten breng.

Ik had het kunnen weten, denk ik. Ik bedoel, dat meneer Jessup niet uit bezorgdheid voor mij hierheen is gekomen. Meneer Jessup was hier voor maar één reden.

Zoveel mogelijk de schade beperken.

Ik denk dat hij vermoedde dat het uit de hand zou lopen – waarom zou hij anders het verkeer hebben getrotseerd om helemaal naar de West Village te komen? – maar ik denk dat hij niet had gedacht dat het zo erg uit de hand zou lopen. Een bomexplosie in een studentenflat van het New York College – ik bedoel studentenhuis – is groot nieuws. Als iets dergelijks op Yale was gebeurd, had het CNN gehaald en was het op alle lokale zenders te zien geweest, ook als achteraf was gebleken dat het niets met terrorisme te maken had.

En het feit dat een van de slachtoffers een voormalig tienersterretje is? Nou, dat maakt het verhaal alleen maar pikanter. Mijn afscheid van de muziekwereld is niet onopgemerkt gebleven, en alle achtergrondinformatie – inclusief mijn moeders nieuwe Argentijnse ranch – heeft uitgebreid in de media gestaan. Ik kan nu de voorpagina van de *Post* al voor me zien:

Blonde Bom

Voormalig popster Heather Wells is bijna opgeblazen tijdens haar werkzaamheden aan het New York College, in een slechtbetaald baantje dat ze had aangenomen om in haar levensonderhoud te voorzien, nadat haar muzikale carrière was geflopt en ze door haar voormalige verloofde, Easy Street-lid Jordan Cartwright, de deur uit was gegooid.

Toch begrijp ik meneer Jessups bezorgdheid wel. Het is al erg genoeg dat tijdens een ongeluk met een lift twee medewerkers gewond raken.

Maar een bom in een van de studentenflats – ik bedoel studentenhuizen? Of erger nog, een bom in het gebouw waar de president van het College woont? Wat moet hij het bestuur vertellen? Die arme man ziet het vice-presidentschap al door zijn vingers glippen.

Ik kan het hem niet kwalijk nemen dat hij het vege lijf wil redden. Hij heeft tenslotte kinderen. Ik heb alleen maar een hond.

'Heather,' begint meneer Jessup weer. 'Ik weet zeker dat je dat zult begrijpen. Dit is een absolute pr-nachtmerrie. Niemand mag gaan denken dat onze studentenhuizen niet deugen...'

Tot mijn verbazing valt inspecteur Canavan de assistent-vicepresident in de rede. Hij schraapt luidruchtig zijn keel en kijkt dan om zich heen of hij ergens kan spugen.

Dan slikt inspecteur Canavan.

'Hé,' zegt hij. 'Sorry dat ik u onderbreek, maar hoe langer juffrouw Wells hier blijft rondhangen, hoe moeilijker het voor mijn mannen wordt die menigte in de hand te houden.'

Ik voel een arm om mijn schouder glijden. Ik kijk op en tot mijn grote verrassing zie ik dat het de arm van Cooper is. Maar hij kijkt me niet aan, hij kijkt naar de deur.

'Kom mee, Heather,' zegt hij. 'Frank en Patty zijn met de auto gekomen. Hij staat beneden in de garage. Ze brengen ons naar huis.'

'O ja, laten we gaan,' dringt Patty aan. Haar mooie gezicht vertoont een uitdrukking van afschuw. 'Ik heb een hekel aan ziekenhuizen, en ik heb een nog grotere hekel aan journalisten.' Haar donkere amandelvormige ogen schieten even in de richting van meneer Jessup, alsof ze eraan wil toevoegen: en de allergrootste hekel heb ik aan opgefokte bureaucraten. Maar omdat ik naast haar sta, houdt ze zich in. Daar zorg ik wel voor, want ik trap haar een beetje hard op haar voet, waardoor ze een kreetje van pijn slaakt.

Nadat ik Pete en Magda gedag hebt gezegd – die beloven in het ziekenhuis te blijven tot ze bij Julio mogen – wijst een ziekenhuismedewerkster ons enthousiast de weg naar de parkeergarage, dolblij dat ze van ons af is – en dus van de journalisten.

Op weg naar de auto kan ik niets anders denken dan: jezus, ik ben hartstikke ontslagen, als ik niet denk: jezus, wat heeft die arm te betekenen? Dat heeft weer met Cooper te maken.

Maar als we in de auto zitten, haalt Cooper zijn arm weg, en heb ik nog maar één ding om me druk over te maken.

'O, god,' blijf ik met een brok in mijn keel herhalen terwijl ik op de achterbank zit. 'Ik denk dat meneer Jessup me gaat ontslaan.'

'Niemand gaat jou ontslaan, Heather,' zegt Cooper. 'Die vent denkt alleen maar aan zijn eigen hachje.'

'Als die kerel je ook maar een haar krenkt, schat, dan krijgt hij met mij te maken,' gromt Patty van achter het stuur. Patty is een assertieve, je zou zelfs kunnen zeggen, agressieve chauffeur, en daarom rijdt zij altijd in de stad in plaats van Frank. Ze drukt op de claxon als een taxi haar snijdt. 'Niemand komt aan mijn beste vriendinnetje.'

Frank kijkt achterom van de passagiersstoel. 'Heeft Cooper je zijn jack gegeven?'

Ik kijk naar de leren jas die nog steeds om mijn schouders geslagen zit. Hij ruikt naar Cooper, leer en zeep. Ik wil hem nooit meer uitdoen, nooit meer. Maar ik weet dat dat wel zal moeten als we thuiskomen.

'Nee,' zeg ik. 'Ik heb hem even geleend.'

'O,' zegt Frank. 'Want hij zit namelijk onder het bloed.'

'Frank,' zegt Patty. 'Houd je kop.'

'Geeft niks,' zegt Cooper terwijl hij uit het raam naar alle eigenaardige types kijkt die de straten van de West Village bevolken.

Het geeft niks. Mijn hart springt op. Cooper zegt dat het niks geeft dat zijn leren jack onder mijn bloed zit. Misschien omdat we hierna verkering krijgen en hij me die jas toch gaat geven. En dan heb ik die – en Cooper – en hoef ik het nooit meer koud te hebben.

Maar dan zegt Cooper: 'Ik weet wel een stomerij die goed is in het verwijderen van bloedvlekken.'

Weet je, ik heb gewoon mijn dag niet.

25

Hello
Do I have the right number?
Hello
Yes, I'm looking for my lover
Hello
Can you get him
On the line for me?
Hello
I know he used to live there
Hello
I know he used to care
Hello
Please get my lover on the line
For me

'Hello'
Zang: Heather Wells
Tekst: Jones/Ryder
Van het album: *Magic*
Cartwright Records

Patty zet ons thuis af, hoewel Frank zegt dat het daar niet veilig is met iemand die me wil vermoorden en zo.

Het enige wat ik wil is een bad en daarna in bed kruipen en duizend jaar slapen. Ik wil geen ellenlange discussies over iemand die me probeert te vermoorden en weet waar ik woon. Frank wil dat ik bij Patty en hem kom logeren.

Tot Cooper hen erop wijst dat dat ook een risico voor Indy vormt.

Eerst schrik ik dat Cooper zoiets ergs zegt. Pas wanneer ik merk dat Frank onmiddellijk beaamt dat het inderdaad eigenlijk toch wel beter is dat ik bij Cooper blijf, omdat die tenslotte een ervaren misdaadbestrijder is, snap ik wat Cooper bedoelt. Hij weet dat ik gewoon naar huis wil en niet bij Frank en Patty in de logeerkamer wil slapen.

En omdat het Cooper is en hij altijd aardig voor me is – door me een appartement aan te bieden op het moment dat ik nergens terechtkon, en geen geld had om huur te betalen, en me mee te nemen naar een feest waar hij helemaal geen zin in had, omdat hij dan waarschijnlijk een vroegere vlam tegen het lijf zou lopen, met wie hij alles niet zo fijn heeft afgehandeld, en vervolgens zijn leven riskeerde om me te redden, dat soort dingen dus – doet hij zijn best om het me naar de zin te maken.

Behalve natuurlijk wat ik het allerliefste wil.

Maar om redenen die ik blijkbaar nooit zal begrijpen – en ik weet wel zeker dat ik ze ook niet wil begrijpen – krijg ik dat niet van hem.

Dat is overigens volkomen in orde, hoor. Ik snap het wel. Ik begin gewoon mijn EIGEN artsenpraktijk/detectivebureau/ sieradenatelier, zonder zijn hulp.

Natuurlijk zal het niet zo makkelijk zijn om in mijn eentje kinderen te krijgen, maar daar vind ik ook wel wat op.

Gelukkig sta ik niet in het telefoonboek, dus staan er geen journalisten op de stoep te wachten. Alleen de gebruikelijke dealers.

Lucy gaat helemaal uit haar dak als ze me ziet – hoewel ik Cooper moet vragen om haar uit te laten, want met mijn gewonde handen kan ik de riem niet vasthouden. Als ze de deur uit zijn, glip ik naar boven, trek mijn gore kleren uit en laat me eindelijk in bad glijden.

Het blijkt echter geen pretje om met hechtingen in je handen in bad te zitten. Ik moet het bad weer uit om in de keuken rubberen handschoenen aan te trekken, voordat ik mijn haar kan wassen. Wanneer ik al het vuil en bloed van me heb afgewassen, het bad weer opnieuw heb laten vollopen en tot mijn schouders in het warme water lig te weken, vraag ik me af wat ik nu verder moet.

Het ziet er allemaal namelijk niet zo florissant uit. Iemand probeert me te vermoorden, waarschijnlijk diegene die al ten minste twee andere mensen heeft vermoord. Het enige wat de twee dode meisjes ogenschijnlijk gemeen hebben, is dat ze de zoon van de president van het College kennen.

Maar volgens de politie is het zeer onwaarschijnlijk dat Chris met heeft geprobeerd op te blazen, omdat hij op dat tijdstip de stad uit was.

Wat betekent dat behalve Chris er nog iemand is die me dood wil hebben. En misschien is dat wel degene, en niet Chris, die die twee meisjes heeft vermoord.

Maar wie? En waarom? Waarom zou iemand überhaupt Elizabeth Kellogg en Roberta Pace willen vermoorden? Wat hebben ze in vredesnaam gedaan dat ze dood moesten? Ik bedoel behalve in Fischer Hall komen wonen? O, en niet te vergeten die date met Chris Allington.

Is dat het soms? Zijn ze daarom gestorven? Omdat ze een date met Chris hebben gehad? Had Magda dan toch gelijk? Niet dat de meisjes zichzelf van kant hebben gemaakt vanwege de ontdekking dat seks uiteindelijk toch niet zo geweldig was als ze altijd hadden gedacht. Maar dat ze juist zijn gestorven vanwege de seks – en niet door hun eigen toedoen, maar door iemand anders, die het niet eens was met wat ze hadden gedaan?

Zo iemand als mevrouw Allington, misschien? Wat zei Chris' moeder ook alweer, vlak voor dat incident met de lift? Iets over 'jullie meisjes'.

'Jullie meisjes vallen hem voortdurend lastig,' zei ze. Of iets dergelijks in ieder geval.

Jullie meisjes. Er was iets onmiskenbaar vijandigs in mevrouw Allingtons houding, iets wat veel dieper ging dan de ergernis omdat ik haar had wakker gemaakt. Is mevrouw Allington zo'n jaloerse moeder die denkt dat geen enkele vrouw goed genoeg is voor haar geweldige zoon? Heeft mevrouw Allington Roberta en Elizabeth vermoord? En heeft ze vervolgens geprobeerd mij te vermoorden omdat ik op het punt stond achter haar geheim te komen?

O, jee. Dat is het! Mevrouw Allington is de moordenaar. Mevrouw Allington. Ik ben geniaal. Misschien wel de geniaalste detective sinds Sherlock Holmes. Wacht even. Die heeft toch niet echt bestaan? Die is toch verzonnen, of niet?

Goed dan. Ik ben de geniaalste detective sinds... sinds, Eliot Ness! Die heeft toch wel echt bestaan?

'Heather?'

Ik schrik, waardoor het warme water met badschuim en al over de rand van het bad klotst.

Het is Cooper maar.

'Ik wilde even weten of alles goed met je is,' zegt hij van achter de dichte deur. 'Heb je nog iets nodig?'

Eh, reken maar. Jou. Hier in de badkamer, in je blootje. Nu meteen.

'Nee hoor, alles is in orde,' roep ik. Zal ik hem vertellen wie me dit heeft aangedaan? Of zal ik wachten totdat ik uit bad ben?

'Ik wilde iets te eten bestellen voor wanneer je klaar bent. Is Indiaas oké?'

Hmm. Vegetarische *samosas*.

'Lekker,' roep ik.

'Goed, kom er dan maar gauw uit. Ik moet iets met je bespreken.'

Iets met me bespreken? Wat dan? Zijn ware gevoelens voor mij? Ik vond je altijd een van de... Hij heeft me nooit verteld wat hij altijd al van me vond.

Gaat hij me dat nu vertellen? En wil ik dat eigenlijk wel weten?

Twee minuten later plof ik neer op mijn gebruikelijke plekje aan de keukentafel, met mijn badjas aan en een handdoek om mijn natte haar gewikkeld. O, ik wil het echt wel weten.

'Dat is snel,' zegt Cooper vanaf de andere kant van de tafel.

Dan doet hij zijn laptop open.

Ho, even. Zijn laptop? Wat voor vent heeft audiovisuele apparatuur nodig om tegen een meisje te zeggen wat hij van haar denkt?

'Wat weet je allemaal over Christopher Allington?' vraagt Cooper.

'Christopher Allington?' zeg ik met overslaande stem. Misschien ben ik nog schor van het geschreeuw van vandaag. Maar misschien komt het ook wel omdat ik uit mijn doen ben dat Cooper niet over zijn ware gevoelens voor mij wil praten, maar over zijn verdenking van Chris Allington. Balen.

'Maar Chris kan het nooit geweest zijn,' zeg ik om te zorgen dat Cooper van onderwerp verandert, en zich weer concentreert op, nou, laten we zeggen op mij bijvoorbeeld. 'Inspecteur Canavan zei dat hij...'

'Als ik een zaak onder handen heb,' onderbreekt Cooper me kalm. 'Onderzoek ik alle facetten. Op dit moment is Christopher blijkbaar de verbindende factor tussen alle slachtoffers. Ik wil alleen maar horen wat je van hem weet.'

'Nou,' zeg ik. Misschien kan ik gebruikmaken van gedachteoverbrenging, zoals in *Star Trek*. WAT VOND JE ALTIJD VAN ME?

'Niet zoveel.'

'Weet je op welk College hij heeft gezeten?'

'Nee,' zeg ik. WAT VOND JE ALTIJD VAN ME? Ik kijk Cooper aan. 'Hoezo? Weet jij soms waar hij heeft gezeten?' vraag ik.

'Ja,' zegt Cooper. 'Earlcrest.'

'Earl watte?' vraag ik. De gedachteoverbrenging werkt niet echt. In plaats van me te vertellen wat hij altijd van me vond, zit hij een beetje over die Chris Allington te zaniken. Wat kan hem die Chris nou schelen. Wat voel je voor MIJ?

'Het Earlcrest College,' zegt Cooper. 'Daar heeft Chris gestudeerd.'

'Cooper, waar heb je het over?' Ik wou dat dat Indiase eten een beetje opschoot. Ik rammel van de honger. 'En hoe ben je erachter gekomen waar Chris heeft gezeten?'.

Cooper haalt zijn brede schouders op. 'SIS' zegt hij.

'S.O.S.?' vraag ik ongelovig.

'Nee, SIS. Studenten Informatie Systeem.' Wanneer ik hem niet-begrijpend aankijk, slaakt hij een zucht. 'O ja. Ik was vergeten dat je een digibeet bent.'

'Niet waar! Ik zit de hele tijd op internet. Ik betaal al je rekeningen...'

'Maar je spullen op kantoor zijn wel behoorlijk verouderd. Jullie kantoor in de studentenflat heeft nog niets eens SIS.'

'Studentenhuis,' verbeter ik hem werktuiglijk.

'Studentenhuis,' zegt hij me na. Cooper is opeens druk bezig met zijn computer. Zijn handen vliegen sneller over de toetsen dan de mijne over de snaren van mijn gitaar. 'Hier, kijk. Ik zit nu bij SIS. Om je te laten zien wat ik bedoel met Christopher Allington. Hierzo.' Cooper draait het scherm naar me toe. 'Allington, Christopher Phillip. Kijk maar.'

Ik tuur op het kleine beeldscherm. Ik zie Christopher Allingtons complete studentenloopbaan, plus een heleboel persoonlijke informatie, zoals de cijfers van zijn toelatingsexamen en dat soort dingen. Het blijkt dat Chris op een heleboel middelbare scholen heeft gezeten. In Zwitserland is hij er van eentje afgestuurd wegens fraude, en van een andere in Connecticut is hij om onbekende reden getrapt. Toch is het hem gelukt om op de universiteit van Chicago terecht te komen, waar ze naar ik weet behoorlijk selectief te werk gaan. Ik vraag me af van welke kruiwagens zijn vader gebruik heeft gemaakt om hem daar te krijgen.

Maar Chris' verblijf in Motor City had niet erg lang geduurd. Na één semester hield hij het al voor gezien. Daarna laste hij een pauze in die een volle vier jaar duurde.

Dan verschijnt hij plotseling op het Earlcrest College, waar hij, op iets oudere leeftijd dan de meeste studenten, het afgelopen jaar afstudeerde.

'Het Earlcrest College,' zeg ik, 'daar is zijn vader ook president geweest. Voordat hij voor het New York College werd gevraagd.'

'Dat is dus een potje nepotisme,' zegt Cooper met een grijns. 'Dat kom je alleen op universiteiten en scholen tegen.'

'Oké,' zeg ik nog steeds een beetje beduusd. 'Hij mag dan als jongetje van een paar scholen gestuurd zijn, en hij kon dus alleen maar op een College terecht omdat zijn vader daar president van was. Maar wat zegt dat? Toch echt niet dat hij een psychopathische moordenaar is?' Ik kan bijna niet geloven dat uitgerekend ik degene ben die voor Chris' onschuld zit te pleiten. Is zijn moeder echt een zoveel meer voor de hand liggende moordenaar? 'En hoe kom je trouwens op deze site terecht, die is toch niet voor iedereen toegankelijk?'

'Ik heb zo mijn methoden,' zegt Cooper terwijl hij het scherm weer naar zich toe draait.

'Jezus.' Wat is deze man toch ongelooflijk geweldig. 'Je hebt het studentennet gekraakt!'

'Je wilde toch zo graag weten wat ik de hele dag deed,' zegt hij schouderophalend. 'Nou, nu weet je het. Tenminste, voor een deel.'

'Ongelooflijk,' zeg ik. 'Je bent een computernerd!' Dit verandert alles. Nu beginnen we een dokterspraktijk slash detectivebureau slash sieradenatelier slash computerhackersbedrijf. O, wacht even, maar mijn liedjes dan?

Cooper negeert me. 'Er moet hier iets te vinden zijn,' zegt hij terwijl hij op de laptop tikt. 'Iets wat we over het hoofd zien. Het enige verband tussen de twee meisjes is zo te zien Allington. Hij is de enige van wie we iets weten, maar als ik dit allemaal bekijk, denk ik dat er nog iets meer moet zijn. Ik bedoel iets anders dan dat die twee meisje nog maagd waren voordat Chris ze te pakken kreeg.'

Mevrouw Allington. Het ligt op het puntje van mijn tong om het te zeggen. En mevrouw Allington dan? Ze had volgens mij toch een motief. Ze had ook – hoe noemde Sarah dat ook weer? Een oedipuscomplex. Alleen dan omgekeerd, want het ging om haar zoon en niet om haar vader.

Nou ja, mevrouw Allington vindt gewoon dat haar zoon een stuk is, en ze ergert zich gek aan de meisjes die achter hem aan zitten. Maar vindt ze dat vervelend genoeg om ze ook te vermoorden? En zou mevrouw Allington echt zo'n bom hebben kunnen maken? En dan op het dak van de lift leggen? Als je nou gewoon een bom bij Saks zou kunnen kopen, dan zou mevrouw Allington geen seconde aarzelen.

Maar je kunt geen bom kopen. Een bom moet je maken. En om een bom te kunnen maken, moet je wel nuchter zijn. Tenminste, dat denk ik zo.

En ik kan je wel vertellen dat sinds ik op Fischer Hall werk, ik mevrouw Allington nog nooit nuchter heb gezien.

Ik zucht even en kijk uit het raam. Ik zie de lichtjes in het penthouse van de president. Wat zouden de Allingtons nu aan het doen zijn, vraag ik me af. Het is bijna zeven uur. Misschien kijken ze naar het nieuws.

Of zijn ze misschien moorden op onschuldige maagden aan het beramen?

De bel van de voordeur gaat en ik schiet overeind.

'Dat is het eten,' zegt Cooper, en hij staat op. 'Ik ben zo terug.'

Hij gaat naar beneden om het Indiase eten aan te pakken. Terwijl ik wacht totdat hij terugkomt, kijk ik uit het raam. Beneden het penthouse zie ik op de andere verdiepingen van Fischer Hall de lichten aangaan. De bewoners komen thuis van hun college, etentjes, work-outs of repetities. Ik vraag me af of een van die figuurtjes die ik kan zien Amber is, het kleine meisje met het rode haar uit Idaho. Zit ze in haar kamer op een telefoontje van Chris te wachten? Weet ze dat hij zich in de Hamptons heeft teruggetrokken? Arme, kleine Amber. Ik vraag me af wat Rachel vanmorgen met haar had te verhapstukken.

Opeens dringt het tot me door.

Mijn mond gaat open, maar er komt geen geluid uit. Amber. Ik ben helemaal Ambers afspraak met Rachel vergeten. Waarom moest Rachel Amber spreken? Amber zelf had geen idee waarom ze bij de huismeester op het matje moest komen. Wat heeft Amber gedaan?

Amber heeft helemaal niets gedaan. Ze heeft alleen maar met Chris Allington gepraat.

Meer niet.

En Rachel wist dat, omdat ze mij met hen beiden voor het gebouw heeft gezien na de playbackwedstrijd.

Net zoals ze Roberta en Chris na het dansen heeft gezien. En Elizabeth en Chris. Maar waar? Waar heeft ze hen samen gezien? Op een voorlichtingsbijeenkomst? Op een filmavond?

Maar dat maakt allemaal niets uit. Zoals het ook niet uitmaakt dat Rachel Julio heeft gezegd mij te waarschuwen dat Gavin weer aan het liftsurfen was.

Zoals het ook niet uitmaakt dat Rachel degene was die stiekem op het dak van het penthouse is geslopen om te proberen die plantenbak op mijn hoofd te laten terechtkomen.

Zoals het ook niet uitmaakt dat toen het tweede meisje stierf, Rachel niet in de cafetaria was, waar ze wel had moeten zijn. Nee, ik liep haar tegen het lijf toen ze van de wc kwam, om de hoek van de trap die ze af was gerend nadat ze Roberta Pace naar beneden had geduwd.

En de reden waarom die dag de liftsleutel kwijt was en toen

opeens weer op zijn plek hing? Rachel had hem gepakt. Rachel, de enige persoon in Fischer Hall aan wie geen enkele baliemedewerker zou vragen om een aantekening te maken dat ze de sleutel had gepakt, en van wie niemand het raar zou vinden dat ze achter de balie stond. Omdat ze de huismeester van het gebouw is.

En de twee meisjes zijn niet gestorven omdat Rachel een dossier van hen had.

Rachel had een dossier van hen omdat ze hen wilde vermoorden.

'Ik hoop dat je honger hebt,' zegt Cooper, die mijn appartement komt binnen lopen met een grote plastic I ❤ NY-zak. 'Ze hebben zich vergist en nu hebben we zowel kip als garnalen *dansak*...' Hij blijft midden in zijn zin steken. 'Heather?' Cooper kijkt me bevreemd aan, en hij heeft een bezorgde blik in zijn ogen. 'Gaat het wel goed met je?'

'Earlcrest,' breng ik met een kreun uit.

Cooper zet de zak op de keukentafel en staart me aan.

'Ja,' zegt hij. 'Ja, ik dacht al dat ik zoiets verstond. Hoezo?'

'Waar is dat?'

Cooper buigt zich voorover om op zijn computerscherm te kijken. 'Eh, ik weet niet... O ja, Indiana. Richmond, Indiana.'

Ik schud zo hard met mijn hoofd dat mijn handdoek van mijn hoofd glijdt en mijn vochtige haar over mijn schouders valt. Nee. DAT NIET.

'O, god,' fluister ik. 'O, mijn lieve god.'

Cooper kijkt me aan alsof ik niet goed bij mijn hoofd ben. En weet je wat? Dat is ook zo. Dat ik niet goed bij mijn hoofd ben, bedoel ik. Waarom heb ik dit anders allemaal niet eerder gezien, terwijl het gewoon onder mijn neus gebeurde.

'Rachel heeft daar gewerkt,' weet ik met moeite uit te brengen. 'Rachel werkte in een studentenflat in Richmond, Indiana, voordat ze hiernaartoe kwam.'

Cooper pakt een paar witte kartonnen bakjes uit de I ❤ NY-zak. 'Wat wil je daarmee zeggen?'

'Richmond, Indiana,' zeg ik weer. Mijn hart gaat zó tekeer dat ik de revers van mijn badjas bij elke hartslag zie bewegen. 'Rachel heeft als laatste in Richmond, Indiana gewerkt...'

Ik zie aan Coopers gezicht dat het hem begint te dagen.

'Heeft Rachel op Earlcrest gewerkt? Denk je... denk je dat Rachel die meisjes heeft vermoord?' Hij schudt zijn hoofd.

'Waarom? Denk je dat ze zo graag een Viooltje wilde hebben?'

'Nee.' Geen sprake van dat Rachel mensen in de liftkokers van Fischer Hall gooit om aan een Viooltje te komen, of zelfs maar promotie te krijgen.

Want Rachel is helemaal niet uit op promotie.

Ze is uit op een man.

Een heteroseksuele man, met meer dan honderdduizend dollar per jaar, als je op het beheerde fonds afgaat dat hij bezit.

Christopher Allington. Christopher Allington is die man.

'Heather?' zegt Cooper. 'Heather? Het spijt me dat ik het moet zeggen, maar het bestaat niet dat Rachel Walcott een moordenares is.'

Ik haal even diep adem.

'Hoe weet je dat?' vraag ik. 'Ik bedoel, waarom niet? Waarom zij niet en iemand anders wel? Omdat ze een vrouw is? Omdat ze mooi is?'

'Omdat het idioot is,' zegt Cooper. 'Kom op, het is een lange dag geweest. Volgens mij moet je nu lekker naar bed.'

'Ik ben niet moe,' zeg ik. 'Denk even na, Cooper, denk nou eens even goed na. Elizabeth en Roberta hadden allebei een gesprek met Rachel voordat ze stierven. Ik weet zeker dat wat in hun dossiers staat over hun moeders die zouden hebben gebeld, ook niet waar is. Ik durf te wedden dat hun moeders nooit hebben gebeld. En nu Amber...'

'Fischer Hall heeft zevenhonderd bewoners,' brengt Cooper naar voren. 'Maar niet alle mensen die een gesprek met Rachel Walcott hebben gehad zijn toch dood?'

'Nee, alleen degenen die iets met Christopher Allington hadden.'

Cooper schudt weer zijn hoofd.

'Heather, probeer nu even logisch te denken. Het bestaat toch niet dat Rachel sterk genoeg was om een volwassen jonge vrouw die zich verzet in een liftkoker te duwen? Rachel weegt niet meer dan vijfenvijftig kilo. Het kan gewoon niet, Heather.'

'Ik weet niet hoe ze het heeft gedaan, Cooper. Maar ik vind het allemaal wel een beetje toevallig dat zowel Rachel als Chris vorig jaar op Earlcrest waren en nu alle twee hier op het New York College zijn. Ik zou er alles onder durven te verwedden dat Rachel Christopher Allington – en zijn ouders – achterna is gekomen.'

Wanneer hij nog steeds niet overtuigd lijkt, sta ik op, duw mijn stoel naar achteren en zeg: 'Er is maar één manier om daar achter te komen.'

26

Het is niet zo gek dat Cooper baalt van het idee dat hij om zeven uur 's avonds op een doordeweekse dag helemaal naar de Hamptons moet rijden om met iemand te gaan praten die de politie niet eens de moeite waard vond om te ondervragen.

Als ik tegen hem zeg dat Chris waarschijnlijk eerder iets tegen een van ons zal zeggen dan tegen de politie, kan dat Cooper nog steeds niet overtuigen. Hij blijft erbij dat ik met de verwondingen die ik 's ochtends heb opgelopen, gewoon lekker naar bed moet gaan en niet zes uur in de auto moet gaan zitten om heen en weer naar East Hampton te rijden.

Wanneer ik hem onder zijn neus wrijf dat het onze burgerplicht is om ervoor te zorgen dat deze vrouw achter slot en grendel verdwijnt voordat ze weer een moord kan plegen, belooft Cooper me dat hij inspecteur Canavan de volgende morgen zal bellen om hem mijn theorie uit de doeken te doen.

'Maar morgenochtend is Amber misschien wel dood!' roep ik. Ik weet dat ze nu nog niet dood is, want ik heb net haar kamer gebeld, en ik kreeg van haar kamergenote te horen dat ze bij iemand anders op de kamer naar een film zit te kijken.

'Als de huismeester haar wil spreken, moet je tegen Amber zeggen dat ze NIET moet gaan,' zeg ik half hysterisch tegen Ambers kamergenote. 'Snap je dat?'

'Eh,' zegt de kamergenote. 'Oké.'

'Ik ben echt bloedserieus,' roep ik voordat Cooper de telefoon uit mijn handen kan grissen. 'Zeg tegen Amber dat de assistent-huismeester van Fischer Hall zegt dat als de huismeester weer een gesprek met haar wil, dat ze niet mag gaan. Ze mag zelfs de deur niet voor haar opendoen. Snap je wat ik zeg? Snap je dat je het heel erg aan de stok krijgt met de assistent-huismeester van Fischer Hall als je dit bericht niet doorgeeft?'

'Eh,' zegt de kamergenote. 'Jawel. Ik zal haar de boodschap doorgeven.'

Het is waarschijnlijk niet de meest subtiele manier om iemand iets aan zijn verstand te brengen. Maar ik weet nu in ieder geval dat Amber veilig is.

Voorlopig in ieder geval.

'We moeten gaan, Cooper,' zeg ik zodra ik de telefoon heb neergelegd. 'Ik moet het weten, nu meteen.'

'Heather,' zegt Cooper, en hij kijkt verbolgen. 'Ik zweer je, van alle mensen die ik ken ben jij wel de meest...'

De adem stokt in mijn keel. Hij gaat het zeggen. Wat hij toen in mijn kantoor duidelijk wilde maken. Dat gaat hij nu zeggen! Alleen toen – ik bedoel, in mijn kantoor – klonk het alsof hij een compliment ging maken. Maar als ik hem nu zo zie, met van die opeengeklemde kaken, denk ik niet dat hij iets aardigs over me gaat zeggen. Ik weet eigenlijk wel zeker dat ik niet eens wil horen wat hij me te vertellen heeft.

Omdat ik eerlijk gezegd dat gedoe met Rachel belangrijker vind.

Daarom zeg ik: 'Dit is idioot. Er gaan toch ook treinen naar de Hamptons. Ik kijk gewoon even op internet naar de dienstregeling en dan...'

Later weet ik niet of hij zich liet overhalen omdat dat de enige manier is om me de mond te snoeren, of omdat hij echt bang was dat ik mezelf in de trein iets zou aandoen. Misschien wilde hij dit halfgare, gewonde meisje gewoon kalmeren.

Maar het is wel zo dat tegen de tijd dat ik mijn kleren heb aangeschoten, Cooper zijn auto uit de garage heeft gehaald. Het is een BMW 202 uit '74, een bak die altijd kan rekenen op spottende kreten van de dealers in mijn straat, omdat naar hun mening alleen een nieuwe BMW deugt. Cooper is behoorlijk uit zijn humeur. Ik weet ook zeker dat hij de dag heeft vervloekt dat hij me vroeg bij hem te komen wonen.

En ik voel me dan ook behoorlijk schuldig. Echt waar.

Maar niet schuldig genoeg om tegen hem te zeggen dat het allemaal niet hoeft. Weet je, er staat namelijk het leven van een meisje op het spel.

Het weekendverblijf van de Allingtons is gemakkelijk te vinden. Ze staan gewoon in het telefoonboek van East Hampton. Als ze niet wilden dat er mensen zomaar langskwamen zouden ze toch wel een geheim nummer hebben genomen?

Nou ja, er staat wel een groot smeedijzeren hek aan het begin van de oprijlaan, met een ingebouwde intercom en zo, waardoor een willekeurig iemand wellicht zou denken dat bezoekers niet welkom waren.

Maar daar trap ik bijvoorbeeld niet in. Ik spring uit de auto en druk op de bel. En zelfs wanneer niemand reageert, ben ik nog niet ontmoedigd. Niet al te erg tenminste.

'Heather,' zegt Cooper door het opengedraaide raam aan zijn kant van de auto. 'Ik denk niet dat er iemand...'

Maar dan kraakt de intercom, en hoor ik een stem die onmiskenbaar van Chris is. 'Wie is er verdomme...' zegt hij.

Ik begrijp wel waarom hij zo geïrriteerd is. Ik stond zo ongeveer tegen de bel aan geleund, in de wetenschap dat degene die binnen was stapelgek zou worden en wel zou moeten reageren. Het is een truc die ik heb afgekeken van de journalisten die stonden te posten bij het huis waar Jordan en ik woonden.

'Eh, hoi, Chris,' zeg ik in de intercom. 'Ik ben het.'

'Ik wie?' vraagt Chris, nog steeds duidelijk uit zijn humeur.

'Je weet wel,' probeer ik op een meisjesachtige, flirterige manier. 'Doe even open.'

Dan zeg ik nog een zinnetje dat ik uit Justines dossiers heb opgepikt en dat bijna geen enkele student – Chris incluis – kan weerstaan: 'Ik heb een pizza meegebracht.'

Er volgt een stilte. Dan gaat het hek langzaam open.

Ik ren terug naar de auto, waar Cooper, ik moet het eerlijk toegeven, nogal onder de indruk naar me kijkt.

'Een pizza,' zegt hij weer. 'Die moet ik onthouden.'

'Werkt altijd,' zeg ik. Ik vertel niet hoe ik eraan ben gekomen. Om de waarheid te zeggen, heb ik het helemaal gehad met Justine.

We rijden de ronde oprijlaan op en dan doemt Villa d'Allington in zijn volle glorie voor ons op.

Natuurlijk ben ik wel eens eerder in de Hamptons geweest. De Cartwrights hebben een huis aan het water dat midden in een vogelreservaat staat, dus niemand kan er bouwen en daardoor het uitzicht bederven.

Ik ben daar ook bij andere mensen thuis geweest. Huizen die bekendstaan als bouwkundige hoogstandjes, waaronder zelfs een kasteel dat steen voor steen uit Zuid-Frankrijk was overgebracht. Echt waar.

Maar zoiets als het huis van de Allingtons heb ik nog nooit gezien. Niet in de Hamptons in elk geval. Spierwit en enorm, met hoge mediterrane zuilengangen, staat het daar net zo fel verlicht als het Rockefeller Center.

Alleen staat er in plaats van een enorme gouden vent die boven een schaatsbaan uittorent, een groot wit huis dat boven een zwembad oprijst.

'Als je mij nou eens voor de verandering het woord laat doen,' zegt Cooper wanneer we uit de auto stappen.

Ik kijk hem met samengeknepen ogen aan. 'Je gaat hem toch niet in elkaar slaan, hè?'

'Waarom zou ik?' vraagt Cooper verbaasd.

'Je slaat toch wel eens mensen in elkaar? Dat hoort toch bij je werk?'

'Ik kan me de laatste keer niet heugen,' zegt Cooper goeiig.

Ik ben lichtelijk teleurgesteld. 'Nou, ik denk dat Christopher Allington wel het soort gast is dat je graag een oplawaai zou willen verkopen. Als je dat zo gewend bent.'

'Dat is hij ook,' beaamt Cooper met een flauwe glimlach. 'Maar dat doe ik niet. Niet meteen, tenminste.'

We horen hen al voordat we hen in het oog krijgen, wanneer we het gordijn van haagwinde opzijschuiven dat over een van de zuilengangen hangt. We bukken ons om onder de geurende ranken door te lopen en komen in de achtertuin terecht. Aan de linkerkant van het zwembad staat een warm bad te stomen in de koele avondlucht.

In het warme bad zitten twee mensen, die tot mijn grote opluchting niet meneer Allington en zijn vrouw zijn. Dat zou ik denk ik niet hebben overleefd: meneer Allington in een Speedo. Ze hebben ons niet meteen in de gaten, waarschijnlijk door alle stoom en de felle schijnwerpers die het plankier rond het zwembad verlichten, maar het gedeelte rond het warme bad niet. Op de brede houten planken van de patio staan her en der loungestoelen met bleekroze kussens. Aan één kant van het zwembad bevindt zich een bar, een echte bar met barkrukken ervoor en een verlichte achterwand waar flessen in staan.

Ik loop naar het bad toe en schraap luidruchtig mijn keel.

Chris kijkt op van de borst waar hij aan heeft zitten sabbelen en knippert naar ons. Hij is duidelijk dronken.

Het meisje ook. 'Hé, ze heeft helemaal geen pizza,' zegt ze. Ze klinkt teleurgesteld, terwijl ze toch de indruk maken dat ze allebei behoorlijk in hun knollentuin zijn.

'Hoi, Chris,' zeg ik, en ik ga op het puntje van een van de loungestoelen zitten. Het kussen onder me is vochtig. Het heeft pas geregend in de Hamptons.

Het duurt eventjes voordat Chris me herkent. En wanneer dat gebeurt, is hij daar niet al te blij mee.

'Blondie?' Hij doet zijn hand omhoog om het natte haar uit zijn gezicht te strijken. 'Wat doe jij hier?'

'We komen even langs om je een paar vragen te stellen,' zeg ik. Lucy is met ons meegekomen – ik kon haar gewoon niet de hele avond alleen thuis laten – en nu duwt ze tegen mijn knieën, gaat zitten en hijgt dolblij. 'Hoe is het trouwens met je?'

'Wel goed,' antwoordt Chris. Hij kijkt naar Cooper. 'Wie is dat?'

'Ik ben een vriend,' zegt Cooper. 'Van haar,' voegt hij eraan toe, waarschijnlijk om misverstanden te voorkomen.

'Huh,' zegt Chris, en in een poging om er maar het beste van te maken, vraagt hij: 'Willen jullie iets drinken?'

'Nee, dank je,' zegt Cooper. 'Ik wil het eigenlijk hebben over Elizabeth Kellogg en Roberta Pace.'

Chris kijkt niet verschrikt, hij kijkt zelfs niet eens verbaasd.

'O, natuurlijk. Zeker. Jezus, wat ben ik onbeleefd. Faith, schatje, kun je even naar binnen gaan en iets te bikken voor ons halen? En pak dan ook nog een flesje wijn als je daar toch bent, wil je dat doen?'

'Maar, Chris...' pruilt het meisje in het warme bad.

'Ga nou maar, schatje.'

'Maar ik heet Hope, en niet Faith.'

'Maakt het uit.' Chris geeft een klap op haar kont als ze druipend als een zeemeermin uit het bad stapt. Ze heeft zwemkleding aan, maar dat is wel een bikini, met een bovenstukje dat zo klein is en borsten die zo groot zijn dat de lycra driehoekjes bijna helemaal wegvallen.

Cooper ziet het bikini-wonder onmiddellijk, dat merk ik aan zijn opgetrokken wenkbrauwen.

Wat is het toch een bof als je een ervaren detective bent.

Haar achterste is minstens zo indrukwekkend als haar voorzijde. Geen grammetje cellulitis. Ik vraag me af of ze dat net als Rachel op de StairMaster eraf traint.

'Nou, Chris,' zegt Cooper zodra het meisje weg is. 'Wat heb jij met Rachel Walcott?'

Chris verslikt zich in de slok chardonnay die hij net heeft genomen.

'W-wat?' hoest hij als hij weer kan praten.

Cooper kijkt naar Chris op een manier waarop hij naar een interessant maar een beetje viezig insect in zijn sla zou kijken.

'Rachel Walcott,' zegt hij. 'De huismeester van de studentenflat – ik bedoel het studentenhuis – waar je je laatste jaar op Earlcrest hebt doorgebracht. Nu heeft ze de leiding in Fischer Hall, waar je ouders wonen en Heather werkt.'

Chris tast naar een pakje sigaretten en een aansteker die hij aan de rand van de jacuzzi heeft liggen. Hij haalt er een sigaret uit en steek die met trillende handen op. Hij inhaleert en in het halfduister licht het gloeiende puntje op.

'Shit,' zegt hij alleen maar.

Ik mag dan geen ervaren detective zijn, maar zelfs ik vind dit antwoord een tikkeltje... verdacht.

'Wat hebben jullie met elkaar?' vraagt Cooper. 'Ik bedoel, Rachel en jij. Je hebt het misschien niet in de gaten gehad, maar er gaan wel mensen dood...'

'Dat weet ik,' bijt Chris hem toe. 'Oké? Dat weet ik. Kolere, wat denk jij dan, verdomme?'

Cooper denkt in ieder geval dat Chris niet zo grof in de mond hoeft te zijn.

Want nu klinkt Coopers stem een stuk scherper dan daarvoor. 'Dat wist je? En hoe lang al?'

Chris kijkt knipperend naar hem op door de damp van de bubbelende straaltjes. 'Watte?' vraagt hij als iemand die iets niet goed heeft verstaan.

'Hoe lang al?' vraagt Cooper weer, en hij zegt het op een manier waardoor ik blij ben dat ik Chris niet ben. Ik geloof ook niet meer zo erg in dat verhaal van dat hij geen mensen in elkaar slaat bij zijn soort werk. 'Hoe lang weet je al dat Rachel die meisjes heeft vermoord?'

Ik zie dat Chris net zo bleek is geworden als de lichtjes die zich onder het water van het zwembad bevinden, en dat komt niet door de sigarettenrook.

Oké, ik kan het hem niet kwalijk nemen. Ik word ook een beetje bang van Cooper.

'Dat wist ik niet,' zegt Chris met verstikte stem die nogal afwijkt van de pedante toon die hij eerst aansloeg. 'Gisteravond pas drong het tot me door, toen jij' – hij kijkt naar mij – 'toen ik met je danste en je me vertelde dat Beth en Bobby de meisjes waren die...'

'Zeg, kom op, Chris,' zegt Cooper. 'Wil je ons nou echt wijsmaken dat met alle heisa op de campus na die zogenaamde ongelukken...'

'Ik wist het niet!' Chris slaat met zijn hand op het water om zijn woorden kracht bij te zetten, waardoor Lucy natte pootjes krijgt. Ze kijkt er verbaasd naar en begint ze dan af te likken. 'Ik zweer dat ik het niet wist. Ik heb niet echt veel vrije tijd, en die besteed ik ook nog niet eens met het lezen van kranten. Natuurlijk heb ik gehoord dat er twee meisjes in Fischer Hall waren gestorven, maar ik wist niet dat het die twee meisjes van mij waren.'

'En is het je ook niet opgevallen dat die twee meisjes je nooit terugbelden?'

Chris laat zijn hoofd hangen. Uit schaamte, denk ik.

'Omdat je ze niet meer hebt gebeld.' Coopers stem klinkt ijskoud.

Chris krijgt iets opstandigs. 'Jij wel zeker,' zegt hij tegen Cooper. 'Bel jij dan wel altijd de volgende dag?'

'Als ik nog een keer wil afspreken wel,' antwoordt Cooper, op zijn hoede.

'Dat bedoel ik dus,' zegt Chris veelbetekenend. Even begrijp ik niet wat hij hiermee wil zeggen.

Maar dan wel.

O.

Cooper schudt zijn hoofd en kijkt net zo vol afschuw als ik me voel. Bijna, tenminste. 'Wil je zeggen dat jij niet wist dat die meisjes dood waren, totdat je het gisteravond van Heather hoorde?'

'Dat klopt,' zegt Chris terwijl hij zijn sigaret in de rododendrons schiet en uit de jacuzzi opstaat. Hij heeft alleen maar een slobberige zwembroek aan. Hij heeft een slank, gespierd lichaam en zijn huid is licht gebronsd. Er is geen zweempje haar op zijn lichaam te bekennen, afgezien van de krulletjes die onder zijn oksel tevoorschijn komen.

'En toen ik het hoorde, ben ik meteen hiernaartoe gegaan.' Chris droogt zich af met een grote roze handdoek. 'Ik moest er gewoon tussenuit. Ik moest nadenken, ik moest...'

'Je moest voorkomen dat je door de politie zou worden ondervraagd,' maakt Cooper zijn zin af.

'Oké dan. Kijk, ik ben met ze naar bed geweest...'

Ik kan er niet meer tegen. Echt niet. Ik ben misselijk. En heus niet van al dat Indiase eten dat we op weg hiernaartoe in de auto hebben gegeten.

Nee, het heeft niets met mijn spijsvertering te maken. Maar wel met walging.

'Doe nou niet alsof het allemaal niets te betekenen had, Chris,' zeg ik. 'Je gaat met die meisjes naar bed en je belt ze niet meer op. Je hebt ze niet eens verteld hoe je echt heet, om te voorkomen dat ze erachter kwamen wie je vader is. Het heeft allemaal wel degelijk iets te betekenen. Voor hen wel in elk geval. Je hebt ze gebruikt. Je hebt ze gebruikt omdat je... omdat je, nou ja... problemen hebt met de daad.'

'Wat zeg je?' Chris lijkt van zijn stuk gebracht. 'Dat is niet waar!'

'Natuurlijk wel,' zeg ik, hoewel ik weet dat ik nu op Sarah lijk, maar dat kan me helemaal niks schelen. 'Waarom zocht je anders meisjes uit zonder seksuele ervaring – behalve Hope – zodat ze niemand hadden om je mee te vergelijken.'

Chris is volkomen verbouwereerd, alsof ik hem een klap heb gegeven.

En misschien is dat ook wel zo.

Cooper trekt aan mijn mouw. 'Zeg, tijger. Even dimmen nu. Laten we de boel niet door elkaar halen. Ik ben hier de kwaaie pier, jij niet.'

Hij klopt me zachtjes op mijn rug – zoals ik Indy op zijn rugje klop om hem te sussen. Dan zegt Cooper tegen Chris die zo rood als een biet ziet: 'Niemand beschuldigt je van moord. We willen alleen maar weten wat voor relatie je met Rachel Walcott hebt.'

'Hoezo?' Chris is over zijn angst heen en doet weer behoorlijk arrogant. Hij heeft zich mijn opmerking over zijn problemen behoorlijk aangetrokken. Omdat het waar is natuurlijk.

Hij loopt langs Cooper heen naar het zwembad. 'Wat bedoel je eigenlijk?'

'Hadden jullie een verhouding?' wil Cooper weten.

'Een verhouding?' Chris laat de handdoek vallen en klimt op de duikplank. Even later springt hij in het zwembad, bijna zonder het water te laten opspatten, en glijdt met zijn lange, slanke lichaam door het water. Hij zwemt naar de kant van het zwembad waar wij staan, dan komt hij boven water.

'Goed,' zegt hij. 'Ik zal jullie alles vertellen wat ik weet.'

27

> *She told me*
> *She thinks you're fine*
> *She told me*
> *It's just a matter of time*
> *She told me*
> *She'll get you someday*
> *But I told her*
> *Not if I have something to say*
>
> *'Cause you're*
> *My kind of guy*
> *Yes, you're*
> *My kind of guy*
> *My friends tell me I'm high*
> *But you're just*
> *My kind of guy*

'My Kind of Guy'
Zang: Heather Wells
Tekst Dietz/Ryder
Van het album: *Summer*
Cartwright Records

'Oké,' zegt Chris klappertandend. 'Nou goed. We hebben een paar maanden met elkaar gevrijd. Maar ik heb helemaal nooit gevraagd of ze met me wilde trouwen of zo. Maar toen werd ze helemaal gestoord, snap je? Ik dacht dat ze mijn ballen eraf zou bijten.'

Ik raap Chris' handdoek op en doe die over zijn bibberende schouders. Hij heeft het niet eens in de gaten. Hij is in een soort trance. Hij is uit het zwembad geklommen en loopt in de richting van het huis. Cooper, Lucy en ik lopen erachteraan als een soort hofhouding van een...

Nou ja, beroemde popster.

'Het begon in mijn eerste jaar,' zegt Chris. Nu hij eenmaal aan het praten is, lijkt het wel alsof hij niet meer kan ophouden of iets minder snel kan gaan. Je moet toch wel bewondering hebben voor Coopers techniek. Hij heeft het voor elkaar gekregen zonder hem in elkaar te slaan. 'Ik raakte samen met een paar jongens in de problemen omdat we in het studentenhuis wiet hadden gerookt, en toen moesten we bij de huismeester – Rachel – komen. Die zou de strafmaatregel bepalen. We dachten allemaal dat we van school zouden worden getrapt. "Chris, je moet haar versieren," zeiden een paar gasten, omdat ik, nou ja, een beetje ouder was en een reputatie had wat meisjes betreft.'

Ik zag Rachel voor me – met haar Manolo Blahniks en in Armani-mantelpak – die versierd werd door deze gladde, goudharige adonis. Nee, het was dan wel niet die galante zakenman die ze met haar keiharde bilspieren en geföhnde haren aan de haak had willen slaan, maar hij was wel het beste wat ze in Richmond, Indiana, zou kunnen krijgen.

'In elk geval liet ze ons gaan. Wat het wiet roken betreft. Ze zei dat het ons geheimpje was.' Chris grijnst, maar het is geen vrolijke grijns. 'Eerst dacht ik dat het vanwege mijn vader was. Maar toen kwamen we elkaar steeds tegen in de kantine en zo. Nou, eigenlijk zocht ze me min of meer op, weet je wel. En de jongens hadden zoiets van: "Doen man. Als je iets hebt met de huismeester, kunnen we alles flikken." En ik had toch niets anders om handen, wat vrouwen betrof, bedoel ik, dus dacht ik: waarom eigenlijk niet? En van het een kwam het ander en toen hadden we opeens iets met elkaar.'

Hij verdwijnt in een zuilengang en via de openstaande glazen schuifdeuren lopen we achter hem aan een schaars verlichte woonkamer binnen, die geheel gestoffeerd lijkt te zijn met zwart leer. De banken zijn van zwart leer. De voetenbankjes zijn van zwart leer. Zelfs de schoorsteenmantel is bekleed met zwart leer.

Maar dat kan toch niet? Dat zou toch in de fik vliegen?

'Het bleek dat ik de eerste voor haar was,' legt Chris uit terwijl hij naar de schoorsteenmantel loopt en een schakelaar omdraait. Plotseling baadt de kamer in een onwerkelijk roze licht. Als ik niet beter wist, zou ik denken dat we in een bordeel waren terechtgekomen. Of in een van die zuurstoftenten in SoHo. 'Toen ik haar in Richmond leerde kennen, was ze niet zo tot in de puntjes verzorgd als nu. Rachel was een beetje dik.'

Ik kijk hem met knipperende ogen aan. 'Wat zeg je?'

Cooper werpt me een waarschuwende blik toe. Chris gaat helemaal in zijn verhaal op en Cooper wil niet dat ik hem onderbreek.

'Nou ja.' Hij haalt zijn schouders op. 'Ze was gewoon dik. Nou, eigenlijk niet dik, meer mollig. En ze droeg altijd van die trainingsjacks. Ik weet ook niet wat er met haar is gebeurd, ik bedoel in de tussentijd, maar ze is ontzettend afgevallen en het lijkt wel alsof ze een make-over heeft gehad. Want toen... ik weet niet.'

'Wacht even.' Ik kan dit niet helemaal aan. 'Was Rachel dik?'

'Ja,' zegt hij onverschillig. 'Misschien heb jij wel gelijk. Misschien voel je je wel minder opgelaten bij iemand die jou met niemand kan vergelijken. Het had wel iets opwindends – ik weet niet – om iets te hebben met een oudere vrouw die in sommige opzichten heel slim was en op andere gebieden helemaal van niets wist...'

'Was ze dik?' Ik ben echt volkomen verbijsterd. 'Ze rent zo'n beetje vijf kilometer per dag en ze eet alleen maar sla. Zonder dressing!'

'Nou,' zegt Chris, die weer zijn schouders ophaalt. 'Misschien nu. Maar toen niet. Ze heeft me verteld dat ze altijd al aan de zware kant was geweest en dat ze daarom nooit... je weet wel. Nooit een vriendje had gehad.'

Jezus. Rachel was nog steeds maagd toen ze al afgestudeerd was. Was ze op de middelbare school dan nooit iemand tegengekomen? Of op College?

Blijkbaar niet.

'Dus hoe lang heeft dit allemaal geduurd? Deze verhouding?' vraagt Cooper, in een poging me af te leiden van dat: 'Was Rachel dik?'.

Chris ploft neer op een van de zwartleren banken, blijkbaar zonder het hem kan schelen dat die nat wordt. Ik denk dat als je zo rijk bent dat soort dingen niet meer belangrijk zijn.

'Tot halverwege mijn laatste jaar. Toen drong het tot me door dat ik echt hard moest gaan studeren om fatsoenlijke cijfers op mijn toelatingsrapport voor de rechtenstudie te krijgen. Nadat mijn ouders me vanaf mijn twintigste zo'n beetje hadden laten darren, zaten ze me nu achter de vodden om rechten te gaan studeren. Ik zei tegen Rachel dat ik me even koest moest houden, en dat leek me een goed moment om het uit te maken. Het zou toch niets worden tussen ons nadat ik van het College kwam. Ik piekerde er niet over om in Richmond te blijven.'

'Heb je dat tegen haar gezegd?'

'Wat bedoel je?'

Ik zie een spiertje in Coopers kaak bewegen. 'Heb je tegen Rachel gezegd dat het toch niets tussen jullie kon worden?' legt hij nog eens uit, en ik merk dat hij moeite heeft zijn geduld te bewaren.

'O.' Chris kijkt ons geen van beiden aan. 'Jawel.'

'En toen?'

'En toen flipte ze, man. Maar dan ook helemaal. Schreeuwen, dingen kapotgooien. Ze pakte mijn computerscherm en gooide het dwars door de kamer. Ik was zó bang dat ik de rest van het jaar bij een paar maten buiten de campus heb gelogeerd.'

'En heb je haar nooit meer gezien?' Aan de ene kant kan ik Chris' verhaal bijna niet geloven. Maar aan de andere kant maar al te goed. Niet dat ik me kan voorstellen dat Rachel een computer door de kamer smijt.

Maar ik kan me ook niet voorstellen dat ze twee meisjes vermoordt – en vervolgens bijna drie andere mensen.

'Nee,' zegt Chris. 'Tot een paar weken geleden, toen ik uit Richmond terugkwam. Ik had daar in de zomer vrijwilligerswerk gedaan en zo, dat was de afspraak met mijn vader voordat ik naar de rechtenfaculteit zou gaan. Toen liep ik Fischer Hall binnen en het eerste wat ik zag was Rachel aan de receptie die een student stond uit te kafferen voor het een of ander. Maar wel superslank. Ik werd helemaal niet goed, dat kan ik je wel vertellen. Maar ze lachte alleen maar naar me, totaal ontspannen, en ze vroeg hoe het met me ging. En ze zei dat alles vergeten en vergeven was.'

'En je geloofde haar,' zegt Cooper toonloos.

'Ja,' zegt Chris met een zucht. 'Ze was er zo ontspannen over. Ik vond dat afvallen en haar nieuwe kapsel, die kleren... kijk, dat vond ik wel een goed teken. Dat ze er volkomen overheen was.'

'En dat ze uitgerekend een baan had genomen in het gebouw waar je ouders wonen,' zegt Cooper. 'Ging er toen geen belletje bij je rinkelen, dat ze misschien toch niet zo "ontspannen" was als je dacht?'

'Blijkbaar niet,' zegt Chris. 'Totdat... wat ik gisteravond hoorde.'

Er galmt een stem. 'O, daar zijn jullie. Ik heb buiten overal naar jullie gezocht. Ik wist niet dat jullie naar binnen waren gegaan.'

Hope komt de trap af gestommeld met in de ene hand een dienblad met wat eruitziet – en ruikt naar – spinazie in bladerdeeg, en de zoom van een enkellange kamerjas met panterprint in de andere.

'De canapés zijn klaar,' zegt ze. 'Willen jullie ze hier of bij het zwembad?'

'Bij het zwembad, schatje,' zegt Chris met een flauwe glimlach in haar richting. 'We komen er zo aan.'

'Niet te lang wegblijven, hoor,' waarschuwt ze ons. 'Dan worden ze koud.'

Hope lacht vriendelijk en draait zich om naar de glazen schuifdeuren.

Zodra ze weg is, zegt Chris: 'Ik moest er steeds maar aan denken – nadat ik met je had gesproken, bedoel ik – of Rachel het zou kunnen hebben gedaan. Die meisjes vermoorden. Want ik mag dan best aantrekkelijk zijn of zo... maar om nou te zeggen dat je een moord voor me zou doen...'

Hij lacht een beetje sullig om zijn eigen grap. Cooper lacht niet terug. Ik denk dat hij nog steeds de kwaaie pier is. En ik niet, dus lach ik naar Chris. En dat kost me niet eens moeite. Ondanks alles mag ik Chris wel. Ik kan er niets aan doen. Hij is gewoon, eh... Chris.

'Ik bedoel, toen ik het met haar uitmaakte,' gaat Chris onverstoorbaar verder, 'was ze behoorlijk gewelddadig. Ze smeet mijn computer dwars door de kamer. Dat is ongeveer vijf meter ver. Ze is behoorlijk sterk. Een meisje – tengere meisjes als Beth of Bobby zouden totaal geen partij voor haar zijn. Zeker niet als ze kwaad is.'

'En denk je dat dat met die meisjes is gebeurd?' wil Cooper zeker weten. 'Dat ze niet zijn verongelukt, maar dat Rachel ze heeft vermoord?'

Chris zakt steeds dieper weg in de leren bank van zijn ouders. Je kunt zien dat hij het liefst helemaal zou verdwijnen.

'Ja,' zegt hij met een klein stemmetje. 'Ik zou zeggen... Dat is toch de enige verklaring? Omdat dat hele gedoe met dat lift-surfen... Meisjes doen niet aan liftsurfen.'

Ik kijk naar Cooper met een blik van: 'Dat heb ik je toch gezegd,' maar hij ziet het niet. Hij staat maar onbewogen naar Chris te staren. Ik moet toegeven dat ik toch wel een beetje ont-roerd ben door wat Chris allemaal zegt. O, ik denk heus nog wel dat hij een hufter is en zo. Maar hij geeft het tenminste toe. Dat scheelt.

Cooper lijkt echter lang niet zo onder de indruk als ik.

'Chris,' zegt hij. 'Je gaat nu met ons terug naar de stad en morgenochtend gaan we naar de politie.'

Dit is geen verzoek, dit is een bevel.

Chris trekt een gezicht. 'Waarom? Wat heeft dat voor zin? Dan houden ze mij vast. Ze geloven nooit dat het Rachel was. Nooit.'

'Ze houden je niet vast als je een alibi hebt voor het tijdstip dat de moorden werden gepleegd,' zegt Cooper.

'Dat heb ik,' zegt Chris, en zijn gezicht klaart op. 'Ik had colle-ge toen het tweede meisje – ik bedoel Bobby – stierf. Dat weet ik, want we hoorden allemaal sirenes en we keken uit het raam. Fischer Hall staat een stukje verder in de straat van de rechten-faculteit.'

Maar dan schudt Chris zijn hoofd. Zijn haar droogt op als een gouden helm. 'Maar ze zullen echt niet geloven dat Rachel Wal-cott meisjes vermoordt met wie ik naar bed ben geweest. Kom nou, Rachel heeft net dat klote Viooltje gewonnen voor hulpver-lening of zoiets.'

Cooper kijkt hem alleen maar aan. 'Zijn er nog meisjes met wie je naar bed bent geweest die niet dood zijn?' vraagt hij.

Chris kijkt ongemakkelijk. 'Nee, maar...'

Ik kijk achterom naar de zuilengang die naar het zwembad leidt. 'En Hope dan?'

'Hoezo Hope?'

'Wil je dat ze ook doodgaat?'

'Nee!' Chris kijkt verschrikt. 'Maar zij is de au pair van de buren. Rachel kan toch nooit...'

'Chris,' zegt Cooper. 'Heb je er wel eens over nagedacht om een jaartje helemaal niets met een meisje te beginnen?'

Chris slikt even.

'Om je de waarheid te zeggen, denk ik dat dat misschien helemaal niet zo'n slecht idee is,' zegt hij.

28

'Moet je je voorstellen,' zeg ik tegen Patty. 'Rachel leert die jongen kennen, echt een stuk, die doet alsof hij haar echt leuk vindt, en misschien vindt hij dat ook wel een beetje...'

'Ja hoor,' zegt Patty cynisch. 'Dat beetje dat in zijn onderbroek zit, zeker.'

'Maakt niet uit. Hij is de eerste man die echt geïnteresseerd is in haar, en ook nog eens alles heeft wat je maar van een minnaar kunt wensen. Het is een kanjer, hij is rijk en hij is tenminste hetero. Oké, misschien is hij een beetje een lapzwans' – ik pak het glas jus d'orange dat naast mijn bed staat en neem een slok – 'die teert op zijn toelage of zo. Maar afgezien daarvan...'

'Wacht heel even,' zegt Patty, en ze legt de hoorn neer. 'Blijf af, niet aankomen,' hoor ik haar tegen haar zoontje roepen. Even later is ze weer terug aan de telefoon.

'Goed,' zegt ze. 'Waar waren we?'

'Rachel,' zeg ik.

'Dat is waar ook. Die Christopher dus. Is dat echt zo'n lekker ding?'

'Echt wel. En hij is student,' zeg ik. 'In haar functie hoor je niet met studenten naar bed te gaan, dus daar komt nog eens bij dat hij een verboden vrucht is. Ze krijgt allemaal fantasieën, en daar is dus niks mis mee. Ze is al in de dertig. En ze is een moderne eenentwintigste-eeuwse meid, dus wil ze het allemaal: een carrière, trouwen, kinderen krijgen...'

'Iets om een moord voor te doen.'

'Wat je zegt. En net wanneer ze denkt alles voor elkaar te hebben, pakt onze Chris zijn biezen.'

'Heather, wacht even,' zegt Patty. 'Indy, ik heb toch gezegd: niet doen! Indy...' roept ze tegen haar zoontje.

Ik houd de hoorn tegen mijn oor terwijl Patty tegen haar kind staat te schreeuwen. Het is wel een fijn idee dat ik lekker in mijn bedje lig en voor de verandering niet eens aan die moorden denk, terwijl iedereen daar druk mee bezig is. Ik had met Cooper en Chris mee naar inspecteur Canavan willen gaan. Echt waar. Toen ik gisteravond naar boven ging en naar mijn appartement strompelde, heb ik nog tegen hem gezegd dat hij me wakker moest maken voordat hij de deur uit ging.

Maar ik denk dat alle opwinding van de vorige dag – de explosie, het bezoek aan het ziekenhuis, de rit naar Long Island en weer terug – uiteindelijk zijn tol heeft geëist, want toen Cooper op de deur van mijn slaapkamer klopte om te zien of ik al op was, schreeuwde ik tegen hem dat hij moest ophoepelen.

Niet dat ik me dat nog herinner. Als ik bij mijn volle bewustzijn was geweest, had ik natuurlijk nooit zo onbeschoft gedaan. Cooper liet een briefje achter, waarin hij de situatie uitlegde, en dat eindigde met de woorden: Ga niet naar je werk vandaag. Blijf thuis en rust uit. Ik bel je nog.

Goed, hij tekende niet met: Liefs, Cooper. Alleen maar met: Cooper.

Maar toch. Hij moet nu toch een beetje meer respect voor me hebben gekregen. Nu blijkt dat ik het allemaal niet heb verzonnen dat iemand me probeerde te vermoorden en zo. Hij zal inmiddels wel denken dat ik een fantastische partner zou zijn om samen speurwerk mee te doen.

En wie weet waar dat toe zal leiden? Zou bijvoorbeeld niet de volgende logische stap zijn dat hij smoorverliefd op me wordt?

Eigenlijk ben ik dus in een opperbeste stemming. Buiten stroomt het van de regen, maar dat kan me niets schelen. Ik lig lekker in mijn bed, en kijk met Lucy naast me op de deken naar tekenfilmpjes. Misschien komt het omdat ik de dood in de ogen heb gezien, maar ik vind het leven echt verrukkelijk.

Dat vertel ik ook opgewonden aan Patty. Ze is behoorlijk onder de indruk van mijn theorie. En ik zeg ook dat ik hoop dat inspecteur Canavan meteen met een arrestatiebevel naar Fischer Hall gaat als hij hoort wat Chris te vertellen heeft.

'Hier ben ik weer,' zegt Patty. 'Waar waren we gebleven?'

'Rachel. Ze komt er opeens achter dat ze ongelooflijk de bons heeft gekregen,' zeg ik. 'En wat doet een moderne eenentwintigste-eeuwse meid als Rachel dan?'

'O, wacht, laat mij even,' zegt Patty opgewonden. 'Ze drijft hem in het nauw.'

'Ze maakt korte metten met de concurrentie,' verbeter ik haar. 'Want Rachel denkt met haar verwrongen geest dat wanneer ze alle vriendinnetjes van Chris vermoordt, hij bij gebrek aan iets anders wel weer bij haar terugkomt. Snap je, als er geen andere meisjes meer zijn, zit er voor hem niets anders op dan bij haar terug te komen.'

'Wauw.' Patty is onder de indruk. 'En hoe gaat ze dan te werk?'

'Hoe bedoel je? Ze duwt ze de liftschacht in.'

'Jawel, maar hoe, Heather? Hoe kan zo'n mager wijf als Rachel volwassen vrouwen, die echt geen zin hebben om dood te gaan, in een liftschacht duwen? Ik krijg die stomme chihuahua van mijn zus niet eens in zijn draagmand, en dat is nog maar een heel klein hondje. Kun je je voorstellen hoe moeilijk het is om iemand die niet dood wil in een liftschacht te duwen? Je moet eerst de deuren opendoen. Wat doen die meisjes terwijl zij daarmee bezig is? Waarom verzetten ze zich niet? Waarom heeft Rachel geen krassen in haar gezicht of op haar armen? Die pokkehond van mijn zuster krabt me echt keihard als ik hem in zijn Sherpa probeer te doen.'

Ik denk terug aan mijn vormende jaren voor de buis.

'Chloroform,' zeg ik eenvoudig. 'Ze gebruikt chloroform.'

'Daar had de lijkschouwer toch sporen van moeten vinden?'

Jezus, Patty is goed. Zeker voor iemand die zegt dat ze geen tijd heeft om naar CSI te kijken.

'Oké, oké,' zeg ik. 'Misschien geeft ze ze een dreun met een honkbalknuppel en gooit ze ze bewusteloos naar beneden.'

'Dat zou de lijkschouwer toch ook hebben opgemerkt?'

'Ze zijn zestien verdiepingen naar beneden gestort, dan maakt een extra bult toch niks meer uit?'

Piep.

Ik krijg een wisselgesprek.

'O, dat moet Cooper zijn, Pats,' zeg ik. 'Ik bel je later. Zullen we morgen gaan brunchen om het te vieren? Ik bedoel, nadat ik mijn baas in de bak heb gekregen?'

'Ja, graag. Trek je goeie goed aan.' Patty hangt op. Ik druk op de knop en wanneer ik de klik heb gehoord, zeg ik: 'Hallo?'

Maar het is niet Coopers stem die ik hoor.

Het is een vrouw.

En wie die vrouw ook mag zijn, ze is duidelijk aan het huilen.

'Heather?'

Het duurt eventjes, maar dan weet ik wie het is.

'Sarah?' zeg ik. 'Ben jij het?'

'J-Ja,' snottert Sarah.

'Is er iets?' Ik ga rechtop in bed zitten. 'Sarah, wat is er aan de hand?'

'Nou... het gaat om Rachel,' zegt Sarah.

Oei. Heeft de politie haar al gearresteerd? Het zal wel een hele klap zijn voor het personeel. Eerst Justine die zich ontpopt als een dief van keramische kachels, en nu Rachel die een moordlustige maniak blijkt te zijn.

Maar ze komen er wel overheen. Misschien breng ik morgen voor iedereen wel Krispy Kremes mee.

'O ja?' zeg ik, want ik wil niet laten blijken dat ik iets met haar arrestatie te maken heb gehad. 'Wat is er dan met Rachel?' vraag ik dus.

'Ze... ze is dood.'

Ik laat bijna de telefoon uit mijn handen vallen.

'Watte?' roep ik. 'Rachel? Dood? Wat...'

Ik kan het niet geloven. Dit kan niet. Rachel? Dood? Hoe kan dit in vredesnaam...

'Ik denk dat ze zelfmoord heeft gepleegd,' zegt Sarah met een snik. 'Heather, ik kwam net het kantoor binnen, en ze... ze hangt hier. Aan het hek tussen haar kantoor en het onze.'

Allemachtig.

Rachel heeft zich opgehangen. Rachel besefte dat het spel uit was, maar in plaats van zichzelf gedeisd te houden, pleegt ze zelfmoord. Jezus.

Ik moet kalm blijven. Ik ben ervan doordrongen dat de verantwoordelijkheid voor het gebouw nu op mijn schouders rust. De huismeester is niet meer. Dus blijft de assistent-huismeester over. Ik moet sterk zijn. Ik moet voor iedereen een rots in de branding zijn, een licht in de duisternis.

En dat komt goed uit, want ik ben er helemaal klaar voor. Het zou trouwens niet anders zijn als Rachel naar de gevangenis had gemoeten. Ze is nu gewoon ergens anders. Maar ze is wel weg.

'Ik weet niet wat ik moet doen,' zegt Sarah met een hysterische piepstem. 'Als iemand binnenkomt en dit ziet...'

'Niemand binnenlaten,' roep ik. Jezus! De werkstudenten. Dit kunnen ze echt niet gebruiken. 'Sarah, laat niemand binnen. En kom nergens aan.' Zo moet het toch? Zo zeggen ze dat toch altijd in *Law & Order*? 'Bel een ambulance. Bel de politie. Nu meteen. Je laat alleen de politie binnen. Oké, Sarah?'

'Oké,' zegt Sarah, met nog een snik. 'Maar, Heather?'

'Ja?'

'Kun je hierheen komen. Ik... ik ben zo bang.'

Ik ben al uit bed en pak mijn spijkerbroek.

'Ik kom er meteen aan,' zeg ik tegen haar. 'Hou nog even vol, Sarah, ik ben zo bij je.'

29

There's a place called home
Or so I'm told
I've never been there
So I wouldn't know.

There's a place called home
Where they're always glad to see you
Where they want you just to be you
This place called home

But I wouldn't know
'Cause I've never had one
I wouldn't know

Heather Wells, 'Place Called Home'

Het allemaal mijn schuld.

Dat Rachel dood is, bedoel ik.

Ik had het kunnen weten. Ik had kunnen weten dat dit kon gebeuren. Ze was tenslotte geestelijk labiel. Natuurlijk zou ze bij de geringste provocatie onderuitgaan. Ik weet niet hoe ze erachter is gekomen – dat we haar verdachten – maar dat is wel gebeurd.

En dit was naar haar idee de enige uitweg.

Nou, ik kan er nu niets meer aan doen. Ik kan alleen maar nog iets doen voor de mensen die zich Rachels dood nog het meest zullen aantrekken – het personeel.

Ik bel Cooper op zijn mobieltje. Hij neemt niet op, dus laat ik een boodschap achter en vertel hem wat Sarah tegen mij heeft gezegd. Ik vraag hem om het ook aan inspecteur Canavan door te geven. En vervolgens vraag ik of hij zodra hij mijn boodschap heeft ontvangen, naar Fischer Hall wil komen.

Natuurlijk kan ik weer geen paraplu vinden. Ik kan nooit een paraplu vinden als ik hem nodig heb. Weggedoken in mijn jas vanwege de aanhoudende druilregen, haast ik me naar Washington Square West, en verbaas me erover hoe snel de dealers verdwenen zijn als het weer een beetje tegenzit en ik vraag me af waar ze dan naartoe gaan. Naar de Washington Square Diner? Daar moet ik toch een keer achter zien te komen. Waarschijnlijk zitten ze dan allemaal achter een gigantische wienerschnitzel.

Ik kom bij Fischer Hall en ren naar binnen terwijl ik het regenwater uit mijn haar schud en een beetje zwakjes naar Pete lach. Zou hij het al weten?

'Heather,' roept hij uit. 'Wat doe jij nou hier? Na alles wat je gisteren hebt meegemaakt, dacht ik dat je wel een maand vrij zou krijgen. Je gaat toch niet werken?'

'Nee, hoor,' zeg ik. Hij weet van niets. Jezus, hij weet helemaal van niets.

En ik kan het hem ook niet vertellen, want de baliemedewerker zit daar en kijkt naar ons.

'O,' zegt Pete. 'Zeg, het gaat trouwens goed met Julio. Over een paar dagen mag hij weer naar huis.'

'Geweldig,' zeg ik zo enthousiast mogelijk. 'Nou, ik zie je later.'

'Tot straks.'

Ik loop snel de gang door naar het kantoor van de huismeester. Tot mijn verbazing staat de deur op een kier, terwijl ik toch uitdrukkelijk tegen Sarah had gezegd dat ze hem dicht moest doen. Iedereen kan daar naar binnen lopen en Rachel zien hangen... tenzij ze het aan haar kant van het hek heeft gedaan. Ja, dat zou natuurlijk eigenlijk meer voor de hand liggen. Haar bureau staat tegen de muur onder het hek, dus zou het haar geen moeite kosten op het bureau te klimmen en er dan vanaf te springen.

'Sarah?' zeg ik, en ik duw de deur helemaal open. Geen spoor van Rachel. In dit kantoor is niemand. Sarah – en het lijk – moeten in Rachels kantoor zijn. 'Sarah, ben je daar?'

'Hier,' hoor ik Sarah met trillende stem zeggen.

Ik werp een blik op het hek. Er is niets aan vastgebonden. Sarah heeft haar waarschijnlijk losgesneden. Hoe erg het ook was om Rachel op deze manier aan te treffen, toch had ze nooit aan het lijk mogen komen. Dat is knoeien met het bewijsmateriaal. Of iets dergelijks.

'Sarah,' zeg ik, en ik vlieg Rachels kantoor binnen. 'Ik heb gezegd dat je niet...'

Ik blijf midden in mijn zin steken. En dat komt omdat ik niet een huilende Sarah aantref met Rachels levenloze lichaam in haar armen. In plaats daarvan sta ik tegenover een van gezondheid blakende Rachel – met een prachtig, nieuw kasjmier truitje en een antracietgrijze broek aan – die tegen haar bureau staat geleund met een gelaarsde voet op haar bureaustoel.

Waaraan ze Sarah met een telefoonsnoer en een paar computerkabels heeft vastgebonden.

'O, hoi, Heather,' zegt Rachel opgewekt. 'Dat heb je vlug gedaan.'

'Heather.' Sarah zit nu zo hard te grienen dat haar brillenglazen beslagen zijn. 'Ik vind het zo erg. Ze heeft me gedwongen je te bellen...'

'Houd je bek.' Geërgerd geeft Rachel Sarah een keiharde klap in haar gezicht. Het klinkt zo hard dat ik ervan schrik.

Het maakt me ook wakker.

Een val. Ik ben zojuist in de val gelopen. Werktuiglijk draai ik me naar de deur.

'Blijf staan, anders vermoord ik haar,' klinkt Rachels ijskoude stem door het vertrek. Zelfs de waterlelies van Monet zouden hier niets lieflijks aan kunnen toevoegen.

Ik blijf stokstijf staan. Rachel loopt langs me heen en trekt in het aangrenzende kantoor de deur dicht.

'Ziezo,' zegt ze, wanneer het slot dichtvalt. 'Dat is beter. Nu hebben we tenminste een beetje privacy.'

Ik staar haar aan en houd ondanks mijn hechtingen het hengsel van mijn rukzak stevig vast. Misschien kan ik haar daar een mep mee verkopen. Met mijn rugzak, bedoel ik. Hoewel daar niets zwaars in zit. Alleen maar een haarborstel, mijn portemonnee, en een lippenstift. O, en een Kit Kat, voor het geval ik trek mocht krijgen.

Hoe is ze erachter gekomen? Hoe wist ze dat we haar op het spoor waren?

'Rachel,' zeg ik. Mijn stem klinkt een beetje gek. Dat komt omdat ik een droge keel heb, besef ik. Opeens voel ik me niet zo lekker. Ik heb ijskoude vingers en de wonden aan mijn handen doen zeer.

Dan herinner ik me iets.

Er zit een busje pepperspray in mijn rugzak. Het is al een paar jaar oud en de opening zit vol met zand van een dagje strand. Zou het nog werken?

'Wauw,' zeg ik, en ik hoop dat ik net zo beheerst klink als Cooper. 'Wat heeft dit te betekenen, Rachel? Is dit een soort sensitivity-training? Want, neem me niet kwalijk, maar zo te zien heeft Sarah het niet erg naar haar zin.'

'Lul niet, Heather.' Rachels stem klinkt keihard. Zo heb ik haar nog nooit gehoord, zelfs niet tegen de basketballers. Van die stem krijg ik het nog kouder. Ik heb haar ook nog nooit grove taal horen bezigen. 'Doen alsof je een dom blondje bent kun je dan misschien bij anderen flikken, maar ik trap er niet in. Ik weet precies wat je bent, en neem maar van me aan, het drieletter woord dat ik voor jou zou gebruiken, is echt niet "dom".' Ze kijkt me geringschattend aan. 'Tenminste, dat was tot voor kort zo.'

Ze heeft hartstikke gelijk. Ik kan bijna niet geloven dat ik in dat telefoontje ben getrapt. Maar ja, Sarahs tranen waren volkomen echt. Alleen niet vanwege de reden die ze opgaf.

'Je mag gerust weten dat ik helemaal op de hoogte ben van gisteravond,' zegt Rachel rustig.

Ik probeer net te doen alsof ik niet snap waar ze het over heeft.

'Gisteravond? Rachel, ik...'

'Gisteravond,' zegt ze liefjes. 'Jullie uitstapje naar de Hamptons. Ontken het maar niet. Ik was er ook. Ik heb jullie gezien.'

'Je... was je daar ook?'

Ik zou absoluut niet weten wat ik nu moest doen. Elke vezel van mijn lichaam schreeuwt: draai je om en ren weg!

Maar op de een of andere manier sta ik daar als aan de grond genageld, met mijn vingers om het hengsel van mijn rugzak. Ik moet steeds aan Sarah denken. Als ik hem smeer? Wat zal Rachel dan met die arme Sarah doen?

'Natuurlijk was ik daar,' zegt Rachel op een toon waar de minachting van afdruipt. 'Denk je dat ik mijn eigendom niet in de gaten houd? Waarom denk je dat ik mijn Jetta nog steeds heb? In de stad heb je geen auto nodig, tenzij je mensen volgt die naar de Hamptons gaan.'

O god. Ik ben helemaal vergeten dat ze die stomme auto heeft die ze altijd stalt in de garage bij de West Side Highway.

'Oké, ik was daar,' zeg ik op een zo laag mogelijke toon, zodat Rachel niet kan horen dat mijn stem trilt. 'Goed, ik weet van jou en Chris. Wat maakt dat uit? Rachel, ik sta aan jouw kant. Ik weet precies wat je hebt meegemaakt. Ik heb me ook door kerels laten verneuken. We kunnen hier toch over praten?'

Rachel schudt haar hoofd, en ze kijkt me ongelovig aan, alsof ik degene ben die een slag te verwerken heeft gehad en niet zij.

'Geen sprake van dat we hierover praten,' zegt ze met een

schorre lach. 'Geen tijd meer voor praatjes. En laat ik heel duidelijk zijn, Heather.' Rachel doet haar armen van elkaar en met haar rechterhand gaat ze naar een bobbel onder haar trui, die me daarnet nog niet was opgevallen.

'Ik ben de huismeester,' gaat ze verder. 'Ik ben hier de baas. Ik beslis waar we wel of niet over zullen praten omdat ik dit onderonsje heb geregeld, zoals ik dat ook met Elizabeth en Roberta heb geregeld. Zoals ik dat later ook met Amber zal regelen. En zoals ik deze bespreking tussen jou en mij nu heb geregeld. Ik ben hier de baas. Weet je waarom ik het recht heb om hier de baas te zijn, Heather?'

Ik knik stilzwijgend, met mijn ogen gericht op de bobbel onder haar trui. Ik denk dat het een pistool is. Een pistool geeft Rachel absoluut het recht om de baas te spelen.

Maar het is helemaal geen pistool. Wanneer Rachel het tevoorschijn haalt, zie ik een zwart plastic ding dat precies in haar hand past. Aan de bovenkant steken er twee gevaarlijk uitziende ijzeren pinnen uit, waardoor het ding een beetje lijkt op de kop van een kakkerlak. Ik heb geen idee wat het is, totdat Rachel met haar duim een schakelaar aanknipt en tussen de twee metalen uitsteeksels een smalle blauwe lichtbundel begint te zoemen.

Voordat ze het kan zeggen, weet ik het.

'Heather, mag ik je voorstellen, de Thunder Gun.' Rachel zegt het apetrots, zoals sommige ouders tijdens de eerste dag van de inschrijving wanneer ze hun kind aan me voorstellen. 'Slechts één seconde contact met die honderdtwintigduizend volt die de Thunder Gun produceert, veroorzaakt een minutenlange verwarring, algehele zwakte, desoriëntatie, evenwichtsstoornis en spierverslapping. En het mooiste is dat de Thunder Gun maar een heel klein brandwondje achterlaat als je hem door kleren heen gebruikt. Het is een geweldig effectief afweermiddel, en je kunt het in de vs via ik weet niet hoeveel catalogi bestellen. Die van mij kostte bijvoorbeeld maar negenenveertig vijfennegentig, exclusief batterij van negen volt. In New York City is hij weliswaar verboden, maar wat maakt dat nou uit?'

Ik staar naar de knetterende blauwe vuurstreep.

Dus zo heeft ze het gedaan. Niks chloroform, niks meppen met een honkbalknuppel. Ze is gewoon naar Beth' kamer toegegaan en later naar die van Bobby, ze heeft hen verdoofd en hun bewusteloze lichamen in de liftschacht geschoven. Simpeler kan het niet.

En inspecteur Canavan zei nog wel dat moordenaars dom waren. Rachel is niet dom. Welke oen zou zo snugger zijn om dit soort misdrijf te verzinnen? Omdat er zo veel jonge mensen omkomen terwijl ze idiote toeren uithalen, zoals liftsurfen, zou niemand op het idee komen dat de meisjes in werkelijkheid waren vermoord. Ook omdat er geen verdachte omstandigheden rond de dood van de meisjes waren.

Niemand, behalve een mafketel als ik.

Nee, Rachel is niet dom.

En ze is niet gek ook. Ze heeft een perfecte manier uitgedacht om haar rivales uit de weg te ruimen. Niemand zou iets hebben vermoed als ik er niet was geweest met mijn grote bek.

Als ik er niet was geweest met mijn grote bek, zouden Sarah en ik niet op het punt staan Rachels derde en vierde slachtoffer te worden.

'Maar niet alleen hierdoor heb ik het recht hier de baas te spelen, weet je,' zegt Rachel terwijl ze nonchalant met het verdovingswapen haar gelijk onderstreept. 'Ik heb een bachelors als scheikundig ingenieur. Wist je dat, Heather?'

Ik schud mijn hoofd. Misschien komt een van de werkstudenten het kantoor binnen lopen om zijn post op te halen. Ja. Of misschien heeft Cooper die boodschap gehoord die ik op zijn mobieltje heb ingesproken...

'Ongelooflijk wat je allemaal kunt met een bachelor als scheikundig ingenieur. Je kunt bijvoorbeeld leren om een kleine brandbom te maken – simpel, maar heel effectief. Weet jij hoe je een brandbom maakt, Heather? Nee, ik denk niet dat je dat weet. Jij had het veel te druk met het met je kont draaien in een winkelcentrum, om je middelbare school af te maken, waar of niet? Even kijken of je deze kent. Waarom krijgt een dom blondje maar een kwartier middagpauze?'

Ik kijk naar Sarah. Ze zit nog steeds te snikken, maar ze doet het heel zacht om te voorkomen dat Rachel haar nog een keer zal slaan.

Ik schud mijn hoofd.

Rachel lacht vreugdeloos en zegt: 'Omdat ze anders weer ingewerkt moet worden, Heather. Ze moet weer opnieuw worden ingewerkt.'

'Goh, Rachel,' zeg ik terwijl ik mijn mening over haar herzie. Ze is hartstikke gek. Volkomen gestoord, zelfs. 'Wat een goeie. Maar weet je, ik moet nu echt weg. Cooper staat beneden bij de balie en als ik te lang wegblijf, komt hij me hier zoeken.'

'Hij mag zoeken totdat hij een ons weegt,' zegt Rachel schouderophalend. 'Hij heeft geen sleutel. En we laten hem echt niet binnen. We zijn aan het werk, Heather. We hebben een heleboel belangrijke zaken die we moeten afhandelen.'

'Maar Rachel,' zeg ik. 'Als we de deur niet opendoen, vraagt Cooper gewoon aan Pete of hij een van de werkstudenten wil roepen om de deur open te maken.'

'Maar de werkstudenten hebben geen sleutel van het kantoor meer. Ik heb het slot laten veranderen.' Op Rachels wangen is een blosje verschenen, en haar ogen schitteren net zo helder als de dunne elektrische straal die uit de metalen punten komt van het wapen dat ze in haar hand houdt.

'Echt waar, hoor,' zegt ze opgewekt. 'Toen jij gisteren in het ziekenhuis was, heb ik het slot laten vervangen, en nu ben ik de enige die een sleutel heeft.' Ze kijkt me met van die overdreven schitterende ogen aan. 'Heather, je begrijpt toch wel dat dit geen baan voor je is. Assistent-huismeester van Fischer Hall. Voor jou is dit toch alleen maar een onderbreking van je schnabbels? Een vast maandbedrag totdat je weer het lef hebt om te gaan toeren na dat akkefietje met je platenmaatschappij. Meer betekent deze functie niet voor je. Voor mij ligt dat anders. Hoger onderwijs is mijn leven. Mijn leven, Heather. Of dat was het tenminste. Totdat...'

Ze zwijgt opeens en haar blik die even was afgedwaald, richt ze nu weer als een bankschroef op mij. 'Totdat hij kwam opdraven,' zegt ze alleen maar.

Ik wil zitten. Elke keer dat ik naar dat wapen in Rachels hand kijk, beginnen mijn knieën te knikken.

Maar ik durf niet. Als ik zit, ben ik een nog gemakkelijker doelwit. Nee, op de een of andere manier moet ik haar zien af te leiden van hetgeen ze met Sarah en mij van plan is – en ik heb wel een flauw vermoeden wat dat zou kunnen zijn.

'Zeg, Rachel,' zeg ik, en ik probeer zo vriendelijk mogelijk te klinken, alsof we aan het koffiedrinken zijn in de kantine. Dat hebben we voor het moorden begon trouwens een of twee keer gedaan. 'Je bedoelt toch Christopher?'

Ze lacht bitter, en van dat geluid word ik banger dan voor wat dan ook, zelfs banger dan voor dat verdovingsapparaat.

'Christopher,' zegt ze, en ze laat het woord over haar tong rollen als een stukje chocola – niet dat Rachel zichzelf een stuk chocola zou gunnen. Word je dik van. 'Ja, Chris. Van dat met Christopher begrijp jij toch niets, Heather. Ik houd namelijk van hem. Jij hebt nog nooit van iemand gehouden, Heather, alleen maar van jezelf, dus je weet niet wat het is. Nee, je weet niet wat het betekent wanneer je het gevoel hebt dat al je levensgeluk van één enkel iemand afhangt, en dat die iemand zich van je afkeert en je aan de kant zet...'

Ze werpt me een blik toe waar zelfs een gloeiend hete bagel met boter nog van zou bevriezen. Het komt in me op om tegen haar te zeggen dat ik precies weet waar ze het over heeft, dat ik hetzelfde met Jordan heb meegemaakt, die trouwens op dit moment waarschijnlijk met Tania Trace 'ik zie ik zie wat jij niet ziet' in zijn ziekenhuisbed aan het spelen is.

Maar op de een of andere manier denk ik dat ze niet naar me zal luisteren.

'Nee, dat zou je nooit begrijpen,' zegt Rachel. 'Jij hebt altijd alles gekregen wat je hartje begeert, toch, Heather? Alles op een presenteerblaadje aangeboden gekregen. Andere mensen moeten daar hun best voor doen, weet je dat? Ik bijvoorbeeld. Denk je dat ik er altijd zo goed heb uitgezien?' Rachel strijkt met haar hand over haar keiharde, door duizend buikspieroefeningen per dag afgetrainde middenrif. 'Echt niet. Ik was vroeger dik. Modder-vet. Zoiets als jij nu. Maat 42.' Ze schiet in de lach. 'Ik at mijn onvrede weg met chocoladerepen, en ik deed niets aan sport, net zoals jij. Weet je dat tot mijn dertigste niemand – echt helemaal niemand – me ooit mee uit heeft gevraagd? Terwijl jij een beetje als een slet ronddarde voor Cartwright Records, zat ik met mijn neus in de boeken en studeerde me te pletter, omdat ik wist dat niemand mij ooit een platencontract zou aanbieden. Ik wist dat ik mijn hersens moest gebruiken, wilde ik aan dat klotebestaan van me ontsnappen.'

Ik werp een blik op Sarah. Ze kijkt uit het raam, en ik kan zien dat ze vurig hoopt dat er iemand voorbij komt lopen en ziet wat hier binnen aan de hand is.

Maar het regent zo hard, dat niemand zich buiten waagt. En de weinige mensen die wel op straat zijn, lopen snel voorbij met hun hoofden onder hun paraplu's.

'En hetzelfde gold voor hem,' zegt Rachel. 'Ik wilde hem, dus deed ik alles om hem te krijgen. Ik wist dat ik niet zijn type was. Daar kwam ik pas achter toen... hij het uitmaakte. Daarom wist ik dat. Ik moest ervoor zorgen dat ik wel zijn type werd. Dat snap jij natuurlijk toch niet. Jij en Sarah denken zeker dat man-nen je leuk moeten vinden vanwege je persoonlijkheid. Geloof mij maar. Als je je een beetje anders had gedragen, Heather, was Jordan Cartwright nog steeds bij je. Al die flauwekul van dat je zo nodig je eigen liedjes moest zingen. Denk je nou echt dat hem dat iets kon schelen? Mannen hebben niks met hersens. Want wat is het verschil tussen een blondje en een mug?'

Ik schud mijn hoofd. 'Echt, Rachel, ik weet niet...'

'Een blondje blijft zuigen nadat je haar een mep hebt gege-ven.' Rachel gooit haar hoofd in haar nek en lacht keihard.

Ja hoor. Ik ben er geweest. Geen twijfel mogelijk.

30

When's it gonna be my turn
To fly without my
Wings getting burned?

When's it gonna be my turn
For people stop shakin' their heads
Saying 'She'll never learn?'

When's it gonna be my turn
To be called smart and strong
And not stupid and wrong?

When's it gonna be my turn
To look at you and hear
You say
It's your turn
It's your turn
It's your turn

Heather Wells, 'My Turn'

Ze is gek. Alleen een krankzinnige zou toch in staat zijn met een verdovingsapparaat in de aanslag moppen over domme blondjes te vertellen?

Ik heb wel vaker met krankzinnigen te maken gehad. Ik heb namelijk jarenlang in de muziekindustrie gewerkt. Negen van de tien mensen die ik daar heb leren kennen, waren geestelijk gestoord, inclusief mijn eigen moeder.

Kan ik Rachel zover krijgen dat ze me niet vermoordt?

Nou, ik kan het proberen.

'Voor mijn gevoel,' zeg ik voorzichtig, 'zou je kwaad moeten zijn op Christopher Allington. Hij heeft je bedrogen en gekwetst, Rachel. Waarom heb je nooit geprobeerd hem te roosteren?'

'Omdat hij mijn aanstaande echtgenoot is, Heather.' Rachel kijkt me woedend aan. 'God, snap je het dan niet? Ik weet dat jij denkt dat mannen inwisselbaar zijn. Ik bedoel maar. Het gaat allemaal niet zo jofel met Jordan, en dus ga je, hup, naar zijn broer. Maar ik geloof dus wel in ware liefde. En dat is tussen Christopher en mij het geval. Ik moet nog een paar hindernisjes uit de weg ruimen, en dan komt hij wel weer bij me terug.'

'Rachel,' zeg ik, en ik probeer haar aan te spreken op dat kleine beetje gezond verstand dat ze misschien nog heeft. 'Die hindernisjes. Dat zijn mensen van vlees en bloed.'

'Nou, kan ik er wat aan doen dat die arme schapen zó van de kaart waren dat ze gingen liftsurfen nadat Christopher ze aan de kant had gezet? Ik heb mijn best gedaan door met ze te praten. En met jou ook, Heather. Hoewel niemand écht heel verbaasd zal zijn dat je zelfmoord hebt gepleegd. Je hebt tenslotte nu toch niet meer zo heel veel om voor te leven.'

Haar gedachtegang is zo maf dat ik het allemaal niet kan volgen. Maar nu ze duidelijk heeft gemaakt dat ik haar volgende slachtoffer ben, trek ik alle registers open om haar op andere gedachten te brengen, geloof mij maar.

'Maar, Rachel, dat lukt toch nooit. Ik ben al bij de politie geweest...'

'En geloofden ze je?' vraagt Rachel uiterst kalm. 'Wanneer ze je gehavende, bloedende lichaam vinden, komen ze erachter dat je dat allemaal hebt gedaan om aandacht te trekken. Nadat je de bom had geplaatst, heb je zelfmoord gepleegd omdat je wist dat ze je doorhadden. En dat zou ook helemaal niet zo onbegrijpelijk zijn, gezien de neerwaartse spiraal waarin je je bevindt. Jordan die zich met iemand anders heeft verloofd. Zijn broer – nou, zijn broer is niet echt in je geïnteresseerd, hè Heather? En jij en ik weten hoe verliefd je op hem bent. Elke keer dat hij ergens binnenkomt, staat het op je gezicht te lezen.'

Is dat waar? Weet iedereen dat ik van Cooper houd? Weet Cooper dat ik van Cooper houd. O Jezus, wat gênant.

Maar wacht even. Waarom sta ik hier naar deze volslagen krankzinnige te luisteren?

'Nou, goed dan, Rachel,' zeg ik. Ik speel het spelletje mee omdat me dit de enige oplossing lijkt. 'Goed dan, vermoord me maar. Maar Sarah? Wat heeft die arme Sarah je ooit misdaan? Waarom laat je Sarah niet gaan?'

'Sarah?' Rachel werpt een blik op haar studentenmedewerkster, alsof ze zich net herinnert dat die ook nog in het vertrek is. 'O ja, natuurlijk, Sarah. Weet je, ik denk dat Sarah gewoon moet... verdwijnen.'

Sarah krijgt van schrik de hik, maar door de ijzige blik van Rachel is ze al snel weer stil.

'Ja,' zegt Rachel. 'Ik denk dat Sarah maar een paar weekjes naar huis moet om bij te komen van jouw gruwelijke dood, Heather. Alleen komt ze daar niet aan. Ze verdwijnt ergens onderweg. Zielig, hè? Dat gebeurt heus wel eens, hoor.'

'O nee, Rachel, alsjeblieft,' zegt Sarah naar adem snakkend. 'Laat me alsjeblieft niet verdwijnen. Alsjeblieft...'

'Houd je kop,' gilt Rachel. Ze doet haar hand omhoog om Sarah weer een mep te geven, maar ze blijft stokstijf staan wanneer de telefoon op mijn bureau overgaat. Die rinkelt zo hard dat Rachel zich doodschrikt en de blauwe straal gevaarlijk dicht bij me in de buurt komt. Ik spring achteruit, val tegen de deur aan en draai me om om de knop te grijpen.

In een oogwenk springt Rachel boven op me en slaat haar arm om mijn nek, waardoor ik bijna stik. Ze is verbazend sterk voor zo'n tengere vrouw. Maar ik had haar gemakkelijk aangekund als ze...

Als ze niet dat knetterende verdovingsgeval onder mijn neus had geduwd. 'Haal het niet in je hoofd. Haal het niet in je stomme harses,' bijt ze me toe. 'Ik blaas je op, Heather, ik zweer het. En ik vermoord jullie allebei.'

Ik verstijf en krijg bijna geen lucht. Rachel zit als een cape tegen mijn rug geplakt. De telefoon blijft maar overgaan, drie, vier keer. Ik hoor aan het geluid dat het een interne lijn is. Met een stem die hees is van angst fluister ik: 'Rachel, dat is vast de receptie. Ik heb tegen Cooper gezegd dat hij daar op me moet wachten. Hij is bij de bewaking.'

'In dat geval,' zegt Rachel, en ze laat mijn nek los, maar houdt het verdovingspistool nog op mijn hals gericht, 'moeten we ervandoor. Met jou...' Ze werpt een waarschuwende blik in Sarahs richting. 'Met jou reken ik later af.'

Dan doet ze de deur van het kantoor open, en terwijl ze voorzichtig naar links en naar rechts kijkt, duwt ze mij voor zich uit de lege gang in...

Maar voor mij niet ver genoeg om buiten schootsafstand te raken. Ze gebaart me dat ik naar de liften tegenover ons kantoor moet lopen – de liften die helaas voor mij – niets te lijden hebben gehad van de explosie in de dienstliftschacht. Dan drukt ze op de knop om naar boven te gaan. Ik hoop uit alle macht dat zodra de lift stopt het hele basketbalteam eruit stapt en Rachel omverloopt.

Maar nee hoor. De lift stond stil op de eerste verdieping en wanneer de deuren opengaan staat er niemand in.

'Naar binnen,' beveelt Rachel, en ik doe wat ze zegt. Rachel komt achter me aan, steekt de sleutel in de opening en drukt op de twintigste.

We gaan naar het penthouse. En daartussen stopt de lift niet meer.

'Meisjes zoals jij, Heather,' zegt Rachel en ze kijkt me niet aan. 'Ik heb mijn hele leven al met meisjes zoals jij te maken gehad. Mooie meisjes zijn allemaal hetzelfde. Jullie denken dat jullie overal maar recht op hebben. Jullie krijgen platencontracten, promoties en leuke kerels. En mensen zoals ik? Wij doen al het werk. Weet je dat het Viooltje de eerste onderscheiding is die ik ooit heb gekregen?'

Ik kijk haar vuil aan. Deze vrouw gaat me vermoorden. Er is geen enkele reden waarom ik nog beleefd tegen haar zou doen.

'Ja hoor,' zeg ik. 'En je hebt hem gekregen voor het opruimen van je eigen moorden. Dat gedoe met de dossiers van die meisjes, Elizabeth' moeder die wilde dat haar oorspronkelijke privileges werden ingetrokken, en mevrouw Pace die Lakeisha niet mocht, daar was toch helemaal niets van waar? Die moeders hebben je nooit gebeld. Je hebt het allemaal verzonnen om een gesprek met die meisjes te krijgen. Waar had je het trouwens over tijdens die gesprekken? Met wat voor weerzinwekkende dingen heb je die meisjes onder druk gezet?'

'Heather,' Rachel kijkt me berispend aan, 'je zult het ook nooit begrijpen, hè? Ik heb mijn hele leven hard gewerkt voor wat ik heb. Ik heb nooit iets in de schoot geworpen gekregen, zoals jij. Helemaal niets, geen mannen, werk, vrienden. Wat ik krijg, houd ik. Neem Christopher bijvoorbeeld. En deze baan. Kun je je voorstellen hoeveel moeite het me heeft gekost om een baan in hetzelfde gebouw te krijgen als waar hij woont? Nu zul je ook begrijpen waarom je dood moet. Je vormt een te groot risico voor me. Als je niet was gaan rondsnuffelen, had ik je laten leven. Ik heb altijd gevonden dat jij en ik een goed team vormden. Als ik naast jou sta bijvoorbeeld, lijk ik extra slank. Dat is een behoorlijk pluspunt voor een assistent.'

Ik hoor de liftbel en de deuren gaan open. We zijn op de twintigste verdieping, op de gang voor het appartement van de president. Ik weet dat zodra we op het grijze tapijt stappen, de bewegingsdetector bij de balie van de bewaking in werking zal treden. Zal Pete naar de monitor kijken en Rachel en haar verdovingspistool zien?

Alsjeblieft, Pete, kijk nou. Ik probeer weer gebruik te maken van gedachteoverbrenging, hoewel Pete twintig verdiepingen lager zit. Kijk nou, Pete, kijk, Pete, kijk.

Rachel duwt me de gang in.

'Kom op,' zegt ze terwijl ze de hoofdsleutel van het gebouw tevoorschijn haalt. 'Ik durf te wedden dat je altijd al hebt willen zien waar de president woont. Nou, nu krijg je de kans. Alleen jammer dat je niet lang genoeg zult leven om ervan te kunnen genieten.'

Rachel doet de voordeur open van het appartement van de Allingtons en duwt me de hal binnen. In deze zwart-wit betegelde ruimte stond mevrouw Allington toen ze me beschuldigde dat ik als een slet achter haar zoon aan zat. De hal komt uit op een enorme eetkamer die aan twee kanten openslaande deuren heeft die toegang geven tot het terras. Net zoals in de Villa d'Allington voert zwart leer de boventoon in het interieur, en nogal hevig ook. Martha Stewart, mevrouw Allington, is er niet. Nou, dat had ik onderhand wel kunnen verwachten.

'Mooi, hè?' zegt Rachel alsof het de normaalste zaak van de wereld is. 'Alleen die rotvogels.'

Even buiten de hal, in die twee meter hoge vogelkooi, fluiten en hippen de kaketoes. Ze kijken ons argwanend aan. Rachel richt het verdovingsapparaat op ze, en ze barst in lachen uit als de vogels beginnen te krijsen als ze de blauwe vlam zien.

'Stomme vogels,' zegt ze. Dan grijpt ze me bij mijn arm en trekt me mee naar de openslaande deuren. 'Kom op,' zegt ze. 'Tijd voor de grote finale. Ik had zo gedacht dat een ster als jij toch op een dramatische manier afscheid zou moeten nemen. Dus ga je niet als liftsurfer. Jij gaat van het dak van Fischer Hall springen. Een beetje zoals die schildpad in die film waar je psychotische vriendin uit de kantine het altijd over heeft. Alleen zul jij helaas niet worden gered door een touw dat vanuit je schild wordt afgeschoten.'

Voordat ik de kans krijg te reageren, wordt er aan de andere kant van de woonkamer een deur opengegooid en staat mevrouw Allington in een roze joggingpak naar ons te kijken.

'Wat hebben jullie hier verdomme te zoeken?' vraagt ze.

Rachel glimlacht innemend. 'Let maar niet op ons, Eleanor,' kweelt ze. 'We zijn zo weer weg.'

'Hoe ben je binnengekomen?' Mevrouw Allington komt woedend op ons afgelopen. 'Eruit, meteen, anders bel ik de politie.'

'Ik zou wel willen, Eleanor,' zegt Rachel tegen de vrouw die in een ander leven misschien wel haar schoonmoeder had kunnen zijn. 'Maar we zijn hier voor zaken die te maken hebben met het studentenhuis.'

'Het interesseert me geen barst waarom jullie hier zijn.' Mevrouw Allington loopt naar de telefoon aan de muur. Dan pakt ze de hoorn op. 'Weet je wel wie mijn echtegenoot is?'

'Kijk uit, mevrouw Allington!' roep ik.

Maar het is te laat. Als een cobra schiet Rachel met haar verdovingspistool naar voren.

Mevrouw Allington verstijft, en haar ogen worden groot, alsof ze net vreselijk nieuws te horen heeft gekregen. De uitslag van het examen van haar zoon, bijvoorbeeld.

Vervolgens lijkt het alsof ze zich over de rug van een van de banken slingert, tot ze op de parketvloer belandt, met wijdopen ogen en een halfopen mond waar een beetje speeksel uit druipt.

'O, god,' roep ik. Omdat het zonder meer het afschuwelijkste is wat ik ooit heb gezien. Erger nog dan wat ik Tania Trace met mijn vriendje heb zien doen. 'Rachel, je hebt haar vermoord.'

'Ze is niet dood,' zegt Rachel met onmiskenbare walging in haar stem. 'Als ze weer bijkomt, heeft ze geen flauw idee wat er is gebeurd. Ze zal zich niet eens haar eigen achternaam herinneren, laat staan mij. Maar dat zijn we wel van haar gewend. Kom mee,' zegt ze, en ze pakt me bij mijn arm.

Nu ik met eigen ogen heb gezien waartoe dat apparaat in staat is, sta ik niet popelen dat aan den lijve te ondervinden. Ik besef nu dat het reuze stom is geweest dat ik niet geprobeerd heb om beneden aan Rachel te ontsnappen. Natuurlijk had ze me dan ook kunnen grijpen en me de lift in kunnen sleuren, maar dat zou niet makkelijk voor haar zijn geweest. Op deze manier kost het haar weinig moeite. Ik moet naar beneden zien te komen.

Deze inval alleen is al voldoende om een poging te wagen. Ik ruk mijn arm los en begin te rennen. Ik weet niet waarom, maar ik steven op de deur af waar mevrouw Allington uit is gekomen. Ik kan niet zo hard rennen, want ik ben nog stijf van dat gedoe met de lift van gisteren. Maar ik weet dat ik Rachel heb verrast, want ze slaakt een kreet van woede. Dat ik haar heb kunnen verrassen, betekent dat ze de situatie niet meer meester is.

Ik krijg slechts een vage indruk van de vertrekken waar ik doorheen ren. Eerst de eetkamer, waar zo te zien al heel lang niet meer in gegeten is. De lange mahoniehouten tafel glimt als een spiegel en biedt plaats aan twaalf mensen, en op het buffet staat een schaal met nepfruit. Nep! Vervolgens een smetteloos schone keuken met blauw-witte tegels. Aansluitend een kleinere kamer met aan twee kanten openslaande deuren en een breedbeeld-televisie die tegenover een leren bank staat, deze keer een olijf-groene. Er is een film met Debbie Reynolds op de tv: *Tammy and the Bachelor*, denk ik. Op de bank staat een naaimandje en een fles Absolut. Mevrouw Allington weet echt wel raad met haar vrije tijd.

Ik storm door de enige deur in het vertrek die niet op het ter-ras uitkomt en kom in een slaapkamer terecht, een donkere slaapkamer want de gordijnen die voor de openslaande deuren hangen, zijn dicht. Er staat een lits-jumeaux dat niet is opge-maakt; de grijze zijden lakens zijn aan een kant opengeslagen. Nog een breedbeeld-tv, op deze is een talkshow bezig en het geluid staat af. Er ligt een zwarte onderbroek op de grond. Is dit Chris' kamer? Maar Chris woont in het studentenhuis. Dat betekent dus dat de Allingtons apart slapen. Dit is goed voor een fijne roddel.

Afgezien van de deur die naar president Allingtons badkamer leidt, zijn er verder geen deuren. Ik zit in de val.

Ik hoor Rachel aankomen. Ze slaat met de deuren en krijst als een furie. Wanhopig kijk ik om me heen of ik een soort wapen kan vinden, maar ik zie niets. Er loopt een lichtrail langs het plafond met spiegels – daar denk ik later wel over na – zodat ik niet eens een lamp kan uitdraaien om naar haar kop te gooien. Ik denk er even over om me onder het bed te verstoppen of achter de damasten gordijnen, maar ik weet dat ze me toch zal vinden. Kan ik me hier niet uitlullen? Ik heb me wel uit ergere situaties weten te lullen, ik weet niet zo gauw welke, maar ik weet wel bijna zeker dat dat zo is.

Rachel komt de kamer binnen stormen. Ze struikelt half over de drempel en knippert met haar ogen om aan de plotselinge duisternis te wennen. Ik sta aan de andere kant van de kamer, achter het enorme bed, en probeer me niet te laten afleiden door mijn spiegelbeeld op het plafond.

'Luister nou, Rachel,' hijg ik gehaast en met een lage stem. 'Je hoeft me niet te vermoorden. En Sarah ook niet. Ik zweer dat ik het aan niemand zal vertellen. Het blijft gewoon tussen ons. Ik begrijp helemaal wat er door je heen gaat. Ik ben ook door kerels belazerd, maar Chris is het gewoon niet waard om de bak voor in te gaan.'

'Ik ga niet naar de gevangenis, Heather,' zegt Rachel. 'Ik ga jouw herdenkingsbijeenkomst regelen. En mijn bruiloft. En op beide gelegenheden zal ik zeker je grootste hits draaien. Als je tenminste meer dan één hit hebt gehad. Was je niet zo'n fenomeen dat maar één hit heeft? Jammer eigenlijk. Ik vraag me af of er wel mensen op je begrafenis komen. Tenslotte ben je al behoorlijk passé – hoe oud ben je eigenlijk? Vijfentwintig? Zesentwintig? Gewoon een voormalig popsterretje dat er een eind aan heeft gemaakt.'

'Achtentwintig,' zeg ik. 'Nou, oké dan, vermoord me maar. Maar Sarah niet. Toe nou, Rachel, ze is nog maar een meisje.'

'Ach gossie.' Rachel lacht en schudt haar hoofd. 'Wat aandoenlijk zoals je Sarahs leven probeert te redden, want ik weet hoe je je altijd aan haar ergert. Weet je, Heather, dat is nou het hele eieren eten met meisjes zoals jij. Je bent te lief. Je gaat niet tot het bittere einde. Als het een beetje te moeilijk wordt, stort je in. Je hebt alles meegekregen en je gooit het zomaar weg. Je verwaarloost je lichaam, je laat je vent ervandoor gaan en je carrière in de soep lopen. Jezus, je laat je zelfs door je eigen moeder bestelen. En dan doe je daar nog steeds... aardig over. Ik bedoel maar. Jordan en jij. Jullie zijn nog altijd bevriend. Je kunt Sarah niet uitstaan en toch sta je me hier zo ongeveer te smeken om haar niet te vermoorden. Ik durf te wedden dat je moeder nog steeds een kaartje voor moederdag van je krijgt, waar of niet?'

Ik slik en ik knik.

Nou ja, wat kun je daar nou op zeggen?

'Zie je nou,' zegt Rachel. 'Dat is toch gewoon zielig. Want aardige meisjes trekken altijd aan het kortste eind. Ik doe eigenlijk iedereen een plezier door je te vermoorden. Min of meer natuurlijke selectie. Weer een blondje minder om naar de verdommenis te zien gaan.'

Terwijl ze dat zegt duikt Rachel met het verdovingsapparaat in haar hand over het bed heen.

Ik draai me pijlsnel om, trek de gordijnen op, gooi de openslaande deuren open en spring het terras op.

31

Wake up, look around
Everybody's got their feet
On the ground
No way I'll do the same
I'm over you,
No one to blame

Get out, out of my life
I'm not your mother
Won't be your wife
Go on, go out that door
Don't you mess
With me no more
It's all over
Just leave it be
I'm over you
Get away from me

Heather Wells 'Get Out'

Het regent nog steeds – zelfs nog harder dan eerst. Zo ver ik kan kijken, is er alleen maar loodgrijze hemel om me heen.

Ik heb het me nooit gerealiseerd, maar Fischer Hall is het hoogste gebouw aan de westkant van het park. Het terras van het penthouse biedt aan vier kanten een schitterend uitzicht op Manhattan. In het noorden is het Empire State Building nog net zichtbaar door de nevel, in het zuiden is een in mist gehulde lege plek waar het World Trade Center ooit heeft gestaan, en in de verte het door regen overspoelde East en West Village.

Een uitstekende locatie om een filmscène op te nemen, besef ik. Iets uit *Teenage Mutant Ninja Turtle*, of zoiets.

Maar dit is geen film. Dit is het echte leven. Mijn leven. Voor zo lang dat nog duurt.

Er staat een harde wind op de twintigste verdieping en de motregen spat in mijn gezicht. Het valt niet mee om te ontdekken waar ik naartoe ga, want overal om me heen zie ik alleen maar plantenbakken met geraniums die in wankel evenwicht op de lage stenen balustrade staan. Ik zou er makkelijk overheen kunnen vallen.

Omdat ik niet weet waar ik naartoe moet, ren ik ineengedoken langs de muur van het appartement naar de andere kant van het terras. Van Rachel is nog geen spoor te bekennen, dus blijf ik even staan en open de rugzak die nog steeds aan een hengsel over mijn schouder hangt. Ik rommel er even in, op zoek naar het busje pepperspray waarvan ik zou zweren dat ik dat nog had. Ik heb geen flauw idee of dat ding het nog doet, maar ik wil inmiddels wel alles proberen wat me maar zou kunnen beschermen tegen een opdonder van dat verdovingsapparaat.

Ik vind het busje. Wanneer ik het veiligheidspalletje opentrek, hoor ik een oorverdovend geraas achter me. Rachel springt in een wolk van glasscherven en houtsplinters door de openslaande deuren, waarvan ze niet eens de moeite heeft genomen om ze open te maken. Ze lijkt wel Cujo of een *teenage mutant ninja turtle*. Ze kwakt met volle kracht tegen me aan, en we vallen allebei op de natte tegels.

Ik kom keihard op mijn zere schouder terecht, waardoor de

lucht uit mijn longen wordt geperst. Maar ik probeer al rollend over de houtsplinters en glasscherven bij haar uit de buurt te komen.

Ze krabbelt eerder overeind dan ik en komt in volle vaart op me af. Ondanks alles is ze erin geslaagd die Thunder Gun nog steeds vast te houden.

Maar ik heb de pepperspray in mijn vuist. Wanneer ze over me heen buigt, zit haar zwarte haar door de regen aan haar gezicht vastgeplakt en zijn haar lippen opgetrokken in een grauw die wel een beetje lijkt op zoals Lucy doet wanneer ze wordt opgejut met een tennisbal of een catalogus van Victoria's Secret.

'Wat ben je toch een slappeling,' schampert Rachel. Ze zwaait met het verdovingsapparaat onder mijn neus. 'Hoe weet je of iemand een brunette is?'

Ik probeer me in een houding te manoeuvreren waarin ik haar recht in het gezicht kan spuiten. Ik wil niet dat de wind dat spul terug naar mij blaast.

'Ik weet niet waar je het over hebt,' fluister ik, nog steeds buiten adem van de klap. Jezus, onvoorstelbaar dat ik ooit bloemen voor deze vrouw hebt gekocht.

Nou ja, ze kwamen uit de deli. Maar toch.

'Hoe weet je of iemand een brunette is?' grinnikt Rachel met haar gezicht vlak boven het mijne. 'Dan moet je een blondje ondersteboven houden.'

Als ze aanstalten maakt om de honderdtwintigduizend volt in mijn rechterheup te jagen, doe ik mijn hand omhoog en spuit een dot pepperspray in haar gezicht. Rachel gilt en slaat haar handen voor haar ogen.

Maar het tuitje gaat niet helemaal naar beneden. Dus in plaats van een stoot chemisch vergif in haar ogen te spuiten, druipt het spul langs de zijkant van het busje en komt op mijn gehechte wonden terecht, wat zo'n pijn doet dat ik keihard 'Au!' roep.

Wanneer het tot Rachel doordringt dat ze niet is geraakt, begint ze te lachen.

338

'O god,' hikt ze. 'Kan het nog sneuer, Heather?'

Maar als ze weer op me afkomt, spring ik overeind en ben ik erop voorbereid.

'Rachel,' zeg ik terwijl ze vlak bij me komt. 'Ik moet je al een hele tijd iets vertellen. Maat 42' – terwijl ik het busje stevig in mijn stekende handen houd, ram ik Rachel zo hard als ik kan in haar gezicht – 'is niet voor dikkerdjes!'

Het lijkt alsof mijn knokkels het begeven van de pijn. Rachel gilt en wankelt achteruit, haar handen tegen haar neus gedrukt, terwijl er een straal bloed tussendoor spuit.

'Mijn neus!' krijst ze. 'Je hebt mijn neus gebroken! Vuile trut!'

Ik kan bijna niet blijven staan. Mijn schouder doet zo'n vreselijke pijn en mijn handen staan in brand van de pepperspray. Er zitten glasscherven in mijn rug, de knokkels van mijn rechterhand zijn ongevoelig, en uit een wond ergens op mijn voorhoofd stroomt bloed. Ik knipper het bloed en de regen weg uit mijn ogen. Het enige wat ik wil, is naar binnen gaan en even gaan liggen, en misschien een poosje naar een kookprogramma kijken.

Maar dat gaat niet. Ik heb nu met een psychotische bazin te maken.

Ze staat daar maar en houdt met haar ene hand haar neus vast. In de andere heeft ze het verdovingsapparaat. Dan spring ik op haar af, sla mijn armen om haar slanke taille en gooi haar op de grond als vijfenvijftig kilo Manolo Blahniks. Ze valt neer en probeert zich los te wurmen terwijl ik wanhopig moeite doe haar het verdovingsapparaat afhandig te maken.

Ze is de hele tijd aan het snikken. Niet omdat ze bang is, wat eigenlijk wel had gemoeten – want ik meen het echt, ik sta werkelijk op het punt haar te vermoorden – maar van woede. Haar donkere ogen schitteren van zo'n hartgrondige haat dat ik me afvraag waarom ik dat nooit eerder heb gezien.

'Aardige meisjes trekken altijd aan het kortste eind, hè?' zeg ik terwijl ik haar keihard tegen haar knie schop. 'En dit dan? Is dit aardig genoeg naar je zin?'

Ik heb het idee alsof ik tegen zo'n testpop aan trap die ze in auto's gebruiken. Rachel lijkt totaal ongevoelig voor pijn, tenzij het iets met haar gezicht heeft te maken. Met haar goddelijke neus bijvoorbeeld.

En ze is sterk – veel sterker dan ik, ondanks mijn moordlust en hoewel ik zwaarder en groter ben dan zij. Ik krijg dat apparaat niet uit haar handen. Ik heb wel eens gelezen over mensen die in hun wanhoop twee keer zo sterk worden – moeders die een auto van hun overreden kind tillen, bereden politieagenten die hun favoriete paard uit zinkputten trekken en dat soort dingen. Rachel is net zo sterk als een man, een man die zijn leven ziet instorten.

Ze zal niet opgeven tot een van ons tweeën dood is.

En ik heb het akelige vermoeden dat ik diegene zal zijn.

Het enige wat ik kan doen is haar handen vasthouden zodat ze het apparaat niet kan gebruiken. Mijn handen zijn glibberig van de regen en het bloed, en ze doen pijn van de pepperspray die in mijn wonden is gekomen. Ik houd het bijna niet vol. Rachel is toch weer overeind gekrabbeld, ondanks mijn pogingen haar benen onder haar vandaan te schoppen. Nu staan we rechtop in de regen te vechten om het wapen. Door ons geworstel zijn we gevaarlijk dicht bij de rand van het terras gekomen.

Op de een of andere manier heeft Rachel zich zo weten te draaien dat ik met mijn rug tegen een bak met geraniums sta, net zo eentje als waardoor Jordan bijna is verongelukt. Ik heb mijn gezicht omhoog en ik kan bijna niets zien vanwege de regen. Met mijn ogen dicht concentreer ik me op de bijna onmogelijke taak Rachels armen hoog boven me te houden zodat die zoemende staafjes niet bij mijn lichaam in de buurt komen. Ik voel de plantenbak wiebelen en meegeven. Zonder mijn ogen open te doen hoor ik de enorme klap als hij even later op het trottoir terechtkomt.

Het meest angstaanjagende is nog de tijd die verstrijkt tussen het moment dat de plantenbak van het dak afgleed, en het geluid van de klap toen hij op de grond terechtkwam. Ik kon bijna tot tien tellen.

Tien seconden door de lucht vallen. Tien seconden om over je dood na te denken.

Mijn armen verslappen. Ik weet dat ik huil, want het zout van mijn tranen prikt in de wonden op mijn gezicht.

En boven me is Rachel aan het lachen, omdat ze voelt dat ik verslap.

'Zie je nou wel,' zegt ze. 'Heather, ik heb het je toch gezegd. Je bent veel te aardig om te winnen. Te slap. Geen conditie. Want maat 42 is echt wel voor dikkerdjes. O, ik weet dat je wilt zeggen dat dit de maat is van de doorsnee Amerikaanse vrouw. Maar weet je, Heather, de doorsnee Amerikaanse vrouw is dik.'

'O, god.' Ik sproei regen en bloed uit mijn mond. 'Rachel, je bent niet goed bij je hoofd. Er is echt iets niet met je in orde. Ik wil je wel helpen...'

'Wat heb je trouwens om voor te leven?' vraagt Rachel alsof ze me niet heeft gehoord. Dat zal ook wel niet. 'Je muzikale carrière is naar de knoppen. Je vriendje heeft je aan de kant gezet. Je eigen moeder heeft je bedonderd. Je had gisteren in die lift moeten doodgaan. Of de dag daarvoor, toen ik mis gooide. Geef het nou maar op, Heather. Aardige meisjes winnen nooit...'

Bij het woordje 'winnen' begint Rachel langzaam mijn armen te buigen. Ik kan me niet langer verzetten. Ik huil nu hardop, probeer haar tegen te houden en niet te luisteren naar haar kirrende stemmetje: 'Denk nou eens even na. Jouw dood haalt zeker het nieuws op MTV. Misschien niet de *Times,* maar zeker wel de *Post.* En wie weet, misschien maken ze zelfs een *E! True Hollywood Story* over je, in de serie "mensen die maar één hit maakten en de dertig niet haalden"?'

Ik doe mijn ogen open en kijk haar woedend aan, niet in staat iets te zeggen, omdat alle kracht die ik nog heb erop is gericht me niet te laten elektrocuteren.

Wanneer ik mijn armen voel bibberen, en mijn spieren trillen, verzwakt als ze zijn door de te grote inspanning, hoor ik Rachels triomfantelijke lach als haar laatste sneer.

'Heather,' zegt ze monter, en haar stem klinkt ver weg, hoewel ze nog steeds boven me hangt. 'Hoeveel blondjes heb je nodig om een lamp in te draaien?'

En dan explodeert haar hoofd.

Echt waar. Zó staat ze me uit te lachen en het volgende moment is haar hoofd verdwenen, achterovergeslagen door een voorwerp dat haar zo hard treft dat het bloed uit de wond spuit en in mijn ogen terechtkomt. Het verdovingsapparaat in haar hand gaat uit. Ze valt van me af en komt met een misselijkmakende klap op de tegels terecht.

Ik houd me vast aan de muur van het terras, en veeg mijn gezicht met de rug van mijn hand af – het enige deel van mijn lichaam dat nog ongeschonden is. Ik hoor alleen maar het geluid van de regen en iemands onregelmatige ademhaling.

Het duurt even voordat ik besef dat die ademhaling niet van mij komt. Als ik weer een beetje kan zien, kijk ik op en zie Rachel aan mijn voeten liggen. Er gulpt bloed uit een wond aan de zijkant van haar hoofd, waardoor de poeltjes regenwater roze kleuren.

Met een bebloede fles Absolut in haar hand staat mevrouw Allington voor me. Haar roze joggingpak is doordrenkt van de regen en haar borst gaat hevig op en neer. Ze kijkt met een blik van minachting naar Rachels uitgestrekte lichaam.

Mevrouw Allington schudt haar hoofd.

'Ik heb zelf maat 42,' zegt ze.

32

So go ahead and
Make your way

Back from the edge
Of yesterday

No one knows what
Can't be known

'Cause when you start
You're all alone

But take enough steps
Take enough steps
Take enough steps

And someday
Someday you'll be home

Heather Wells, Untitled

Ik hoef maar één nachtje in het ziekenhuis te blijven – omdat al mijn wonden weer open zijn gegaan, en vanwege diverse kneuzingen en glasscherven in mijn lijf.

Maar als je het mij vraagt is zelfs die ene nacht nog te veel. Weet je wat ze in een ziekenhuis als toetje beschouwen? Ja hoor, Jell-O. Met vruchtjes erin. Niet eens een piepklein marshmallowtje. Iedereen weet toch dat Jell-O een slaatje is en geen toetje.

En ze hebben ook geen bad in het ziekenhuis. Als je je wilt wassen moet je onder de douche of bij de wastafel.

Maar goed. Ik probeer mijn tijd zo goed mogelijk te besteden. Mijn tijd in het ziekenhuis, dus. Ik glip mijn afdeling af en ga bij Julio op bezoek. Tot mijn grote vreugde is hij redelijk aan het herstellen van zijn verwondingen. Als alles goed gaat, kan hij de volgende maand weer aan het werk.

Omdat ik hier nu toch ben, ga ik ook even naar Jordans kamer. In het ziekenhuis bedoel ik.

Hij is behoorlijk verrast me te zien. En zijn aanstaande bruidje, Tania, die is ronduit vijandig tegen me. Als ik niet beter wist zou ik denken dat ze mij als een bedreiging ziet. Of zo.

Maar ik snap niet waarom ze zich bedreigd zou voelen. Haar laatste single 'Slut', belandde onlangs op de tiende plaats van *Total Request Live*.

Toch wens ik hun maar het allerbeste. Ik vind dat ze ontzettend goed bij elkaar passen.

En dat is echt niet gelogen.

Ik hoef dan weliswaar maar één nacht in het ziekenhuis te blijven, maar ik krijg wel twee weken vrij – doorbetaald – van mijn baan als assistent-huismeester van Fischer Hall. Ik neem aan dat dat de beloning is op het New York College wanneer je je baas te grazen neemt voor een dubbele moord. Ook al heb je nog niet zo veel verlofdagen gespaard, of iets dergelijks.

Als ik weer terug ben op kantoor is het buiten inmiddels koud geworden. De bladeren aan de bomen op Washington Square beginnen te verkleuren, maar het rood en goud verbleken vergeleken met de kleuren waarmee de eerstejaars in Fischer Hall hun haar hebben geverfd, in afwachting van Parent Day.

Echt waar, hoor. Het lijkt af en toe een College voor clowns of zo.

Gedurende mijn afwezigheid zijn er nog wel een paar dingen in Fischer Hall veranderd. Rachel bijvoorbeeld, die in de gevangenis haar proces afwacht. Ik krijg een nieuwe baas, ik weet nog niet wie, want er lopen nog steeds sollicitatiegesprekken.

Maar volgens meneer Jessup geeft mijn keus de doorslag.

Het lijkt me wel leuk om voor de verandering eens een keer voor een man te werken. Begrijp me niet verkeerd, vrouwelijke meerderen zijn prima, hoor. Maar ik zou best even wat minder oestrogeen om me heen willen hebben.

Sarah vindt dat ook. Zij en alle andere werkstudenten zijn een stuk aardiger tegen me nu ze weten dat ik mijn leven heb gewaagd om iemand in de kraag te pakken die hun medebewoners om zeep heeft geholpen. Ik hoor ze ook bijna nooit meer over Justine. Behalve gisteren, toen Tina naar me toe kwam en zei: 'Weet je dat Justine nooit een spijkerbroek aan had naar haar werk, zoals jij? Ze zei dat ze er nooit eentje kon vinden die klein genoeg was. Ik kon dat niet uitstaan van haar.'

Zelfs Gavin luistert eindelijk naar me, en hij is definitief gestopt met liftsurfen. In plaats daarvan onderzoekt hij nu de stadsriolering.

Dat zal volgens mij ook niet al te lang duren, want de lucht die om hem heen hangt maakt hem nu niet bepaald de populairste knul van zijn verdieping.

O, en de Allingtons zijn verhuisd. Naar een aangrenzend gebouw – het gebouw waar Donatello of een andere *teenage mutant ninja turtle* op sprong in de film. Maar mevrouw Allington vindt het net ver genoeg weg om zich met haar vogels prettiger te voelen, en ook omdat ze niet met nog zevenhonderd studenten en collegepersoneel samen hoeven te wonen.

345

De studenten vonden het helemaal niet erg dat de Allingtons weggingen, maar dat geldt niet voor hun zoon. Chris is zelfs min of meer een soort beroemdheid geworden, vanwege Rachels obsessie voor hem – iets wat alle voorpagina's heeft gehaald. Hij maakt gebruik van zijn bekendheid om een nachtclub in SoHo te beginnen. Die rechtenstudie was blijkbaar toch meer een droom van zijn vader dan van hem. En nu het aanbiedingen regent van onder andere Lifetime Channel en de *Playboy* om zijn verhaal te mogen publiceren, heeft Chris het ouderlijk juk van zich afgeworpen en zijn eigen plannetjes ontwikkeld.

Ik wed dat die plannetjes hem binnen de kortste keren in de cel doen belanden.

De bewoners van Fischer Hall, studentenbestuur en personeel kwamen met een in onze ogen passend eerbetoon aan Elizabeth Kellogg en Roberta Pace. We hebben twee bomen geplant – twee kornoeljes – op een mooi plekje in het park, met een plaquette eronder waarop staat: TER NAGEDACHTENIS AAN en dan hun namen, hun geboorte- en sterfdatum met daarbij: WE ZULLEN HEN MISSEN. Duizenden mensen zullen het zien – de plaquette en de bomen, die volgens de mannen van de plantsoenendienst in de lente gaan bloeien. Net zoals honderden studenten zullen profiteren van de studiebeurs die we in Beth' en Bobby's naam hebben ingesteld.

Ik kan bijna niet wachten om die bomen te zien bloeien. Het is het enige waar ik de laatste dagen nog naar uitkijk, omdat ik er eindelijk achter ben wat Cooper van me vindt.

Niet dat hij weet dat ik het weet. Hij heeft waarschijnlijk geen idee dat ik het me nog herinner. Het gebeurde toen hij het terras op kwam stormen, even nadat mevrouw Allington Rachel met haar fles Absolut bewusteloos had geslagen. Hij had de boodschap gehoord die ik op zijn mobieltje had ingesproken. In gezelschap van inspecteur Canavan was hij pijlsnel naar Fischer Hall gegaan, waar hij van Pete hoorde – die had Rachel en mij op zijn monitor naar het penthouse zien gaan – dat Rachel niet alleen nog leefde, maar dat we samen naar boven waren gegaan om blijkbaar een bezoekje aan mevrouw Allington te brengen. Door de slechte beeldkwaliteit van de monitor kon Pete blijkbaar niet zien dat Rachel een verdovingsapparaat tegen mijn hals gedrukt hield; hier gaan we op de hele campus iets aan doen.

Terwijl inspecteur Canavan zich bezighield met de bewusteloze Rachel en de onvast op haar benen staande mevrouw Allington, knielde Cooper in de regen naast me neer en vroeg of alles goed met me was.

Ik herinner me nog dat ik met mijn ogen knipperend naar hem opkeek en me afvroeg of dit ook een hallucinatie was, net zoals degene van Rachel die een klap op haar kop kreeg. Op dat moment wist ik zeker dat ik doodging vanwege het prikken van de pepperspray in mijn wonden, en de glasscherven in mijn rug, en mijn zere schouder, en zo.

Daarom zei ik steeds maar – vandaar dat ik het me nog herinner – en ik bleef het maar herhalen: 'Beloof me dat je voor Lucy zult zorgen. Als ik dood ben moet jij voor Lucy zorgen.'

Cooper had zijn leren jack uitgedaan – die met mijn bloedvlekken erop – en legde dat over me heen. Het was nog steeds warm van zijn lichaam. Dat herinner ik me ook. En het rook helemaal naar hem.

'Natuurlijk zal ik dat doen,' zei Cooper toen. 'Maar je gaat niet dood. Ik weet wel dat je pijn hebt. Maar de ziekenbroeders zijn zo hier. Het komt allemaal goed, geloof mij nou maar.'

'Nee, niet waar,' zei ik. Omdat ik zeker wist dat ik dood zou gaan. Later zei de ziekenbroeder dat ik een shock had die veroorzaakt was door de pijn, de kou, de regen en alles.

Maar op dat moment kon ik dat natuurlijk niet weten.

'Ik ga dood op mijn achtentwintigste,' zei ik tegen wat in mijn ogen een hallucinatie van Cooper was. 'Een fenomeen met maar één hit. Dat is alles. Zorg ervoor dat dat op mijn grafsteen komt: HIER LIGT IEMAND MET ÉÉN HIT.

'Heather,' zei Cooper. Hij glimlachte erbij. Dat weet ik zeker. Dat hij glimlachte bedoel ik. 'Je gaat niet dood. En je hebt niet alleen maar één hit.'

'Ja hoor.' En toen begon ik te lachen. En toen begon ik ook te huilen. En toen kon ik niet meer ophouden.

Dat blijkt dus ook een veel voorkomend symptoom van shock te zijn. Maar ook dat kon ik toen niet weten.

'Rachel had gelijk,' hoor ik mezelf nog verbitterd zeggen. 'Ze had gelijk! Ik had alles en ik heb het verknald. Ik ben de grootste loser van de wereld.'

Toen dwong Cooper me rechtop te gaan zitten en nam me in zijn armen. En hij zei tegen me: 'Heather, je bent geen loser. Je bent een van de dapperste mensen die ik ken. Iedereen had het bijltje erbij neergegooid als ze hadden meegemaakt wat jij met je moeder, mijn broer en je carrière te verduren hebt gehad. Maar jij ging door. Je begon weer opnieuw. Ik heb altijd bewondering gehad voor de manier waarop je ondanks alles gewoon doorging.'

Tot mijn grote spijt moet ik bekennen dat ik toen antwoordde: 'Net zoals dat roze konijntje met dat trommeltje?'

Dat wijt ik dan ook maar aan de shock.

Cooper ging erin mee. Hij zei: 'Ja, net zoals dat kleine roze konijntje met dat trommeltje. Heather, je bent geen loser. En je gaat ook niet dood. Je bent een aardige meid, en het komt allemaal goed.'

'Maar...' In mijn door shock benevelde hersens kwam opeens het gesprek met de vrouw die me had geprobeerd te vermoorden naar boven. 'Aardige meisjes trekken altijd aan het kortste eind.'

'Toevallig houd ik van aardige meisjes,' had Cooper gezegd.

En toen kuste hij me.

Eén keertje. En op mijn voorhoofd. Je weet wel, zoals de grote broer van je voormalige vriendje je zou kussen als je bijvoorbeeld bent aangevallen door een moordlustige maniak, terwijl

jij een shock had, en hij dacht dat je het toch niet zou onthouden.

Maar dat deed ik wel. En ik herinner me het nog steeds.

Hij vindt me dapper. Nee, wacht even, hij vindt me een van de
dapperste mensen die hij kent.

En hij vindt me aardig. Omdat hij toevallig van aardige meisjes houdt.

Kijk, het is niet veel. Maar weet je wat?

Het is genoeg. Voorlopig tenminste.

O, en nog iets.

Ik ben nooit meer naar die winkel teruggegaan om een spijkerbroek maat 38 kopen. Ten eerste is er niks mis mee om maat 42 te
hebben. En ten tweede heb ik het veel te druk. Ik heb mijn proeftijd van zes maanden doorlopen. In januari begin ik aan mijn
eerste jaar aan het New York College. Mijn eerste college?

Inleiding tot het strafrecht.

Je moet toch ergens beginnen, waar of niet?